三浦悦子の世界〈16〉

［化鳥］

0.75倍速の正義

私は早口の方のお話にストレスを感じます。
嫌悪感をいだいたまま我慢し続けると、病気になります。

早口YouTuberは0.75倍速で聞くようにしています。
早口の人がそれを聞くと、
0.25の遅さにストレスを感じるのでしょうか？

みんな急ぎ過ぎだってばさ。
おだやかに、おだやかにしようよ。

人格形成時から虐待されてきたせいで、
ちゃんと大人になれずに、
心の中はまだ全部子供の時のまま。
だから作る人形も結構幼いんです。

与偶

YOGU

●トークイベントレポ p.106

人形作りは、
たぶん苦しむ人がいなくなるまで、
苦しめようとする人がいなくなるまで続けて、
もしその役目が終わったら、
人形も私も土に還れればいいなと思っています。

★左頁は衣装：伊藤聡美
2点とも撮影：Kay

★《誰が鈴をつけるのか?》2017年

★《「汚されてⅡ」》
2018年

★《冥婚Ⅰ》

高田　美苗 *TAKADA Minae*

★《遠い祈り》

死や闇へ 思いを馳せる少女

★《一角獣と少女》2019年

高田美苗に関しては、ExtrART file.24でも紹介したばかりだ。ギャラリー オル・テールでの個展の展示風景とともに、死の世界との連関から少しばかり解題してみた。それをここでは、「病み＝闇への視線」と名付けてみよう。別に作品内容や作家が病んでいるわけではない。それは、光に満ちた健全を疑い、反転して見ようとする意思だ。光に対する闇、健全に対する病み、そうしたものへ開かれた感性が高田の作品にはある。それゆえその作品は、我々に深遠なファンタジーを夢見させてくれるのである。（沙）

★高田美苗 作品集出版記念展（個展）
2020年6月12日（金）～27日（土）日・月休、13：00～19：00
場所／東京・八丁堀 アート★アイガ
Tel.050-3405-7096 http://www.artaiga.com/

★高田美苗個展／2020年12月5日（土）～18日（金）
場所／東京・銀座 青木画廊 http://www.aokigallery.jp/

★高田美苗 作品集
「箱庭のアリス」好評発売中!
B5判ハードカバー・64頁・税別2700円
発行：アトリエサード、発売：書苑新社
詳細・通販はアトリエサードのHPへ!

★「高田明美・高田美苗 二人展 ―Angel Mythos―」
場所／渋谷スクランブルスクエア ショップ&レストラン 5階＋Q（プラスク）グッズ
2020年7月開催予定。詳細は左記サイトで確認を
https://www.shibuya-scramble-square.com/

★高田明美

★高田明美はクリィミーマミやオリジナル作品の原画などを、高田美苗は原画、版画などを展示。グッズ等も販売。

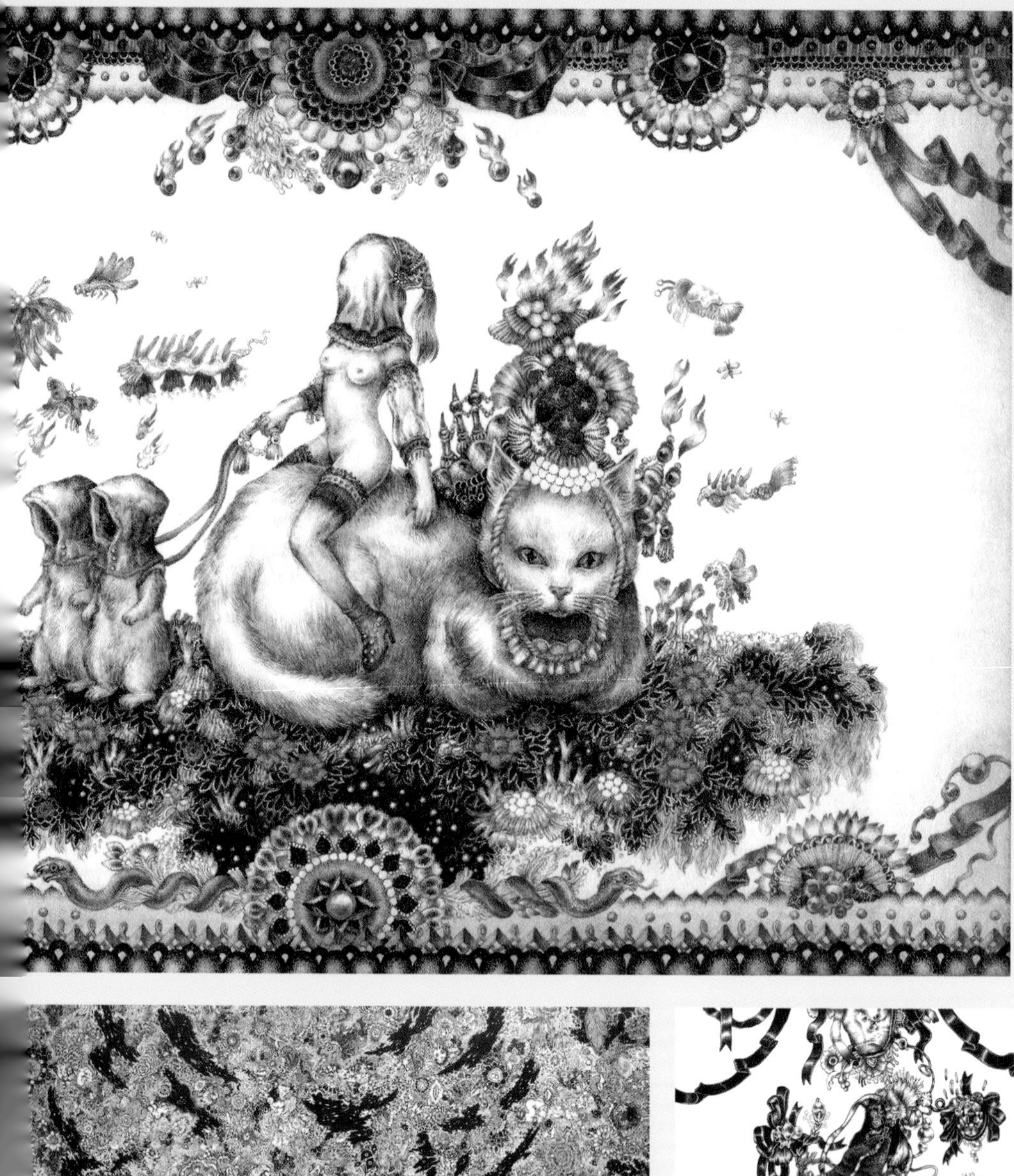

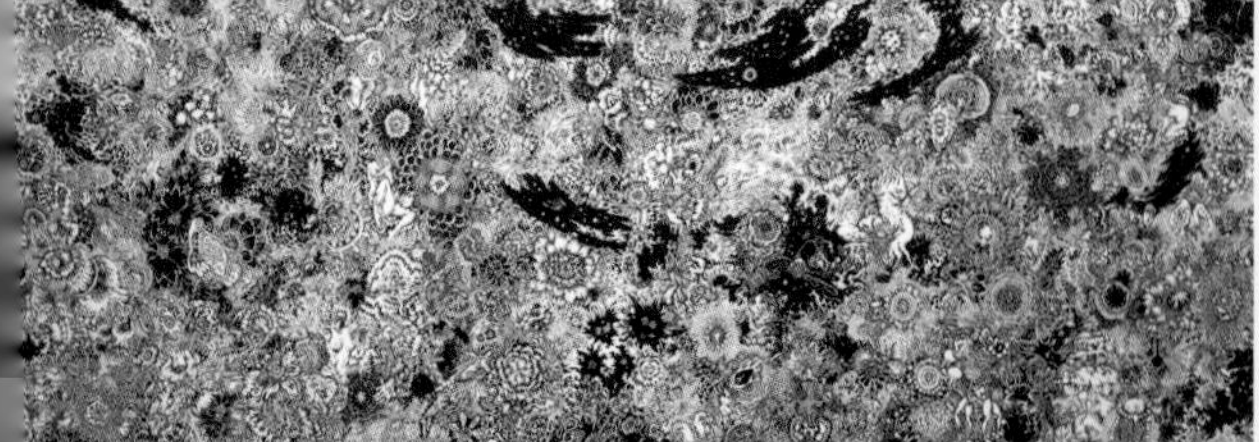

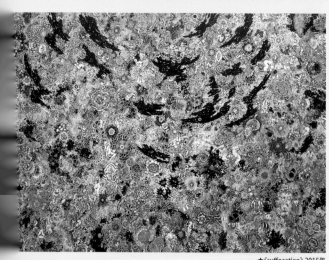

★《suffocation》2015年

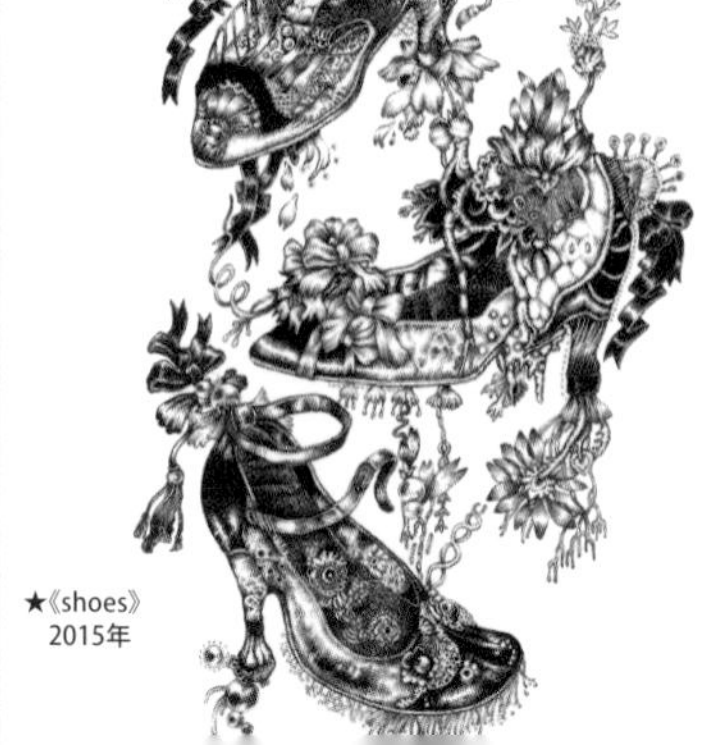

★《shoes》
2015年

青木 瞳

AOKI Hitomi

不安や劣等感を反映させた奇妙な寓話のような光景

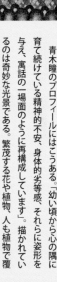

★青木瞳は2020年5月に東京・曳舟のgallery hydrangeaにて個展を予定していたが、新型コロナの影響で延期に。
▽新しい日程や作品の問合せは gallery hydrangea へ
Tel.03-3611-0336
gallery-hydrangea.shopinfo.jp

青木瞳のプロフィールにはこうある。「幼い頃から心の隅に育て続けている精神的不安、身体的劣等感、それらに姿形を与え、寓話の一場面のように再構成しています」。描かれているのは奇妙な光景である。繁茂する花や植物、人も植物で覆われ、顔は花に置き換えられているか隠されている。そしてその天地は、祭壇か何かのように過剰に装飾されている。

この「心の隅に育て続けている」光景は、本誌今号の特集に絡めるなら、心の「病み＝闇」なのかもしれない。しかし、そうして作り上げられたその世界の不可思議さは、強者の論理に支配された現実世界を逸脱するための術《すべ》でもあろう。闇の部分を通して繊細に弱者に寄り添ってくれる寓話、それが青木の世界の一面なのではないかと思う。（沙）

★（上）《化け猫にいのる》2017年　（下）《花粧》2017年

★山口友里

★雛菜雛子

雛菜雛子のキュレーションによる「美しくも儚い少女」をテーマにした企画展。少女たちが内に秘める暗黒面に焦点をあてた展覧会だ。

　雛菜雛子は、まさにそうした闇を「癒し」として描いている作家だ。人類の原風景を探る齋藤杏奈は、どこか郷愁を誘う素朴さが魅力。宮本香那は、奔放な、良識とは無縁の少女た

★愛実

★宮本香那

★齋藤杏奈

少女が内に秘めた暗黒面

を描く。一方、山口友里は、かわいさに少々毒をまぶして、少女たちの尽きぬ欲望を表現し、空野菜摘子は、人形的な少女像の背後に、辛さやまたは強さをにじませる。人形作家の愛実《あゆみ》は、リアルな存在感でもって少女の内面を表出させ、そしてマンタムは、死に寄り添うことで生を照射してみせる。

　さまざまな角度から照らし出される少女の闇。それはとても奥深い。（沙）

★雛菜雛子キュレーション特別企画展「處女美術館Ⅱ」

2020年5月28日（木）〜6月1日（月）　会期中無休
13:00〜18:30（最終日は〜17:00）　入場無料

参加作家／雛菜雛子、愛実、齋藤杏奈、空野菜摘子、マンタム、宮本香那、山口友里
会場楽曲／谷地村啓

場所／東京・曳舟 gallery hydrangea
Tel.03-3611-0336 https://gallery-hydrangea.shopinfo.jp/

※展示スケジュールは変更になる場合もあります。ギャラリーのホームページで確認を。

★空野菜摘子

★マンタム

ノイジーな音楽とダンス、耽美なヴィジュアルで病んだ世界を描く

阪本知は、2000年代後半にアングラ演劇やパフォーミングアーツに目覚め、自身で結成したヴィジュアル系バンド「紅蝉」での活動を経て、本格的に演劇の世界に身を投じる。18年、初のプロデュース公演「舞台版ドグラ・マグラ」を、19年には本誌№78でも告知を掲載した「密会 -Rebuild-」を上演して好評を博した。いずれの作品もDVD化されている。

「密会 -Rebuild-」は、1993年に犬の事ム所、2004年にくじら企画によって上演された「密会」を再構築したもので、歪んだ自意識を持つ男、電波で繋がった

他人、孤独、妄想……通り魔殺人を犯すことになるその男の狂気を、ノイジーな音楽とともに描き出す。ヴィジュアル系な容姿をした俳優たちが耽美かつ頽廃的な空気感を醸し、また芝居の間に巧妙に挿入されるダンスも相まって、観る者も狂気の中に引き込まれていく。

「ドグラ・マグラ」は言わずもがな、阪本は、世間から弾かれた異端者を照射することが多いようだ。公演#2・5として上演された「ハニカムストラクチャア」にはシャム双生児やせむし男が登場し、#2・5・5として上演される「楽屋」も精神病院に入院した女優がキーとなる。「楽屋」は舞台美術もパースの狂ったものになると言い、おそらくそれも狂気の表象なのだろう。

そうした「病み」を阪本は、音とヴィジュアルによるショー的な娯楽性をまぶして魅力的な舞台にする。劇場で、DVDで、その世界を体感されたい。(沙)

★DVD「阪本知プロデュース公演#2 密会-Rebuild-」
（舞台写真集&解説付き初回版）税込・送料込5200円

★阪本知プロデュース公演#2.5.5
「楽屋～流れ去るものはやがてなつかしき～」
2020年7月4日（土）・5日（日）両日とも15:00 / 18:00
前売（オリジナルサウンドトラックCD引換券付）・予約3000円、当日3500円
場所／大阪・南船場 epok https://www.chika-ikkai.com/

上記いずれも、詳細は https://dogramagra.thebase.in/

※ここに掲載した写真はいずれも「密会-Rebuild-」より／撮影：間嶋李孔

心身の不調をかかえた男が再び前を向く少々滑稽な人間模様

ペドロ・アルモドバルと言えば「神経衰弱ぎりぎりの女たち」（1988）で名が知られるようになり、「ハイヒール」（1991）「オール・アバウト・マイ・マザー」（1999）などをヒットさせたスペインの映画監督だ。ヴィヴィッドな色彩感覚が特徴で、メロドラマ的な人間模様に少々ブラックユーモアをまぶしながら、人間や家族の関係性の中にある隠されたものをじっくり照射していく。2004年には自身の少年時代を反映させたと言われている「バッド・エデュケーション」を監督したが、今度公開される「ペイン・アンド・グローリー」も自伝的要素のある作品だ。

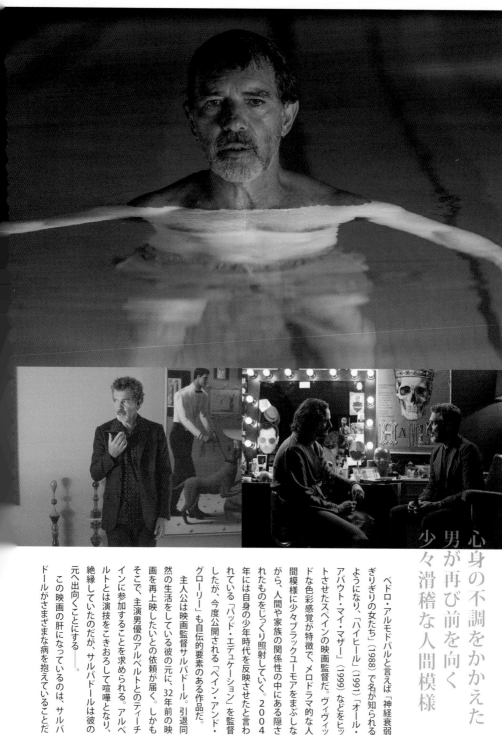

主人公は映画監督サルバドール。引退同然の生活をしている彼の元に、32年前の映画を再上映したいとの依頼が届く。しかもそこで、主演男優のアルベルトとのティーチインに参加することを求められる。アルベルトとは演技をこきおろして喧嘩となり、絶縁していたのだが、サルバドールは彼の元へ出向くことにする――。

この映画の肝になっているのは、サルバドールがさまざまな病を抱えていることだ

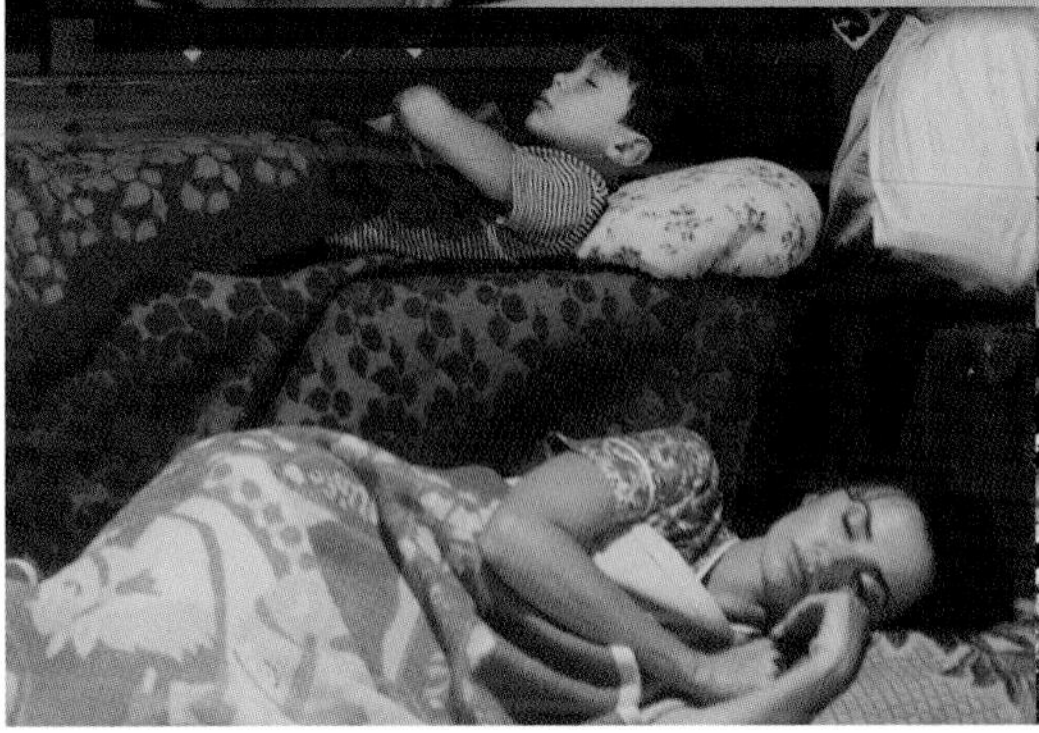

ろう。不眠症、慢性咽頭炎、中耳炎、逆流症、潰瘍、内因性喘息、神経痛、両膝と肩の腱炎、耳鳴り、喘鳴、頭痛、鬱病……特に脊椎の痛みに悩まされ、脊椎固定術により背骨の大半が動かなくなっている。だがアルベルトが持っていたヘロインを使用したところ痛みが軽減したため、多用するようになり、中毒になっていく。

　一方アルベルトは、サルバドールの未発表の脚本を覗き見て圧倒され、それを舞台化したいと申し出る。紆余曲折の末、実現する舞台化。それによる思わぬ再会——その再会でリビドーが復活するやり取りがまた、微笑ましかったりするのだが、そうしたことがあってサルバドールは心を開き、生きるエネルギーを甦らせていく。

　自由にならない身体とどう付き合っていくか、それは晩年の者ならだれもが対峙する問題だ。その苦痛と母親の死からどのように立ち直っていくか、過去の回想を巧みに挿入しながら繊細に描き出していく。アルモドバルならではの色彩とファッショナブルさをまぶして描きあげた、少々滑稽さもある人間模様。観る者を前向きにさせてくれる作品だ。

（沙）

★「ペイン・アンド・グローリー」
公式サイト https://pain-and-glory.jp/
2020年6月19日（金）、TOHOシネマズ シャンテ、Bunkamuraル・シネマ他全国ロードショー
配給：キノフィルムズ ©El Deseo.

四方山幻影話 43

●写真・文：堀江ケニー
モデル：沙夜／撮影協力：夕顔楼

もの病み、この言葉を聞くと何故かまず浮かぶのはこの国の病み。いや、闇なのか？

常々思っていたのだが日本はロリコン文化？――文化と呼ぶのかはよく分からないが――そういうものがいつの頃からか根付いた国になっていると思う。昔はそうでもなかったと思うのだが、いつの時代からかものすごくロリコンラブな国になっていった。何となくだがそれは、テレビの深夜番組で女子大生ブームが起きたあたりからだったのではないか？まぁ～その前からロリコン漫画などはあったとは思いますが。

そしてロリコン、美少女愛とオタクがくっつき、オタク＝根暗でヤバイ奴というイメージが出来上がったのは、言うまでもなくあの宮崎事件から。そもそもオタクという一般ではなかったワードまでもあの事件は定着させた。

しかし時は流れ、そんな根暗でヤバイ奴＝ロリコンという考えも薄れて来たのか、ロリコンは普通に市民権を得て来ていると自分は感じる。

むろん他の国でもロリコンはいるわけだが、日本は突出してその志向が強いと思う。何年か前にあった、小学生女子を使ったアンダーグラウンド売春クラブ、プチエンジェル事件なども記憶に残る。さらに宮崎事件以前は、普通にそこらの書店でも、今では確実にチャイルドポルノとして扱われる雑誌が並んでいたわけで。そんな雑誌が書店に並ぶ国など、日本をおいて他にはなかったのではないかと思う。

ちなみに今現在でも、日本では普通に未成年の女子をグラビアなどで水着やらランジェリーやらを着せて撮影しているが、海外ではそもそもそれがチャイルドポルノと見なされてしまうわけです。

最近でもどこぞの村おこしのキャラで、パンツ丸見えの制服少女のオブジェと言うかフィギュアなどが平然と使われたりもするし、ＪＫなどと言って女子高生がブームになってたりもするし。アイドルなんかも、まさにそれに当てはまると思うのです。

いつだったか、某アイドルグループの劇場へ行ってみた時に印象に残ったのは、ファンの年齢層だった。ほぼ40代～50代のオッサン達が大多数。ストリップ劇場にいるファンのオッサン達とほぼ変わらない感じだった。日本のオッサンは若い子が大好きなんだなぁ～。そしてその嗜好は一部の病んだ人達だけのものではなく、普通に市民権を得ているんですねー、日本では。制服ビジネスも相変わらずとても人気があるしね～。

まぁ～中には、中身には興味がなく、制服自体を愛してやまないコレクターの人もいるにはいるんですけどね。余談ですが、以前都内にリアルユーズドのセーラー服を売っていた店があって、ちょくちょく撮影に使うんで、使えそうなセーラー服があると買っていたわけなんですが、オーナーの方に、どんな人がこのセーラー服を買って行かれるんですか？と尋ねたことがあった。オーナーはお笑いの人が買って行かれることが多いですよ、それと貴方ね、と仰っていました。トホホ、なるほどですねー。それにしても一体どんなルートで、売るほどの数のユーズドセーラー服を仕入れていたのか？それも気になって聞いてみたが、上手く濁されてしまった。

そんなわけで今回のテーマ、もの病みは、セーラー服をフューチャーした写真にしてみた。良いですな、セーラー服は。あ！俺も完璧にもの病みだな！

深い深い心の家に閉じこもっていた少女は、いつの間にか扉を潜ることも出来なくなっていました。

こやまけんいち絵本館 no.40

辛しみと優しみ〈40〉

人形・文＝与偶
doll & text by Yogu

隔離された白塗りの滅菌隔離病棟。その格子からは紺碧の空を仰ぎ見ることの許されない無限の独房、
何ヶ月も腐り淀んだ空気が居座り、冷えきった薄暗い灯の中、私は孤り叫びをあげる

空高く高くどこまでも青い、私をかげおくりしてくれる太陽の光よ！

私の瞳の瞳孔は魔に取り憑かれたれたように赤く血走り、見開いている眼は絶望でもう何も見えはしない
この陰鬱の独房の中で、狂乱にじわじわと蝕まれれる中、いつ監禁から釈放されるのであろう

ああ、産み堕とされて呪いにかけられた私は太陽と雲と紺碧の空にもう一度、解き放たれる日を待ち続けている

撮影◎サト・ノリユキ / SATOFOTO

異様な妖艶さを放つ突き抜けた異貌の女性像

浜松市にある鴨江ヴンダーカンマー。２階に館長が30年にわたって蒐集した珍奇コレクションを陳列する私設博物館とミュージアムショップ、３階にギャラリースペース、また別棟として築70年の木造平屋を再構築した会員制サロン・素頓亭《すっとん》を擁する怪奇骨董秘宝館だ。その３階に作品が常設展示され、素頓亭の幽霊の間にも墓場の襖絵や幽霊画を展示しているのが、浜松出身の彫刻家・池谷雅之だ。その池谷の個展が３階ギャラリーで開催される。

池谷は１９５４年生まれ。79年に愛知県立芸術大学を卒業し、木彫などで活躍、井伊直虎の木彫像を井伊家の菩提寺、龍潭寺に奉納したこともあるほか、浜松の商店街や公園などで絵画、彫刻の展示やパフォーマンスなどをおこなうアートプロジェクト、浜松 Open Art の代表もつとめている。

そのような実績のある池谷だが、実に奇妙な女性像なども制作していたりする。鴨江ヴンダーカンマーでは池谷の「発表できなかった作品をコレクション」しているのだという。ある意味、欲望がそのまま表出したかのような、異様な妖艶さを放つ異形的な女性像だ。今回の個展の展示作として届いた写真も、色彩をエキセントリックに加工した状態で届いた。常識を打ち破る異貌の数々をぜひ目撃されたい。（沙）

★《白い恋人達》

★池谷雅之 個展「白い恋人達」

2020年5月11日（月）～17日（日） 会期中無休
13：00～20：00（受付は19：30まで）

場所／浜松市 鴨江ヴンダーカンマー
3Fギャラリー
Tel.053-456-6688
https://wunderkammer.jp/

※入場料は下記の通り
3Fギャラリー 500円
2Fミュージアム 1000円
素頓亭 見学 500円
全館セットで2000円

※当面、予約制にて開館。
詳細やスケジュールは、上記ホームページで確認を。

立体画家 はが いちよう の世界《第28回》

前回「カール・フローセス・ストアー」という馬具店を紹介した。この作品は米国の雑誌で大きく取り上げられ、記事を目にしたカタールの富豪から「俺にも一個つくってほしい」というメールが届いた。オッケーと答えると、とりあえず名刺代わりにうん百万円分の拙作を買うという。メールの主はアフマド・アルタニ。国王のまたいとこで稀代のミニチュアコレクターである。

エドワード・モースの店

同年の冬、買ってくれた作品数点を携えてカタールの首都ドーハを訪れた。百人の召使いを擁するという彼の邸宅で、あなたが雑誌で見た作品はフレームの中に収まった言わば立体画のような構造だと説明した。すると彼は納得せず、あくまでも地面がちゃんとあり、その上に店が建ち、屋根も煙突もあるような作品をほしがった。

それから一年後の二〇一四春、前作とはだいぶん構造が異なった第二の馬具店（写真）が完成した。題名は「エドワード・モースの店」（縮尺十二分の一）。現物はドーハのアルタニ邸に展示されている。

芳賀一洋（はが・いちよう） http://www.ichiyoh-haga.com/jp/
1948年、東京に生まれる。1996年より作家活動を開始し、以後渋谷パルコ、新宿伊勢丹、銀座伊東屋などでの作品展開催や、各種イベントに参加するなど展示活動多数。著作に写真集「ICHIYOH」（ラトルズ刊）などがある。

液晶ディスプレイでの表現で絵画の次代を模索するHouxo Que

●インタビュー➡p.42

★Houxo Que "Proxy"（2020）にて

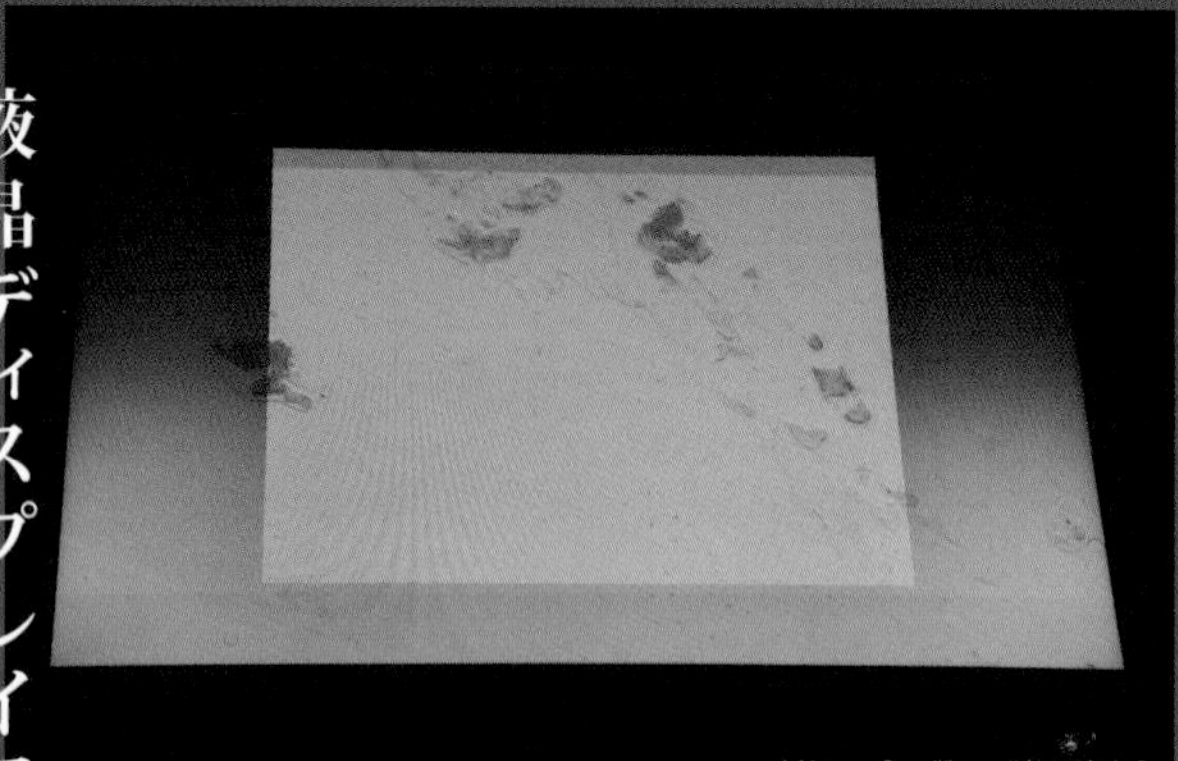

★Houxo Que "Proxy"（2020）から

★CANCER "THE MECHANISM OF RESEMBLING"（2018）から

★Houxo Que "Proxy"（2020）から

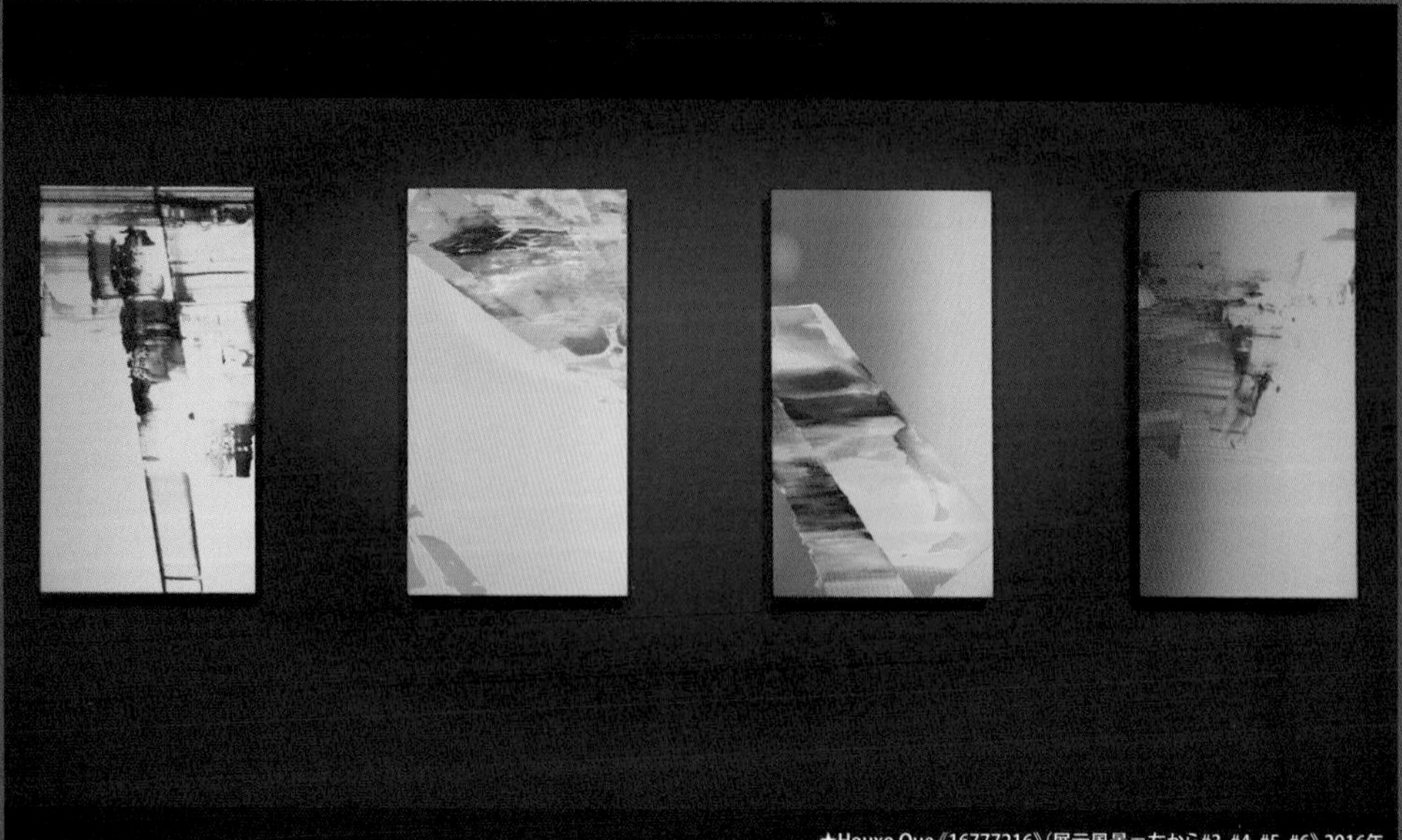

★Houxo Que《16777216》（展示風景＝左から#3, #4, #5, #6》2016年

色彩等により詩的に問いかける廣瀬智央の大規模個展

★廣瀬智央《レモンプロジェクト 03》1997年、レモン・ガラス・ステンレス・塗装・レモンオイル、作家蔵、撮影：Tadahisa Sakurai © Satoshi Hirose

★廣瀬智央《島：9年目の存在》2011-2002年、ミクストメディア、作家蔵、撮影：Tartaruga © Satoshi Hirose

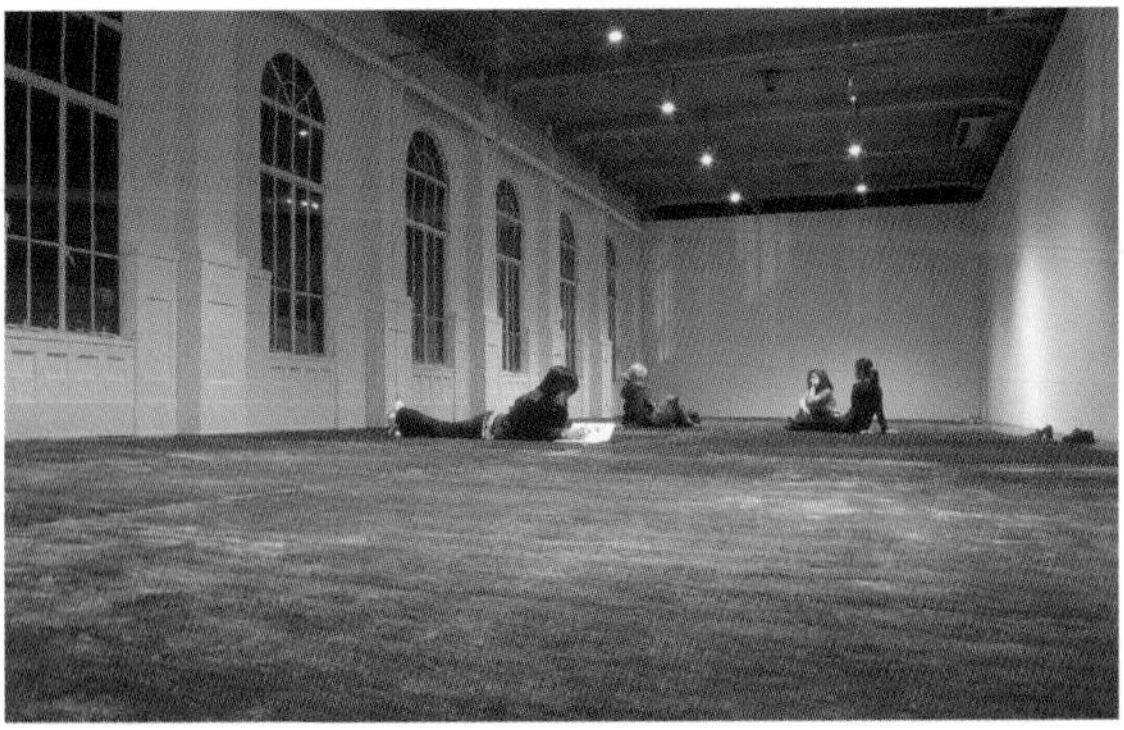

★廣瀬智央《マーレ・ロッソ》1998年、ペルシャン・ギャベ、作家蔵、撮影：Tartaruga © Satoshi Hirose

★廣瀬智央《空のプロジェクト：遠い空、近い空》2013年、屋上看板4面・DVDループ映像、アーツ前橋コミッションワーク、撮影：小暮伸也

大量のレモンを一面に散らして、その色彩とともに嗅覚への刺激で鮮烈な印象を残す《レモンプロジェクト03》（1997）で注目を集め、イタリア・ミラノと東京を拠点に活動している廣瀬智央。《レモンプロジェクト03》に使われた約3万個のレモンは石鹸や紙などに再生され、カラフルな《島：9年目の存在》は、ペットボトルのキャップで出来ているなど、地球環境や社会が内包する問題と対峙しつつも、廣瀬の作品は色彩等によって詩的に観る者に問いかけてくる。アーツ前橋とは協働で母子生活支援施設の子供や母親と空の写真を交換し合う「タイムカプセルプロジェクト」が2016年から進行中で、人間の相互理解の可能性も廣瀬の取り組むテーマのひとつだ。今回の個展では、椹木野衣や村上隆との対談など関連イベントも多数。詳細はアーツ前橋のサイトで確認されたい。（沙）

★廣瀬智央 地球はレモンのように青い

2020年5月22日（金）～7月26日（日）水曜休 10:00～18:00
観覧料／一般500円、学生・65歳以上300円、高校生以下無料
※障害者手帳等お持ちの方とその介護者1名と児童扶養手当証書をお持ちの方は無料
場所／群馬・前橋 アーツ前橋 地下ギャラリー
Tel.027-230-1144 http://www.artsmaebashi.jp/

 ※展示スケジュールは変更になる場合もあります。美術館・ギャラリーのホームページで確認を。

★吟遊詩人マルカブリュの恋／ジェイムズ・カウアン（1999）

★わたしのからだ／桐生典子（1996）

北見隆の装幀画の集大成！

★いつか誰かが殺される／赤川次郎（1981）

★寺山修司詩集／寺山修司（2003）

北見隆の絵は、ミステリファンや、海外文学ファンなら必ず知っているだろう。赤川次郎の装幀画を最初に担当したのは１９８１年。今邑彩、薄井ゆうじ、折原一、恩田陸、小池真理子、島田荘司、殊能将之、谷山浩子、辻村深月、津原泰水、中島らも、眉村卓、皆川博子、イタロ・カルヴィーノ、ウンベルト・エーコ、カレル・チャペック、ジョン・ディクスン・カー等々と、さまざまな作家の装幀画を描き、ときにデザインまでおこなってきた。この絵に惹かれて作品を手に取った読者も多いに違いない。

そして北見の場合は絵画だけでなくオブジェも巧みで、中島らもの『ガダラの豚』の表紙などは、本物のアフリカの仮面だと勘違いした読者から出版社に、どこで買えるのか問い合わせが入ったという。

その北見の40年間の仕事から４００点も収録した装幀画集が発売された。ミステリアスな幻想に満ちたその世界は、小説を離れても実に魅力的。ぜひ味わい直したい！（沙）

★麦の海に沈む果実／講談社（2000）

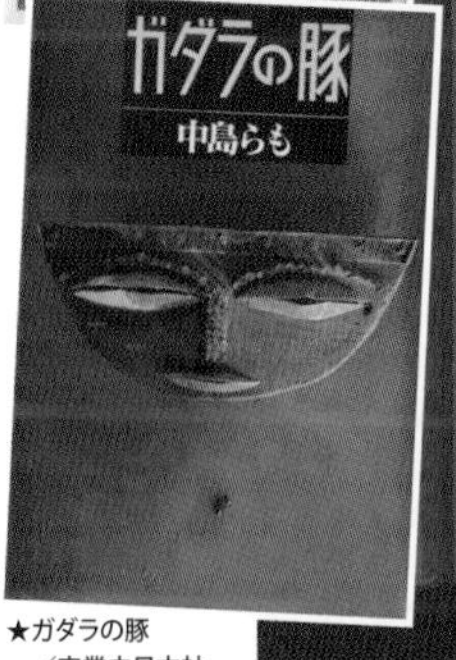

★ガダラの豚／実業之日本社（1982）

★北見隆 装幀画集「書物の幻影」好評発売中！ 詳細・通販はアトリエサードのHPへ！
B5判ハードカバー・96頁・税別3200円／発行：アトリエサード、発売：書苑新社

★出版記念展開催！ ▷2020年10月 東武百貨店池袋店 6階 美術画廊
詳細は各画廊HPへ ▷2020年12月 東京・銀座 枝香庵

神と渡り合い、祟り神を鎮める巫女的存在

村田兼一が北見えりを初めて撮影したのは、2015年の正月のことだったという。北見が高校時代に使っていたホルンを小道具として使い、撮影していった。その年は月乃ルナとの出会いもあり、村田は、自身の撮影と非常に相性の良いモデルと出会えた年だったと振り返る。村田は月乃ルナを表紙に写真集『天使集』を上梓したあと、月乃ルナの写真だけで『月の魔法』を出版した。

北見えりをモデルにした写真は、『少女観音』『魔女の系譜』におさめられているが、収録しきれなかったものも数多くあるという。そこで6月に、そうした作品を集めた個展が開催される。村田は北見えりのイメージについて、巫女的な要素はあるが、神に仕えるというよりは、神と渡り合い、祟り神を鎮め豊作や多産を引き出すのが似合っている、と言う。無垢で天使的な雰囲気が、学校生活や部活を連想させるホルンやリコーダーといった小道具とよくマッチしている。

しかし北見は今、ラバーの女神としてフェティッシュな大人の空気を纏う存在になっているという。「私の撮影していた頃とは全く雰囲気の違う世界観の中で活躍されている彼女の少女期を、私の捏造するアニミズム観の中で、今一度ご覧いただきたい」――村田兼一。（沙）

★村田兼一 写真展
2020年6月19日(金)～7月5日(日)
月・火休 13:00～19:00 入場無料
場所／東京・神保町 神保町画廊
Tel.03-3295-1160
http://www.jinbochogarou.com/

★村田兼一写真集 好評発売中!
「月の魔法」「天使集」「少女観音」
「パンドラの鍵」
発行：アトリエサード、発売：書苑新社

膨大に積み上げられた絵画と彫刻とアニメーション、体内から湧き出す作品群に圧倒される

——「第23回岡本太郎現代芸術賞展」レポート

●写真・文＝ケロッピー前田

★岡本太郎賞受賞：野々上聡人《ラブレター》
作品全景および部分（この見開き）

★特別賞受賞：本濃研太《僕のDNAが知っている》（左の写真：実際にかぶれる仮面もあった）

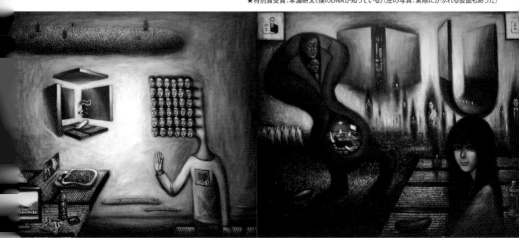

★特別賞受賞：澤井昌平《風景》（2点とも）

毎年恒例、今年で第23回となる「岡本太郎現代芸術賞（以下、TARO賞）」は、応募総数452点から23作家が選ばれた。代表作《太陽の塔》で知られる岡本太郎は常に時代に先駆けて新たな挑戦を続けてきた。TARO賞は太郎の「芸術は爆発だ」という精神を継ぎ、自由な視点と斬新な表現を追求するアーティストを発掘かつ応援しようというものである。この芸術賞は、賞歴、学歴、年齢を問わず、美術ジャンルも超えて、応募できるばかりでなく、最大で5メートル立方の空間を展示スペースとして使用できるところが特徴で、その〝ベラボー〟さこそがTARO賞ならでは醍醐味であると同時に、作家の力量が大いに試されるところとなっている。

今年は2月13日に授賞式が行われ、翌14日から約2ヶ月間、入選作の展示がおこなわれた。だが、それは世間が新型コロナウイルス感染拡大の不安を抱えている時期と重なってしまった。それでも、TARO賞の見所となっている〝時代〟を映し出すような入選作家のセレクトやそれらの作品群が放つエネルギーは凄まじく、世界的なコロナパニックにも屈することなく、観客にしっかりと語りかけてくる力作がずらりと並んだ。

最優秀となる岡本太郎賞を受賞した野々上聡人の作品《ラブレター》は、その密度と熱量で文句なしに迫ってくる。野々上は自らを「俺は物を作り出す喜びにアディクトした猿です」と語り、今まで作り続けてきた絵画や彫刻、さらにアニメーションなどを全てを組み合わせて巨大な〝モニュメント〟を作り上げている。彼は、それを「人生へのラブレター」「これは俺の全存在です」という。とにかく、作品そのものがこちらの感覚にどんどん侵食してくるのだ。中央にそびえ立つ彫刻作品の〝塔〟は所々が機械仕掛けでユラユラ、カラカラと動いている。周囲の壁面は絵画作品に覆われ、〝塔〟の背後にまわると、壁面に仕込まれた数台のモニターのなかでアニメーション作品が動いている。作品そのものがグロテスクな生命エネルギーに溢れ、その意味を考えることを拒否するように、作品自体が鑑賞者を睨みつけてくるのだ。この得体の知れない〝生命感〟こそが今年のTARO賞作品に共通するものであろう。

岡本敏子賞を受賞した根本裕子の作品《野良犬》もまた、生々しい〝生命感〟を放ち、こちらに襲いかかってくる。陶製の17頭の野良犬は、それぞれ異なるポーズでシミ、皺、たるみまで繊細に表現され、緩やかな群れをなすように配置されている。それらは「古来日本で山の守護神として崇められていた」ニホンオオカミであるという。いまは絶滅してしまった狼たちを野良犬に重ねることで、霊的ともいえる空間を作り出している。

★岡本敏子賞受賞：根本裕子《野良犬》

特別賞は、本濃研太、村上力、藤原千也、澤井昌平、森貴之の5作家が受賞した。

本濃研太《僕のDNAが知っている》は、段ボールで作られた仮面群が壁一面を埋め尽くし、正面中央にはトーテムポールを思わせる〝塔〟がそそり立ち、その周囲にいくつかの像が並ぶ。民族学的な神様や動物、特撮チックな怪獣など、様々のモチーフの仮面たちはそれぞれに個性を強く主張してくる。いくつかの仮面は観客が着用可能で、いつの間にか観客は作品世界に取り込まれてしまうのだ。

村上力《㊤一品洞「美術の力」》もまた、膨大な作品の物量で観客を飲み込むタイプの作品だ。「村上一品洞は（中略）古今東西の美術品を展示するギャラリーです」と解説があり、まずは精巧な人物像が目をひくが、その背後には多数の絵画作品が陳列され、所狭しと並べたれた立体作品もそれぞれに味わいがある。

藤原千也《太陽のふね》は、ドーンと置かれた巨木が作品だ。覗き込むとその木は向こう側までくり抜かれているのがわかる。中空の巨木を通して差し込む〝光〟、そこに作家は〝太陽〟を見出し、巨木に〝生命〟を吹き込むことに成功した。シンプルだが力強い表現に心動く。

澤井昌平《風景》は、4枚の絵画作品シ

リーズだ。「本来、何を描いても自由なはずだから」という作家の言葉にあるように、そこに描かれているものは理性的な解釈や説明から自由になって、作家から湧き上がったものが〝生〟のままに描かれている。

森貴之《View Tracing》は、暗幕で仕切れらた空間をブラックライトで照らし、蛍光の糸を使って、コンピューターグラフィックの黎明期にあったポリゴンの世界を〝リアル〟な立体空間に再現している。技術的にもそのコンセプトが徹底されている。

★特別賞受賞：村上力《㊤一品洞「美術の力」》

★特別賞受賞：藤原千也《太陽のふね》

★特別賞受賞：森貴之《View Tracing》

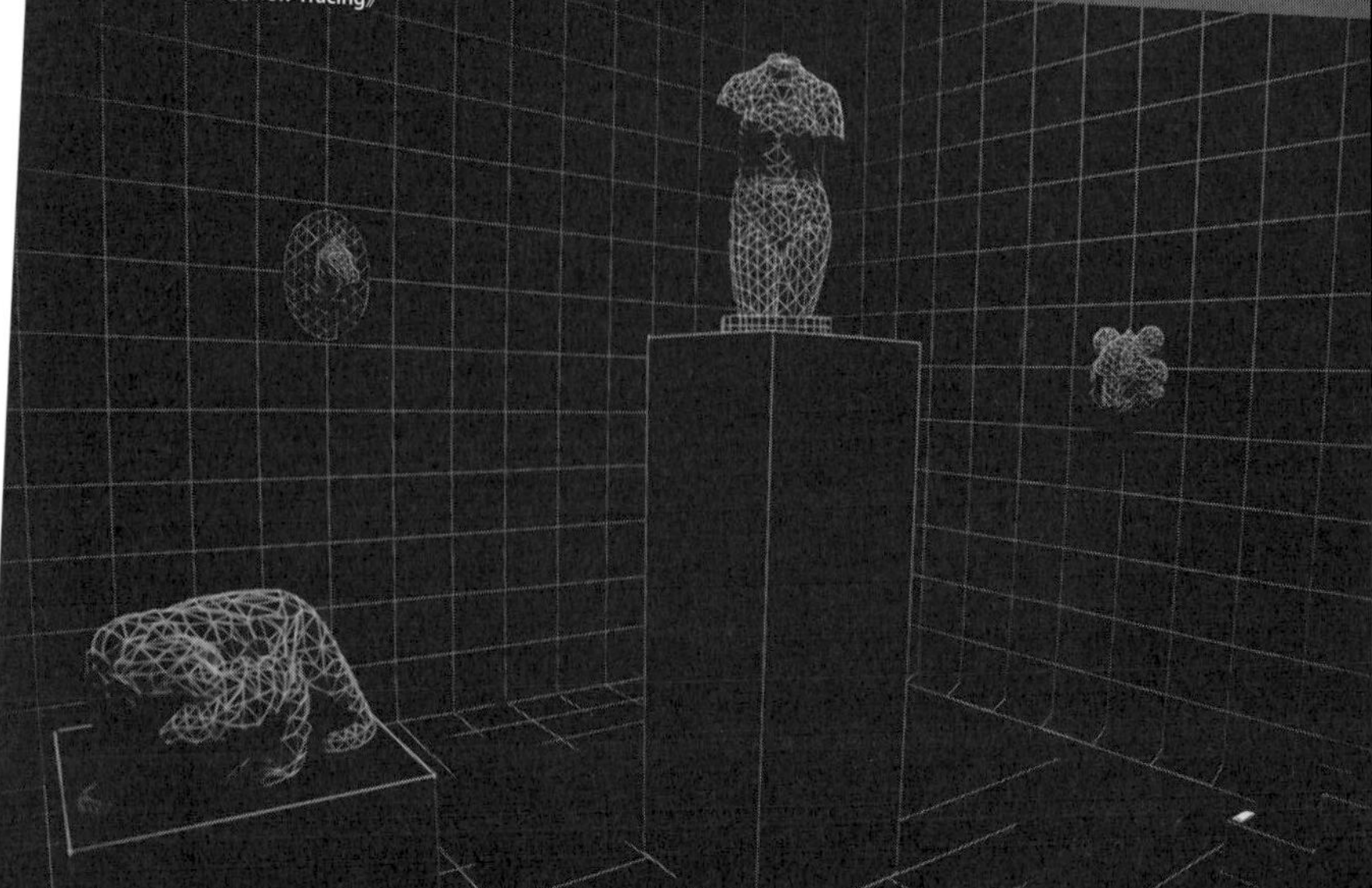

その他の作品では、2020年を記念した「1984+36年」と刻まれたコインを積み上げる高島亮三、SFアニメ的な終末観を抽象的に立体化する松藤孝一、フラワーカラーの表情豊かな顔を巨大オブジェ化した佐藤圭一、自らの体内に宿る命（胎児、細胞、食物）を壁や床いっぱいに描く桂典子、お手製のステージでコントライブを行う〝お笑い芸人〟そんたくズなど、ユーモアのなかにもリアリティに対するアクティブな制作態度がわかる作品が目立っている。

とにかく、今年のTARO賞の作品群は湧き上がる〝生命感〟と力強さがポイントだろう。

1970年の大阪万博にあって、《太陽の塔》だけが残されたように、時代の激変にも揺るがない「真の表現＝芸術」を実践していく遺伝子がここTARO賞から生まれ、これからも培われていくことを願ってやまない。

※第23回岡本太郎現代芸術賞（TARO賞）展は、川崎市岡本太郎美術館にて、20年2月14日から4月10日まで開催された。
公式HP http://www.taromuseum.jp/

【入選作家（50音順）】
浅川正樹、井上直、大石早矢香、大小田万侑子、桂典子、小嶋晶、佐藤圭一、笹田晋平、澤井昌平、そんたくズ、高島亮三、根本裕子、野々上聡人、春田美咲、藤田淑子、藤原千也、本濃研太、松藤孝一、丸山喬平、水戸部春菜、村上力、村田勇気、森貴之

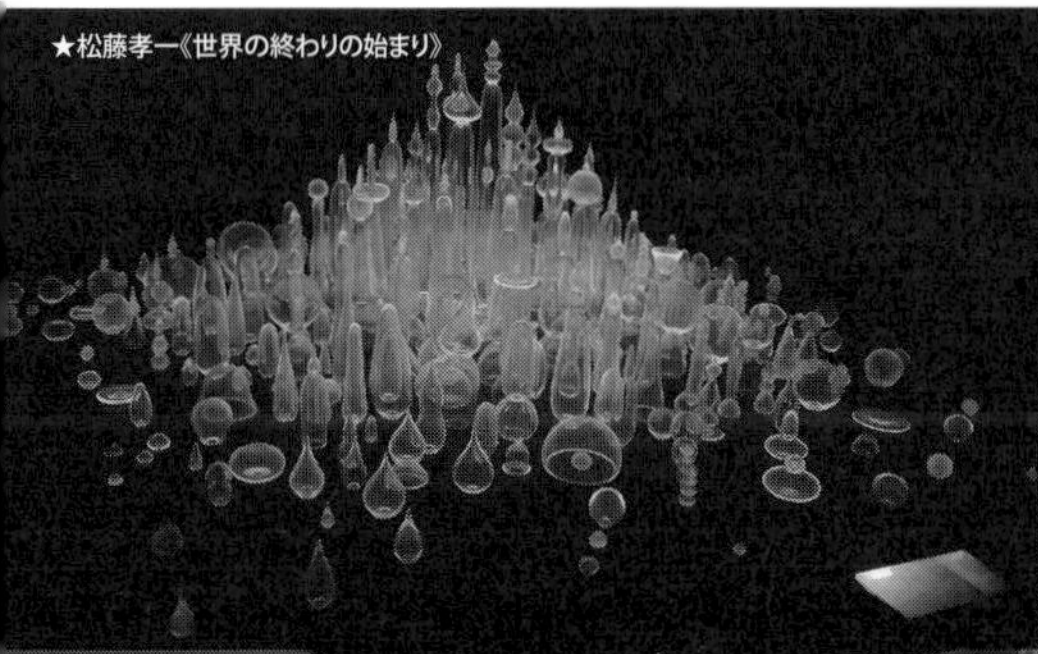
★松藤孝一《世界の終わりの始まり》

★高島亮三《1984+36》

★桂典子《しょくどう》

★佐藤圭一《おねすと》

★笹田晋平《Jericho's raft and fifteen guardians～ジェリコーの筏と15人の守護者～》

★丸山喬平《幸について》

★そんたくズ《そんたくズ岡本太郎美術館記念コントライブ～死ぬのはお前だ! アジア初の逆デュシャン展～》

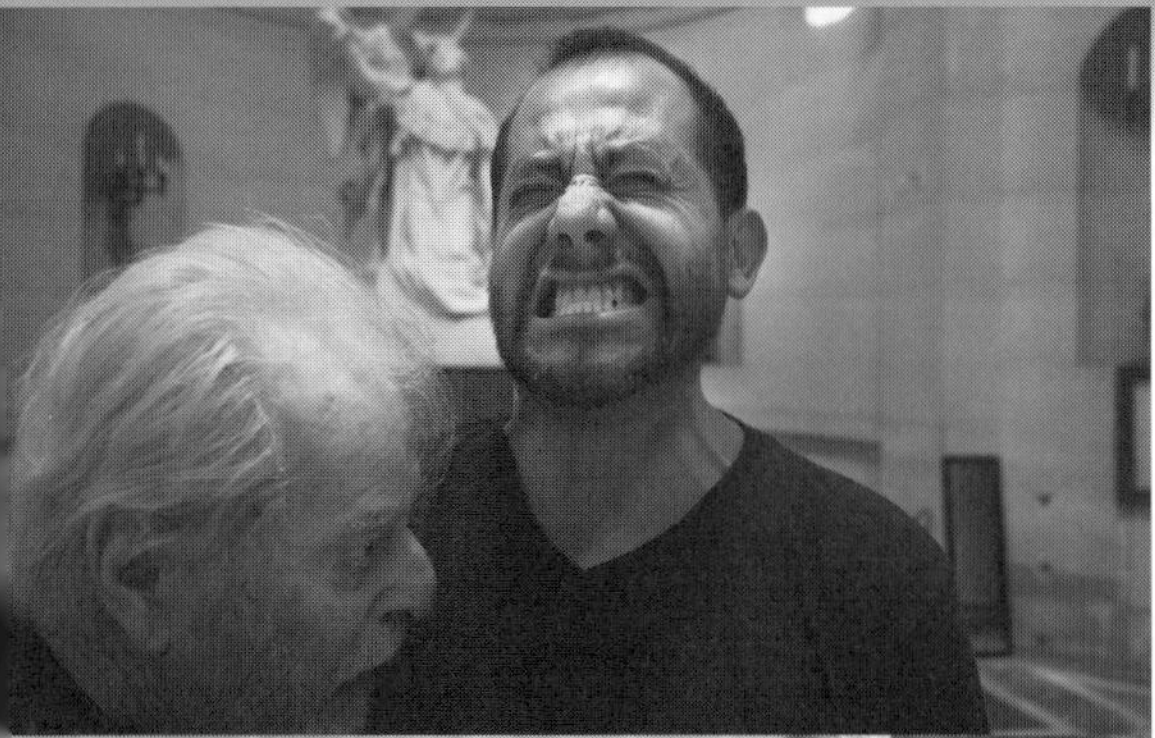

「怒り」「悲しみ」から解放して「癒し」「活力」を与える ホドロフスキーの〝サイコマジック〟の記録

◉文=ケロッピー前田

今年で91歳を迎えた映画監督アレハンドロ・ホドロフスキーの新作『ホドロフスキーのサイコマジック』が近々公開される。

「サイコマジック」とは、彼が長年取り組んできた独自の心理療法のこと。本作は彼のこれまでの映像作品が、いかに「サイコマジック」という手法に貫かれているかを解き明かしていくドキュメンタリーである。ホドロフスキーのもとに実際に悩み相談に訪れたという10 組の人々が出演し、「サイコマジック」とはいったいどういうものなのか、それはどのように作用するのかを具体的に見せてくれる。

作品冒頭、彼はフロイトの精神分析と対比しながら、「サイコマジック」を解説する。それは、科学ではなく芸術であり、言葉ではなく行動によって、個人が抱えたトラウマを暴き出して解放するセラピーであるという。

ホドロフスキーは人々の悩みの根源はまずは「家族」にあるとして、両親や兄弟姉妹との関係、本人が抱えるコンプレックスを聞き出し、相談者の身体を優しく触れていく。たとえば、ある相談者は服をハサミで切り裂かれて裸にされ、感情がむき出しになると身悶え、叫び、涙を流す。それは「無意識」に直接働きかけるためのショック療法であり、閉ざされた心を解放し、内面から活力が湧き上がるように導くための儀式でもある。

人によって施される療法のレシピはそれぞれ異なるもので、そこで課される行為は悩みの内容や程度によって、突拍子もなく、想像を絶するものになっていく。

とはいえ、それぞれのレシピは、これまでのホドロフスキーの映像作品と関連性を持っており、実際、本作のなかでも過去作の名シーンを部分的に見せてくれる。

ホドロフスキーの代表作といえば、『エル・トポ』(1970)や『ホーリー・マウンテン』(1973)が有名だが、本作では初期作『ファンドとリス』(1967)、自叙伝的映三部作のうち公開されている『リアリティのダンス』(2013)と『エンドレス・ポエトリー』(2016)からの引用も多い。

ここで改めて、ホドロフスキー作品を振り返るなら、それらはまさに体験としての映画、フィクションの物語に忘我的に酔うのではなく、映画そのもの強烈なビジュアルが超絶体験として迫り、鑑賞者自身に意識の変容を引き起こしてしまうようなものであった。そこからカルトムービーという言葉が生まれ、当時のカウンターカルチャーに絶大な影響を及ぼしてきた。また、ホドロフスキーは、タロット・リーディングでも知られ、タロット研

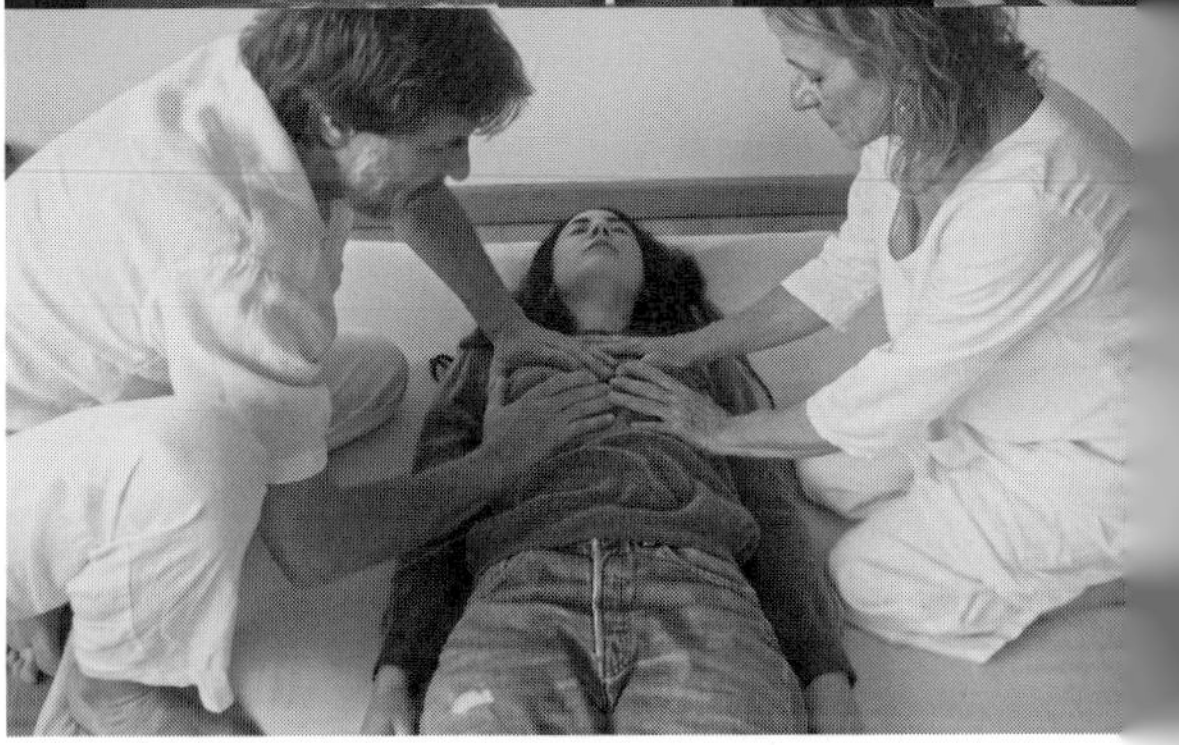

究の集大成というべき『タロットの宇宙』（国書刊行会）も著していおり、オカルトファンにとっても見逃せない存在である。

さらにテン年代に入り、自叙伝的映画で監督として返り咲いてからは、若きホドロフスキーの役を息子たちに演じさせることで、自らの人生を追体験させており、その手法自体が家族の問題を取り出して、演劇的な行動に還元するというサイコマジックそのものである。ホドロフスキー自身、自叙伝的映画の制作を通じて、自らが抱えていた父との葛藤をやっと乗り越えることができたという。

その意味でも、本作はサイコマジックをより良く知ることができるばかりでなく、これまでのホドロフスキー作品すべての謎を解くための鍵でもある。

本作の終盤は、サイコマジックの手法はソーシャル・サイコマジックとして、もっと大きなテーマに向けられていく。

ホドロフスキーに言わせれば、サイコマジックはあくまで芸術であるから、それはプラセボ効果であり、実際の疾患を治療したりすることは不可能だという。それでも長い闘病に苦しむ女性は、ホドロフスキーとともにステージ上がり、劇場に集まった約四千人の観客たちからのエネルギーをもらうことでその後も生きていく活力を得ることができた。

そして、サイコマジックは、メキシコの死者の行進でも実践される。ドクロを連想させる死者のメイクをした群衆のなかに、ホドロフスキーも加わっていく。ここでは癒しの対象は社会や文化へと向かっており、その様子は彼の映画お得意の群衆シーンを思い起こさせるのだ。

さらにつけ加えるなら、サイコマジックの基礎となっている演劇的な行為のアイディアは、ホドロフスキーが映画製作を始める以前、「テアトル・エフェメール（儚い演劇）」という即興劇をやっていた1960年代にまで遡る。当時、パリを拠点にしていた彼は、シュルレアリスムの影響を受け、俳優も脚本も舞台装置もない、行為だけの演劇に挑んでいた。それはある一人の人間に対して、いままでしたことのない経験をやってみるよう提案するというものだった。そのとき、すでにそのような行為には、癒しの効果があることに気がついていたという。

そして、本作こそ、ホドロフスキーがいう「芸術は人を癒す」ことを作品そのもので証明してくれているものだろう。

コロナ禍にあるいまだからこそ、本作で活力を取り戻し、現実を力強く生き抜いて欲しい。

★「ホドロフスキーのサイコマジック」
https://www.uplink.co.jp/psychomagic/
2020年5月22日（金）から、アップリンク渋谷、アップリンク吉祥寺、アップリンク京都ほか全国順次公開

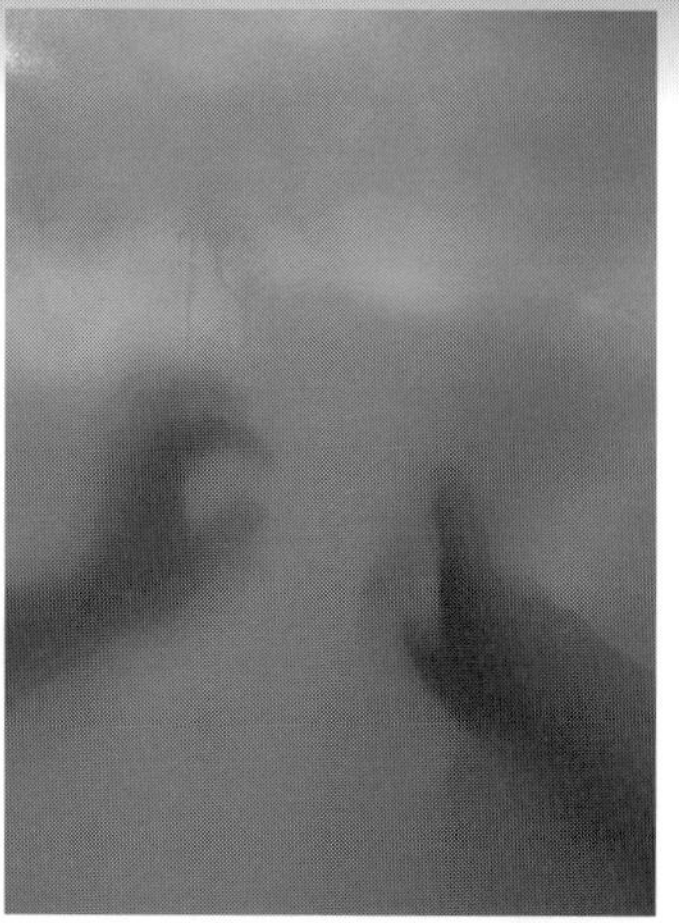
©Kitazawa miki

「もう一度この世に生まれ堕ちし吾子　私が名前を付けてやります」――自分で自分を縛り、自分で撮影して、その写真に短い文章を添える巡。その5回目の個展が開催される。緊縛といっても、縄自体や縛りのテクニックなどはクローズアップされず、モノクロの写真に写し出されるのは、縄とともにある秘密の一場面、とでも言えそうな、静謐な情景。そこにほんのりとエロスが漂っている。

巡は架空の逢瀬を思い描きながら、このような写真を撮影したという。写真が湛える情感あふれる空気感が、観る者をその密やかな逢瀬に誘い込む。（沙）

★巡個展「吾子」 2020年6月4日（木）～22日（月）
場所／東京・板橋 カフェ百日紅
15：00～23：00、火・水休 要オーダー Tel.03-3964-7547
https://cafe-hyakujitukou.tumblr.com/
※営業時間変更の可能性あり。Twitter @medamadou で確認を。

静謐な空気感の中写し出される秘密の場面

短歌×写真で表す BLの世界

©Kitazawa miki

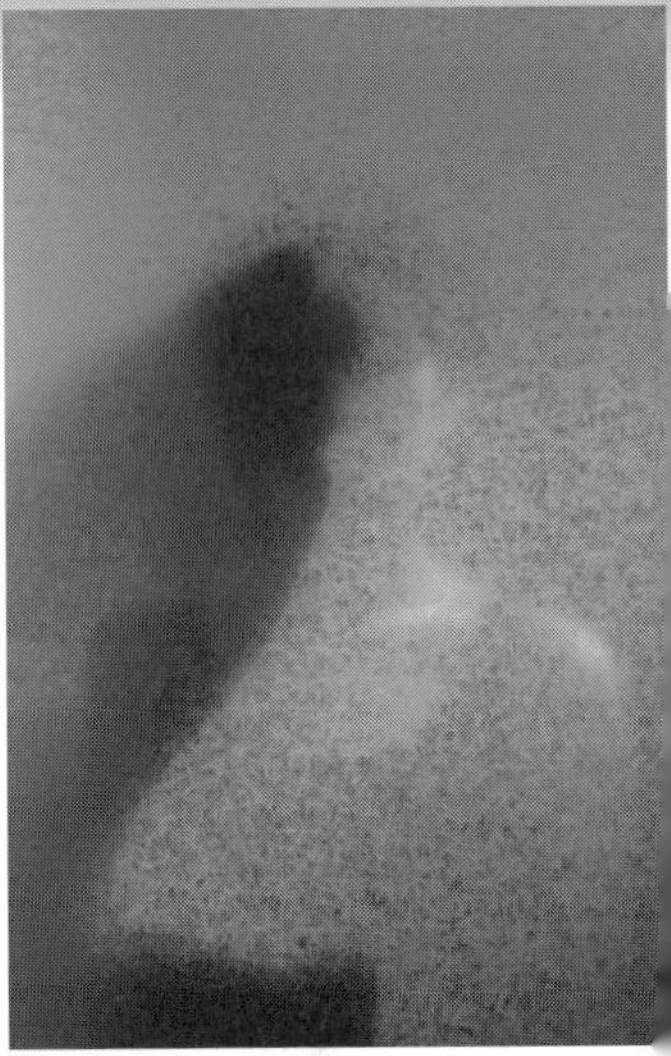

©Kitazawa miki

BL《ボーイズラブ》もすっかり市民権を得た。Picaresuque Galleryでおこなわれるのは、短歌の他、近代建築ライターとしても活躍している北夙川《きたしゅくがわ》不可止《ふかし》と、キヤノン写真新世紀に入賞するなどの実績のある北沢美樹との、短歌と写真によるコラボ展示。同性愛をテーマに狂おしく綴られた北夙川の短歌と、余韻を写し取るかのような北沢の写真が呼応する。そこに生まれる耽美な世界を味わいたい。(沙)

★北夙川不可止×北沢美樹「叛乱《はんらん》の豫感《よかん》」
2020年6月5日(金)～28日(日) 木～日と祝日のみ営業 入場無料
場所／東京・参宮橋 Picaresuque Gallery 11:00～18:00
https://picaresquejpn.com/

身体にからみつく曖昧な枷

渡邊はるながemiをモデルに写し出そうとしたのは、「二度と戻りたくない、かつて」。目に見えない「枷」に縛られていたのだろうか、写真においても、蔦が身体にからみつき、拘束しているかのようにも見える。だが一方でその情景には、記憶の彼方に霧消していくかのような淡さがある。渡邊らしいナイーブさが、そこに感じられる。(沙)

★渡邊はるな「曖昧模糊な枷」
2020年5月15日(金)～24日(日) 金・土・日のみ営業 入場無料
場所／東京・池袋 HRNギャラリー 14:00～19:00(金曜は～18:00)
https://hrn-gallery.myportfolio.com

Haluna. W

※展示スケジュールは変更になる場合もあります。美術館・ギャラリーのホームページで確認を。

心の中の異世界を旅する

鉛筆画家・土田圭介の大規模な展覧会が吉祥寺美術館で開かれる。土田の鉛筆画は少々変わっている。面として塗られているのではなく、縦方向の細い線のみで描かれているのだ。柔らかな曲線も濃淡も、よく見れば縦の線だけで表現されているのである。そして描く世界は異世界ファンタジーのようであって、どこか孤独感も漂う。またメカニックと有機体が巧みに混交しているのも特色だ。構想スケッチなども含め、その世界をたっぷり堪能できる展覧会、ぜひお見逃しなく。※ExtrART file.24でも10頁にわたって土田圭介を紹介！ 絵の魅力はぜひそちらでもお楽しみを！（沙）

★《ボクらの翼》2008年、鉛筆・ワトソン紙

★土田圭介 鉛筆画展 心の旅　モノクロームの世界で描く心のカタチ

2020年5月11日（月）〜6月7日（日）5/27（水）休 10:00〜19:30

入館料／300円、中高生100円（小学生以下・65歳以上・障がい者の方は無料）

場所／東京・吉祥寺 武蔵野市立吉祥寺美術館

Tel.0422-22-0385 http://www.musashino-culture.or.jp/a_museum/

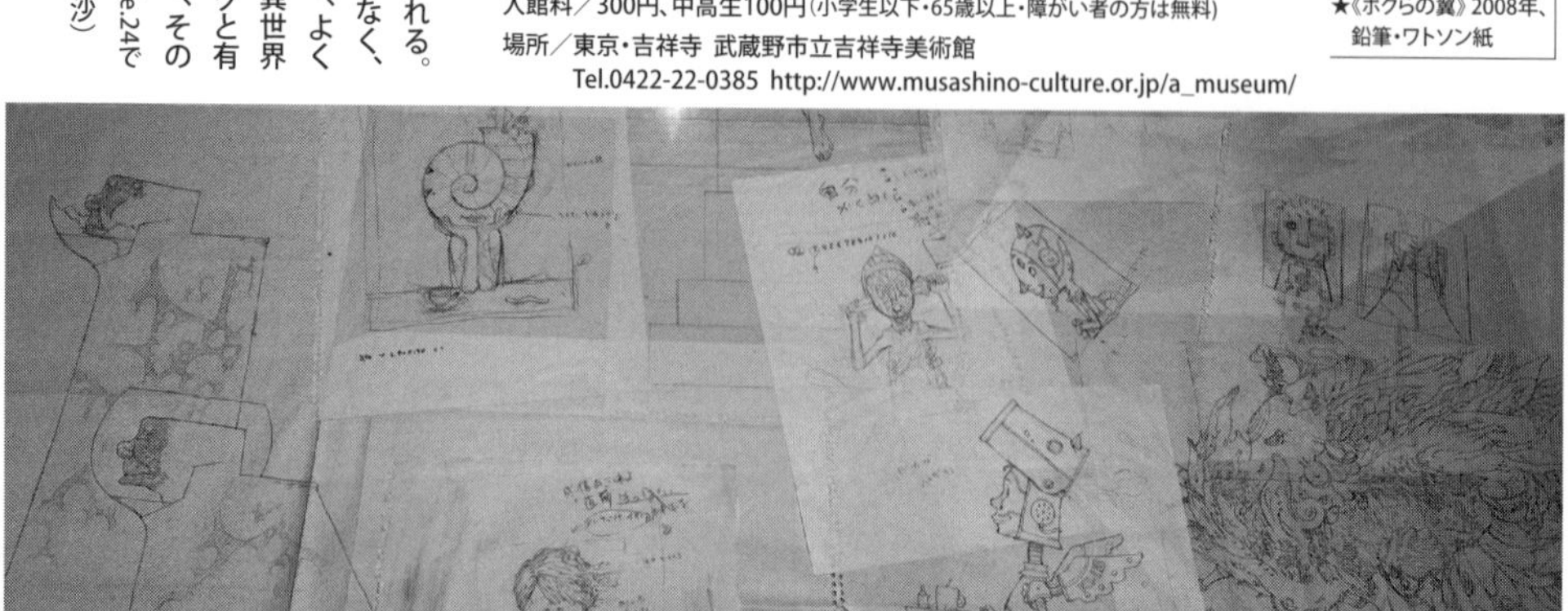

★構想スケッチの数々／写真はいずれも、撮影：小笠原じいや

※展示スケジュールは変更になる場合もあります。美術館・ギャラリーのホームページで確認を。

『皇居周回スポーツカー・レース』執筆裏話

◉文＝高斎正

2020年3月に発売になった『皇居周回スポーツカー・レース』という小説、書き始めたのがいつのことか、正確には思い出せません。モナコ・グランプリを念頭に、熱海グランプリの名前がでました。ですが熱海の道路はいかにも狭すぎます。東京のお台場でF1を、というアイディアが出ました。ですが、車輪がむきだしのフォーミュラカーは、タイヤとタイヤがからみあうと、マシーンが宙を飛ぶのです。空を飛んだフォーミュラカーから観客を守るためには、コースの脇に背の高い金網のフェンスをつくる必要があり、莫大な費用がかかります。そして、F1モナコ・グランプリの車載カメラのTV映像を見ればわかるように、ドライバーからはモナコの街が見えず、プロレスの金網デスマッチのような映像になってしまいます。

クルマはタイヤがむき出しのフォーミュラカーではなく、ボディーカウルでタイヤを覆ったスポーツカーにする必要があります。

そして、外国の新聞や雑誌に載った1枚の写真。そこからレースの開催場所を特定できる必要があります。外国人観光客がコース脇に行きやすい交通の便のよいところ。こういう条件で場所を選ぶと、皇居周回スポーツカー・レースとなります。

ストーリーを書きはじめたのが、秋葉原の駅のわきに広い空き地があった頃です。コースの長さを特定するために、クルマで走って積算走行計の数値を読んだり、背景に二重橋をいれてクルマが走るシーンの絵を合成したらどうだろうかと、二重橋の写真を撮りにいったりしていました。

そのうち秋葉原の駅の脇にあった空き地が駐車場になりました。ダイヤモンドホテルが営業をとりやめました。建物の耐震構造がふじゅうぶんで、改築には費用がかかりすぎる状態だとわかったからです。

携帯電話機で写真を撮れるようになりました。ですがせっかくコースの地名の英語化をしたので、その部分はそのまま残しました。プロの写真家がカラーリバーサル・フィルムを、クリエイトという現像所に依頼していたのが、デジタル一眼レフの時代になって、プロの写真家がフィルム式カメラを使わなくなりました。状況が変化するたびに関連する部分に手をいれてきました。

これまで書いてきた自動車レース小説は、すでにあるレースに出場する、という設定でしたが、皇居のまわりを走るという新しいレースの話なので、そのレースが開催されるようになったいきさつを無理なくストーリーに織り込む必要がありました。

最終的に2012年のレースにしました。2011年3月11日の東日本大震災の報道において、報道の自由、編集権の独立、という大義名分を振りかざして、日本を貶め、日本の観光業界に大きな打撃をあたえた抗日勢力に対抗するために、このレースを開催した、という設定です。

そして、紙の本として出版しましょう、というお話があったので、本を読むことの少なくなった方にも読みやすいように、漢字をひらがなにしたり、車輛という文字を車両としたり、さらには著者の名前を高齋から高斎にして、読者が著者の名前を書きやすいようにしました。

縦書き表示が一般的な小説を横書き表示にしたのは、多くの人がメールやインターネットで横書き表示に慣れていると判断したからです。

私が書く文章には、欧米のものを扱った記述が多く、横書き表示ならローマ字をいっしょに表示しやすいこと、レースで速度を表示しやすいこと、などの理由があります。マニアが対象のノンフィクションでは、横書き表記なら、MPHでも、km/hでも、自由に書けます。今回は関係なかったのですが、写真機短篇小説では、絞りの数値を書くのに、「2.8」という絞りの値を一文字で表す外字をつくっていたようです。横書き表記ならそんな気づかいは必要ありません。

★高斎正
「[新版]皇居周回スポーツカー・レース」
A5判・税別1000円
好評発売中!
発行:アトリエサード、発売:書苑新社

富士スピードウェイでテスト走行する場面を書いたのが、コースが大改修される前です。そのため、2012年という舞台設定なのに、コースのレイアウトもスタンドやピットのようすが、昔のままです。ですが、ストーリー展開としてはそのままでよいので、現在の富士スピードウェイに合わせて書き直すことはしませんでした。

読んで見ようかとお思いの方は、ご面倒でも書店さんにご注文ください。

かつて『○○が○○に優勝する時』というベストセラーを書いた高斎正という作家のことを、記憶にない書店さんのほうが多いので、店頭に在庫として置いてないことが多いのです。

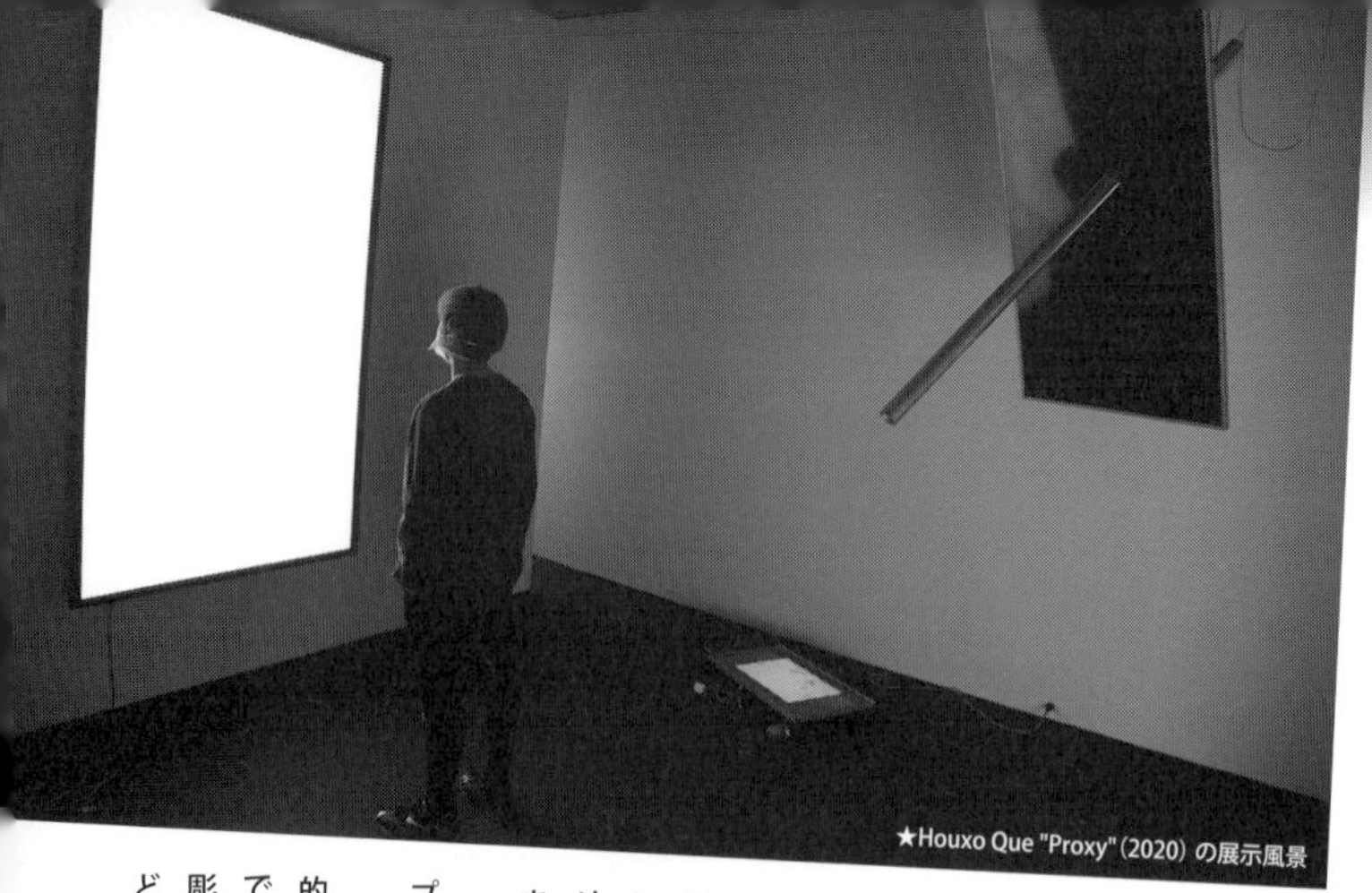

★Houxo Que "Proxy"(2020)の展示風景

1秒間60コマ、ランダムに放たれる16777216色の閃光! 液晶ディスプレイにペインティングする"新しい絵画"

——Houxo Que(ホウコォキュウ)インタビュー

◉写真・文=ケロッピー前田
●カラー図版➡p.24

色彩を変えながら高速スピードで閃光を放つ液晶ディスプレイ、よく見るとその表面には透明のアクリル樹脂がペインティングされて、光が乱反射して抽象的な残像が知覚される。Houxo Que《ホウコォキュウ》は、自分の作品は"新しい絵画"であると主張する。今年3月、Gallery OUT of PLACE TOKIO で開催された個展『Proxy』を訪れた。

「液晶ディスプレイに直接ペインティングする手法を始めたのは2012年、そのときからずっとこれは絵画の新しい形だと言ってきました。このギャラリーで3回目となる今回の個展は、これまでの集大成的な展示になっています」

そう、彼は説明する。なぜ液晶ディスプレイを用いることにしたのだろうか。

「いまでこそ、液晶ディスプレイは一般的ですが、それ以前はブラウン管でした。でも、ブラウン管は四角く厚みがあって、彫刻的です。最近の液晶ディスプレイはどんどん薄くなって、絵画に近づいてきています。僕が意識しているのは、絵画の歴史のなかで先行した表現をやっている作家たちなんです」

彼は液晶ディスプレイを用いている同時代の注目の作家として、NYを拠点にするケンオキイシ、あいちトリエンナーレにも出展していたエキソシモ、ブラウン管ディスプレイにペインティングした先例として梅沢和木を挙げた。それでも、彼が液晶ディスプレイにこだわるのには個人的な理由もあった。

「僕は84年生まれ、ファミコン世代で、子供の頃の原風景がRGBの光の色なんです。それに比べると印刷の色はCMYKだからくすんで見えちゃって。絵の具で描いても自分が思い描く色彩を表現できなくて、蛍光塗料などもよく使ってきました」

Gallery OUT of PLACE TOKIO での最初の個展『16,777,216views』(2015)では、液晶ディスプレイに蛍光塗料でペインティングをし、UVライトを当てて光らせ、同時にディスプレイからは16777216色の閃光が1秒間60コマ、ランダムに放たれた。

「その個展のときから、液晶ディスプレイで使われているプログラムはずっと同じ。友人のプログラマーに依頼して、液晶ディスプレイで表示可能なすべての色をランダムに出てくるようにしてもらっています。つまりRGBだから、赤256色、緑256色、青256色で、256色の3乗=16777216色。それが代わる代わる表示されます。1秒間60コマという高速スピードに人間の感覚はついてこれないので、ディスプレイはあたかも明滅しているように見えますね」

メディアアート的な側面を持つQueの作品だが、一方で過剰な暴力性を持っているところも魅力である。今回の個展『Proxy』では、鉄パイプが液晶ディスプレイを貫通している作品の存在感が際立つ。物理的に鉄パイプが貫通しており、十数秒に一度、最後の断末魔のような映像が一瞬映し出される。

「その画像は、実際に鉄パイプを貫通させたときに偶然にも映し出されたもの。この作品は、自分のスタイルをむしろ破壊することで、自分の作品を外側から見て、アイロニカルに扱おうというものです」

そのような暴力性は、昨年の『TOKYO 2021 un/real engine——慰霊のエンジ

★Houxo Que "Proxy"(2020) から

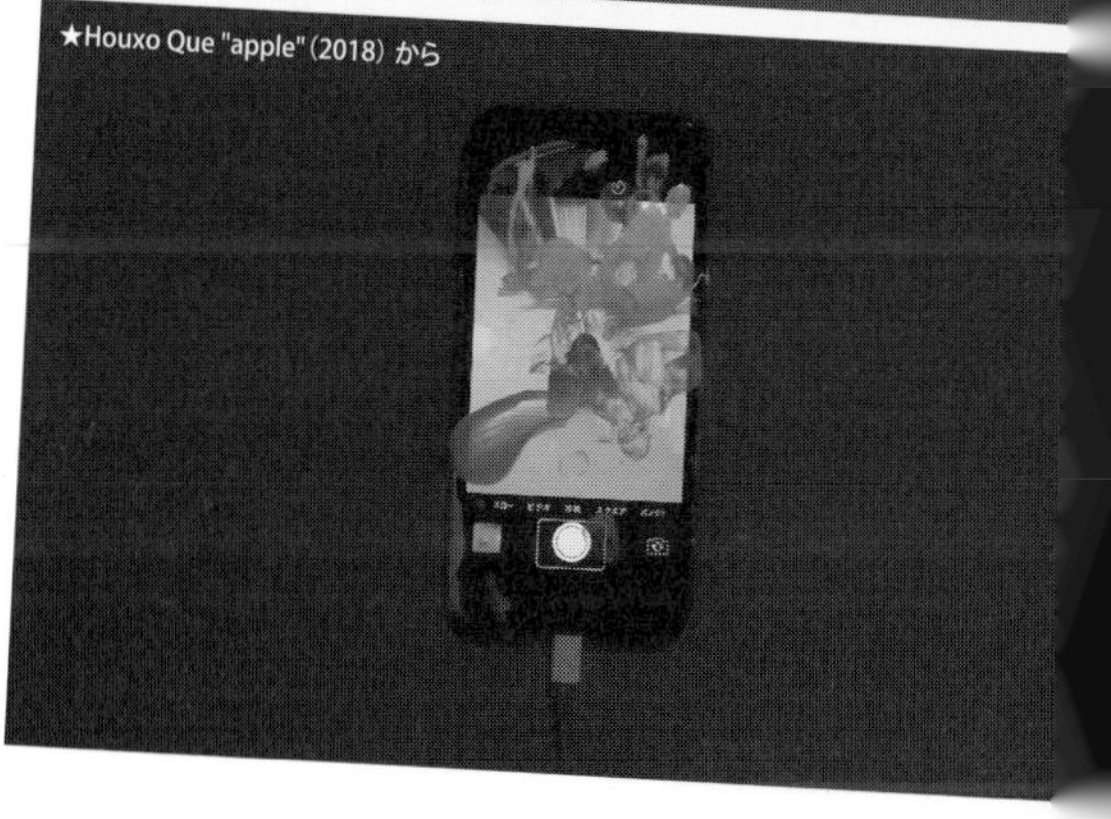

★Houxo Que "apple"(2018) から

ニアリング』では、まるで水害や浸水で地下が水没しているような生々しさで液晶ディスプレイの作品を展示することで鑑賞者にも言い知れぬスリルを味わわせた。また、同展示の他の作品では消火器の中身を詰め替えてスプレー代わりにして、広範囲に塗料をぶちまけている。消化器スプレーは、2018年のCANCERの展示では、会場ビル一面に吹き付けられていた。

「十代からグラフィティをやっていたので、消火器を使うノウハウもありました。アートサプライKrinkで知られるKRやドイツのカタリーナ・グロッセにも影響されています。グラフィティをやっていたときには、アウトローの世界に身をおいて、社会の輪郭を少しだけ外側から見えた時に、自分がこれから何をするべきなのかを実感できたと思います」

それでもコンテンポラリーアートの世界を活動の場に選んだのは、一番やりたいことを求めて、彷徨い続けた結果だという。

「現代人の日常にあるものだからこそ、液晶ディスプレイをハッキングして、その本質を暴き、人々の目を覚ますような体験をさせたい。そういう手触りを一番こだわって作れるのが、コンテンポラリーだったんです」

そのような社会への視点が大きく反映されたのが、2018年の個展『apple』だった。アップル社のスマートフォン、iPhoneを使って、直接そこに指でペインティングをした。そればかりか、カメラとボイスオーバー機能をオンにして、観客を取り囲むように12個のiPhoneを配置、カメラが観客を察知するとボイスオーバーによってしゃべり始めるようにしたのだ。多くの人々が日常的に使っているスマートフォンを使って、ユニークな展示ができたと胸を張る。

「それでも、液晶を用いた発光する絵画を作ろうとすると、過去の絵画とは制度的な切断が生まれてしまう。つまり、絵画とは光の反射で見るものなので、発光する絵画とは質的な変化が生じて、概念的な継承はできても、フォーマリスティックな切断が起こってしまうんです」

そんなジレンマは、彼のアイデンティティとも繋がっているというのが面白い。彼はHouxo Queを名乗って活動しているが日本国籍である。とはいえ、母方が中国、台湾、韓国の混血であり、母方の家族は日本語を話しても日本の文化習慣には疎く、そんな中で育ったQueは宙吊りな存在だという。

「自分が何者でもないのであれば、何者でもないところから始めるしかない。絵画のどれにもなれないところから〝新しい絵画〟を始めようという態度に通じる。パッシブじゃなく、アクティブに光を出すという手法は、『窮鼠猫を噛む』みたいなものですよね。グラフィティをやっていたときから、そういうところはずっとありましたから」

今回の展示会場の中央には、市販の液晶ディスプレイでは最大サイズという作品があった。Queはおもむろにスマホを取り出して、その作品にかざした。彼の想像力は従来の絵画を超える絵画を目指し、高スペックの機器を使い倒しにかかるのだった。次なる時代を開く〝画家〟の活躍に期待したい。

陰翳逍遥《第38回》

志賀信夫

既存と未知の道

▽飯田クラウス太郎、宇野和幸、宮田義廣「既存と未知」展／新宿・ギャラリー絵夢、20年1月21日～2月2日。

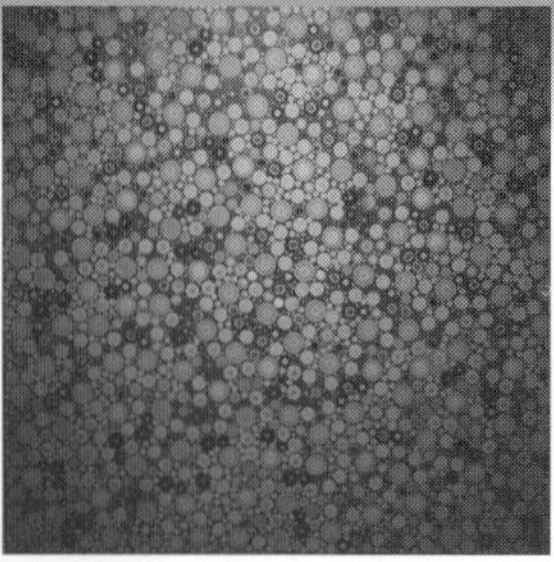

★（右上）飯田クラウス作品
（左上）宇野和幸作品部分
（左下）宮田義廣作品の展示

金沢美術工芸大学出身の宮田義廣の作品は、大きいキャンバスにオールオーヴァー、全体に絵の具が塗り込まれたものが、いくつも組み合わさって、独特の風景を生み出している。それは具象を元にした抽象といえるもので、表現主義絵画の流れを感じる。だが、精神的な風景というよりは、目に見える風景を抽象化したようであり、精神の闇やカオスは感じにくい。絵の具の混じった表象は混沌として見えるが、表象にとどまって重くはならない。それでも作品に厚みがある。その一枚一枚の組み合わせによって作品は変わるのだが、それは宮田の精神性に関わり、自由と混沌の間に何かを探そうとしているようにも思える。

飯田クラウス太郎の作品は、抽象的な円を多数描いたり、重ねて描いたりした作品に見える。だが、よく見るとちょっと立体的であり、実はその円が丸いシールであることがわかる。シールアートという名称がつけられているが、何とも不思議な雰囲気だ。実はシールなので簡単につくれるはずだが、立派に作品として自己を主張している。

彫刻家、飯田義國の息子である飯田がシールと出会ったのは、偶然だったという。ロンドンで美術を学んでいたときに、プロジェクターで星が満ちたインスタレーションを試みようとした。だが、フィルムに針で穴を空けても星にならない。すると教授が、紙にシールを貼って撮影すれば星が投影できるとアドバイスしてくれた。それで、シールを貼るうちに、はまった。それ自体で作品がつくれると、それから二〇年以上、シール作品をつくり続けている。

宇野和幸の作品は、和紙にインク、墨などで残した「痕跡」という印象を与える。さまざまな色の細い線がいくつも重なり、抽象性を高めている。よく見ると、転写によるリアルな建物などが下にあるのだが、そこに滲んだ墨、そして赤や多色の線が重なり、画面に動きを与えている。細い線は、建築の墨つけ（墨さし）の技法によるものだ。糸車の付いた木製の道具「墨壷」を使い、木材などに張った糸を弾き、含んだ墨の痕跡で真っ直ぐの線を引く。ゆえに完全な直線だが、痕跡にはぜた墨の飛沫が滲み、独特の質感を醸す。こぶりの作品は和紙だが、大きい作品は楮《こうぞ》によるため、色と質感が異なる。

このまったくタイプと技法の異なる三者の取り合わせは絶妙といっていい。単なる異質なものの遭遇でもない、例がないので、しいていえば幕の内弁当のように、さまざまな味を楽しめる。そして、共通に感じられるものは、作家のもつ一種のストイシズムかもしれない。

箱人を生み出す感性

▽集治千晶個展／Happy Cemetery、日本橋・不忍画廊、20年3月13日～28日

集治千晶は一九七二年、京都生まれ、京都精華大学美術学部を卒業し、京都市立芸術大学大学院を修了。大学、大学院では版画を専攻していたが、現在は平面、立体、編み物など多様な表現を追求し、二〇〇五年には京都市芸術新人賞を受賞している。

水彩作品には赤やピンクが多い明るい印象があるが、ちょっと日本的な感覚も感じられて、新たなジャパン・ポップアートという感じだ。特に注目したのは、箱と人が合成したような作品だ。美術で箱による作品は、まずデュシャンの『グリーン・ボックス』（一九三四年）と『ホワイト・ボックス』（一九六七年）が思い浮かぶが、これらはメモを集めて入れた箱本来の機能によるオブジェ作品である。もちろ

★集治千晶『Iconic doll ―Spirit―』

ん箱といえば、ジョゼフ・コーネルが有名だ。それはコラージュとオブジェのアサンブラージュが一つの箱に入っている。

　だが、集治千晶の作品は違う。コーネルの箱の中のオブジェたちは、シュルレアリスムのオブジェのように、それぞれモノとして存在しているが、集治の箱の中は、一つのテーマに結びつく。それは過剰な装飾とともに体の中を示すイメージで描かれ、つくられている。そして箱の外に頭や足があり、人形というよりむしろ人体として存在しているように思える。いわば箱人間のようなもので、作品が身体化するという奇妙な表現といっていい。

　それは、子どものころ、積み木や箱を重ねて人をつくることにも似ている。子どもの想像力はその「見立て」を自由に行う。雲や影に人や動物を見出す連想もそうだが、大人になるとそれを失いがちだ。集治の作品にはその子どもの遊びにも似た、純粋性が感じられる。そしてそれが鮮烈で独特の色彩感覚で迫ってくる。そのため、バランスよく箱の中に整えるよりも、そこからはみ出してくるような力がある。箱をはみ出すことは当然であり、必然だったのだろう。このどこにもない身体のような作品は、そうした私たちの過去や深層に触れるところがある。

从会と自由

　从会というものがある。美術の公募団体の一つともいえるが、他の公募団体とは一線を画している。公募団体の展覧会に行くと、一定の空間に似た作品が並ぶ。それは理事などの美術家がいて、弟子たちが師匠に似た作品をつくっているからだ。もちろん理事は実績がある優れた美術家だが、似たような作品が並ぶのを目の当たりにすると、一種の権力関係を感じざるを得ない。

　それは現代舞踊の世界でも同様だ。石井漠などの創始者の弟子、さらにその弟子などがピラミッド状態をつくり、「先生」の監修で似たような作品をつくる。そのため、それを超える作品が滅多に生まれない。当初前衛として新しい作品を生みだしたのだが、その精神が伝わらない。他の芸術でも同様のことがあるだろう。

　从会は美術界のそうした縦構造に異議を唱えて、縦書きでの人人ではなく、横に並べて从会として一九七六（昭和五一）年に発足した。創立メンバーは、中村正義・星野眞吾・山下菊二・斎藤真一・大島哲以・佐熊桂一郎・田島征三の七人。宣言はないが、五年後の八一年の展覧会カタログには、「権威にひれふし、時代の証人である事を放棄した人々を私たちは画家と呼ばない。権威の保護で得た地位や富は作品になんの力もあたえはしない」とある。反権威・反権力を志向した美術家たちが集まったのだ。といっても、政治活動をしたり、政治的な表現をする人が多いわけではない。あくまで美術表現でそれぞれが独自の創作を行うのである。

　現在の会員は、猪瀬辰男・大野俊治・大野泰雄・岡田よしたか・奥津幸浩・亀井三千代・木村浩之・久保俊寛・郡司宏・古茂田杏子・田端麻子・内藤瑶子・成田朱希・美濃瓢吾・宮崎優・山崎美佐子・吉田佑子・米田昌功・渡辺つぶらの一九人。呼びかけ会員には綺朔ちいこ・小野なな・箕輪千絵子などがいる。

　筆者は佐熊桂一郎の作品を見るために以前に訪れ、最近はほぼ毎年、見に行っている。いずれも個性的、幻想的な表現が集まっていて、他の公募展にない新鮮な驚きがある。亀井三千代、渡辺つぶら、物故会員の大島哲以、井上洋介などを本誌の姉妹誌『ExtrART』で大きく取り上げた。（※）

　そして二〇二〇年には創立四四年の展覧会が東京上野の都美術館で開かれた。今回も見応えのある展覧会で「人と人―拓す―」というテーマによる特集展示があった。この言葉には、開拓のように何かを拓く、人の関係を広げるという意味もあるが、拓本のように版で刷る意味もある。その点から版画を展示した美術家もいた。亀井三千代は、このテーマで、自ら墨によるボディペインティングによる作品を生みだした。イブ・クライン『人体測定』（一九六〇年）などの前例も承知の上だが、こういう大胆な実験が行われ

（※）「ExtrART」の以下の号に掲載／亀井三千代＝file.11、渡辺つぶら＝file.17、大島哲以＝file.21、井上洋介＝file.22

★古茂田杏子とインスタレーション

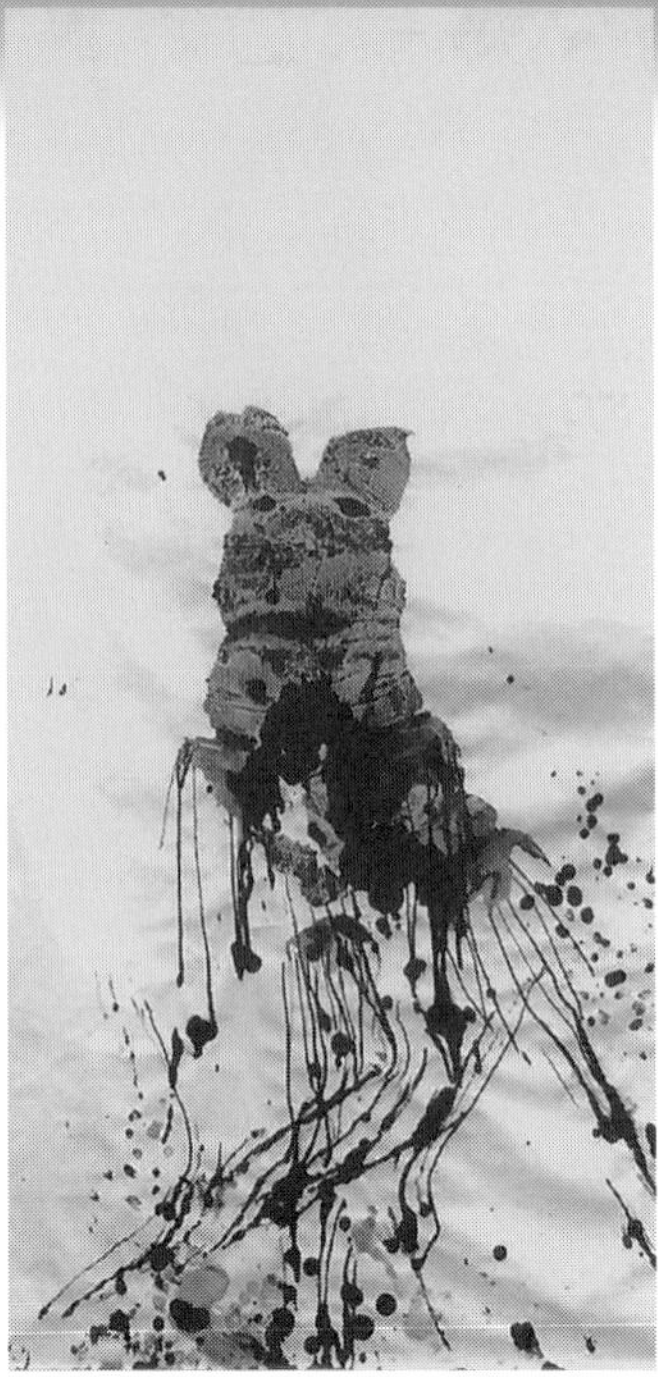

★亀井三千代『ドレス』部分

るところも、从展の魅力なのだ。また、古茂田杏子は、民話とエロスを重ねた独特の作品を生みだしており、今回も懐かしさのある不思議なインスタレーションを見せた。コロナの影響で会期途中で終了し、観客も通常より少なかったが、次の四五周年の展覧会にも大きな期待を抱いている。

TPAMと金閣寺

TPAM（国際舞台芸術ミーティングin横浜）は、一九九五年からの東京の芸術見本市を前身として、現在、横浜で毎年二月に開催されている。演劇や舞踊を中心とした舞踊家、振付家、プロデューサーなど関係者が集まる。公演、交流、公募のプログラムでさまざまな公開ミーティングも行われ、招聘公演やショーケース公演、フリンジといわれる関連公演など、数多くが上演されており、昨年はのべ二万人以上が参加した。またTPAMは、国際的なダンスコンペティションの横浜ダンスコレクションと時期が重なっており、多くの舞踊関係者も世界から集まってくる。

今回もエコ・スプリアントなど、国内外の興味深い作品を見たが、ここではティート・カスクの新たな実験的作品『The Golden Temple』（金閣寺）を紹介する。

彼は欧州エストニアの国立バレエ団の芸術監督・振付家で、ミラノバレエの『アンナ・カレーニナ』やスウェーデン王立バレエ、ノルウェー国立バレエなども振り付けている。ティート・カスクはバレエの高いスキルを生かしつつ、音楽の生演奏とともに『ケレス』などの、大胆なコンテンポラリーバレエ作品を生みだしてきた。数年前からTPAMに参加し、日本の舞踏や文化に触れたことから、三島由紀夫の『金閣寺』に触発された『The Golden Temple』をつくることになった。昨年の来日時に鎌倉・京都などに取材して、今回のTPAMではその第一段階の作品発表となった。

横浜YCC（ヨコハマ想像都市センター）で二月九日に行われた公演は、エストニアのバレエダンサー、ロージ・ナタリ・ノギスト、韓国のダンサー、ヒュイ・ヨン・ジョング、そして能声楽家の佐々木涼子、さらにエストニア国立交響楽団の主席チェリスト、テオドール・シンクが演じるものだった。舞台装置もなくシンプルな舞台だったが、若いダンサー二人の優れたスキルと、佐々木の能の謡いを背景にした神秘的な声、そしてチェロを舞台で巧みに扱いパフォーマティヴな演奏を見せたテオドール・シンク、いずれもこの作品の持つマグマとその可能性を強く感じ

★ティート・カスク『The Golden Temple』から

させた。特に女性ダンサーとチェリストは透明感が高く、北欧に近いバルト三国の一つの風土も感じられた。フィンランドのコンテンポラリーダンスは、日本に何度か来ているが、作曲家、アルヴォ・ペルトを生んだエストニアは音楽・合唱の国でもある。

　三島由紀夫の『金閣寺』（一九五六年）は代表作の一つで、トラウマを抱えた青年僧侶が金閣寺を燃やすまでの内面を描いたものだが、コンプレックスや性愛、欲望などさまざまな要素が入り、さまざまな解釈が可能な傑作である。ティート・カスクが今後どのように完成にもっていくか、美術や映像も入った完全版を楽しみにしている。

舞踏とショーダンス

　現在舞踏というと、世界で注目されている前衛表現として、芸術的であり、高尚なものというイメージが広まっている。しかし少し前までは、「白塗りして裸でわけのわからない踊りを踊る」が一般的だった。また、大野一雄の踊りを中心に「魂の舞踏」などと精神性が強調されるが、初期から現在までを見ると舞踏もさまざまであり、エロティックなショーやエンターテイメントとも密接なつながりがある。舞踏は日本の現代舞踊、モダンダンスの中から生まれてきたが、モダンダンス、ジャズダンスいずれもショーとは密接であり、それを収入源として公演するのが当たり前だった。もう一つの収入源は画家などのモデルである。

　七〇年から、多くの舞踏家がショーで培った技術で舞踏の舞台に立っていた。元々美大などでダンスの素養がない者は、土方らの元に来て翌日からショーに派遣されることもあった。ショーの実践で学ぶ、いまでいうＯＪＴだ。土方巽のアスベスト館では、ショーが終わって戻ると、深夜から稽古が明け方まで続いた。そして最初に指導されるのはショーのための踊りだ。舞踏の定番ともいえる「ニジンスキー」と称される動き、『牧神の午後』（一九一二年）の写真にならって、腰の位置で親指を立てて両手を開いて、膝を曲げて横向きに進む「振り」もそこで生まれたという。

　ショーダンスの経験が生きていると明言したのは和栗由紀夫である。当時のグランドキャバレーは数百人以上の客席で、前日は演歌の大物が歌った舞台で、女性と二人、ソロの場面もあり、その大舞台で踊っていたため、舞踏で海外のどんな大きい劇場に立っても臆さず踊れたという。公演を体験せずにショーだけだった「弟子」も多い。鼠派演踏艦を主宰する宮下省死もその一人だ。土方が経営したショークラブ「将軍」などの出身の踊り手たちは、通称将軍ダンサー（ズ）とも呼ばれるが、その後、ベリーダンサーになった人も多い。

　舞踏の始まりは一九五九（昭和三四）年の土方巽の『禁色』といわれるが、当時はモダンダンス、ジャズダンス、いずれも前衛の時代で、そのなかからオリジナルの舞踏（暗黒舞踏）が生まれた。六〇年代には、ネオダダ・オルガナイザーズなどの前衛美術、パフォーマンスも取り入れられ、斬新な作品となった。そのころ土方、大野慶人らは「ダンシングゴーギー」などのジャズダンスグループをつくってショーに出演していた。七〇年代になると、室伏鴻や麿赤兒の大駱駝艦、大須賀勇の白虎社などは「舞踏キャバレー」と称し、エンターテイメント的な舞踏が生まれていく。それは舞踏がショーやストリップなどのダンスで糧を得ていたことと無縁ではない。当時、ダンサー一人一万円の出演料があっても、五〇〇円しか与えられず、収益で公演が行われた。当初は興業プロダクションにダンサーを供給していたが、自分たちでプロダクションをつくり収益を得るようになった。

　また、赤坂には、黒川紀章設計のスペースカプセルという前衛的なショークラブが生まれ、唐十郎、寺山修司、土方巽らが曜日ごとにショーを繰り広げた。出演していた舞踊家伊藤ミカの夫で、『薔薇族』誌編集長である伊藤文学によれば、照明は石井幹子という。これには驚いた。東京タワー、レインボーブリッジの照明で

★赤坂スペースカプセル

知られる照明家石井幹子は、筆者の親類だったからだ。いずれ当時のことを聞いてみたいと思っている。

土方はその経験から、自ら「将軍」などのショークラブをつくり経営することになる。六本木に将軍、金太郎、プルート、赤坂にキャラメル、銀座もあり、フラメンコのゴステロもあった。六本木付近に多かったのは、ダンサーが掛け持ちして回るためだった。将軍はラスベガス風、キャラメルはパリ風、プルートはウィーン風、銀座は江戸風で白黒の内装といった個性的なコンセプトで、虎の剥製が迎えたり、中を電車が走るものなど、その斬新な企画とデザインを土方自身が行った。また、大駱駝艦は、現在は失われたが、練馬に豊玉大伽藍という劇場兼事務所ビルを持った。愛知県大須の大道芸フェスなどにも金粉ショーで出演し、それは現在も続いている。

土方の「将軍」は、六本木のロアビルの向かい裏、交差点からミッドタウンの反対に歩き左側一本入ったところにあった。一時はこのビルに金太郎も入り、赤坂にあったキャラメルがここに移ってきた。土方は一九八六年に亡くなったが、ショークラブはその後も残り、土方の妻、元藤燁子が亡くなる二〇〇〇年代初めまであった。土方の弟子、芦川羊子がママをつとめていた店もしばらくあったそうだ。

将軍などがあった桃源社第二ビルの前の墓地の反対側に、ショークラブの金魚がある。一九九四年創業で二〇一九年に二五周年を迎え、現在も営業している。赤いゴージャスな劇場のロビーから二階に上がると劇場内部全体も赤く、まさに金魚の中に入るかのようだ。座席は階段状で二階にも席があり、三階分以上の吹き抜けの高い構造で、二階席が左右を取り巻くオペラハウス的な構造。昭和期まではこうした馬蹄形の客席構造のキャバレー、クラブがあった。

そのショーを見て驚いた。さまざまなダンスが雨霰と降ってきて、たたみかけるように人や場面、音楽、衣装が替わり、あっという間の一時間、完全に舞台に引き込まれた。その舞台は舞踊家、加賀谷香が振り付けていた。加賀谷はパパ・タラフマラやHアール・カオスにも出演するなどモダンからコンテンポラリーまで幅広く活躍し、新国立劇場でも振付作品を発表、江口隆哉賞、日本ダンスフォーラム賞も受賞している。ショークラブ金魚でも二〇年、振付を担当している。

マイケル・ジャクソン『ビート・イット』で鏡獅子姿の二人が踊るインパクトのある冒頭から、音楽とダンスがあれよあれよと展開する。六〇分に三〇景以上と思わせるほど息をつかせず、ハード、エレガント、エロス、忍者など多様。女性たちも美しく、際だって背の高い美女はニューハーフと目測したが、九人登場した女性の四人はニューハーフだった。

この舞台をつくったのが、伝説的な演出家でオーナーの谷本捷三《しょうぞう》。ディスコ全盛時代に、六本木のスクエアビルで一〇軒ディスコを経営し、高級クラブ、コルドンブルーの経営者でもあった。姉、池口麗子もカンタベリーハウスチェーンなどを経営し夜の女王といわれ、花登筐『銭牝』（一九六五年）のモデルで、谷本自身も「六本木の帝王」と呼ばれた。当初から振り付けていたのは、ロッキーこと山田仁。山田は金魚や新宿の同系列のショークラブ、黒鳥の湖で斬新な振付を行った。

冒頭は急な階段状の舞台に二人が鏡獅子姿で並びダンスが始まる。するとその階段が崩れていき平面になり、地下に降りて奈落になって、階段は左右中央に三つに分かれ、上の部分は二階に収納される。さらに二階、三階の奥にも左右三つになった箱状の舞台空間があり、上から舞台が降りてくる四階構造。手前の部分の床は左右に動き、雨が降る仕掛けもある。階段は坂にもなり変幻自在で、ダンサーは地下、中央、二階、三階で踊り、ステージが絶えず移動する。

モチーフも歌舞伎や江戸風俗、忍者からフラメンコ、現代までさまざまだが、太平戦争も登場する。三線《さんしん》の生演奏と琉球舞踊が沖縄戦になり、特攻隊と戦争に翻弄される若い男女、進駐軍が登場する。米軍兵士も多い六本木で敢えてこれを入れたことには、谷本捷三や山田仁のこ

★六本木・金魚でのショー『TOWA』／撮影：鈴木紳司（ダンススクエア）

だわりがあったのだろう。アングラっぽい作品では、唐の状況劇場のような舞台崩して、背後を開けると裏の墓地が広がる演出もあったという。また舞踏には同性愛のモチーフが当初からあったが、ニューハーフが踊る金魚は、土方のつくった将軍のすぐ間近だ。土方は後期「東北歌舞伎」を名うったが、金魚のショーは「NEO歌舞伎」だった。

ショーと舞踏の関係はさまざまで、例えば、大駱駝艦出身でドイツで活躍し、早逝した古川あんずの弟子に伊藤キムがいる。その後、バニョレ国際振付家賞を受賞しコンテンテンポラリーダンスが日本で広まる中心の一人だったが、あんずと出会ったのは新宿のストリップ劇場、モダンアートで、彼はここで照明を担当していた。

舞踏のショーの定番に金粉ショーがある。裸に金塗りして踊るもので、女性は裸だけで受けるが、男性が受けるために編み出されたといわれる。金塗りで松明を持ち登場すれば大いに受ける。土方の派遣する金粉ショーでは、唐十郎と李礼仙が踊っていたことも知られている。

モダンダンスでも金塗りの舞台があった。モダンからコンテンポラリーダンスで活躍した黒沢美香の父黒沢輝夫は石井漠の弟子だが、彼は黄金像となって踊る。二〇一二年に「まだ踊る」と題した舞台で『金色に踊れる男』を踊り、『銀色にのす女』を妻の下田栄子が踊ったのだ。クラシックバレエでも金塗りはある。インドが題材の『バヤデール』で登場して踊る黄金像は、目玉となる場面の一つだ。

大駱駝艦は、その金粉ショーを現在も生かしている。毎年長野県の白馬で行われる合宿では、最後に河川敷の舞台で全員が金塗りで登場し、最後に松明で踊る場面が圧巻である。高円寺では大道芸の祭りにゴールデンズを組んで金粉ショーを見せる。また、二〇一六年に上演された『クレイジーキャメル』は金粉ショーへのオマージュに溢れた作品だった。

筆者は一九七七年に大野一雄の舞台を見たことがきっかけで、舞踏からバレエ、日舞、コンテンポラリーダンス、フラメンコなどさまざまなダンスを見て、文章を書いてきた。そして、大駱駝艦や白虎社などのエンターテイメント要素、ショー的要素の多い舞踏の舞台も愛してきた。だが、残念ながら「将軍」体験はなく、ショークラブのショーを見る機会もなかった。今回、六本木・金魚のショーで、舞踏とショー、エンターテイメントがつながっていることを、改めて実感した。今後はダンスや舞踏のエンターテイメント要素にも、もっと目を向けていきたい。

もの病みのヴィジョン——

「もの病み」とは、辞書を引けば単に「病気」とあるが、
なんとなく勝手に連想したのは、
または、「もの」に憑かれて「病んで」いるような状態。
「もの悲しい」と同じようなニュアンスで
「なんとなく病気っぽい」感じ。
そして「病み」は「闇」であり、はずれ者のイメージとつながる。

「病気」というテーマは、だいぶ以前から候補のひとつだったが、
今号の企画として提示したのは半年前。
まだ新型コロナウイルスが知られる前であり、
こんにちこのような状況になるとは、思いもよらなかった。

そうした伝染病だけでなく、人は、
身体的精神的なさまざまな病に苦しめられ続けている。
病に出会うと人は、
健全で健康なことが良いとされる社会から逸脱し、
「病み」=「闇」をまとい、光を失う。
しかしだからこそ、見えてくるヴィジョンがある。
隠されていた、見えなかった真理が見えてくる。
「病み」=「闇」のヴィジョン。
そこに、生のもうひとつの可能性を見つけにいこう。

表紙＝写真：堀江ケニー、モデル：沙夜

All pages designed by ST

CONTENTS

アポローの贈り物
——梅毒をめぐる幾つかの逸話と謎

◎文＝仁木稔

★梅毒患者を描いたアルブレヒト・デューラーの木版画（1496年）

大西洋の彼方、クリストフォロ・コロンボが発見することになる島に、かつてシフィリスという名の羊飼いがいた。彼は島民を唆して太陽神アポローを蔑ろにしたので、恐ろしい疫病が神罰として下された。シフィリスはこの新たな病の名として、人々の記憶に留められた……

　イタリアの医師ジロラーモ・フラカストロによるラテン語の長詩『シフィリスあるいはフランス病』は、一五三〇年に出版されるや大いに人気を博し、各国で版を重ねた。それはラテン語詩としての格調高さのためだけではなかった。主題とされた忌まわしく無惨な皮膚病が、当時の人々を責め苛んでいたのである。

　ナポリに侵攻したフランス軍の陣中に一四九五年、突如出現した疾病は、全身を覆う膿疱と四肢を貫く激痛を特徴とし、数年で目や鼻、手足を失い、死に至るものだった。梅毒《シフィリス》の名が西洋に定着するのは十八世紀末以降のことで、それまではさまざまな呼び名があった。フランス人はナポリ病と呼んだ。フラカストロをはじめとするイタリア人は、もちろんフランス病と呼んだ。ドイツとイギリスでもフランス病だった。ポーランドではドイツ病、ロシアではポーランド病、オランダではスペイン病だったのに対し、スペインではただ膿疱《ブバ》とだけ呼んだ。

　フラカストロの詩には、梅毒《シフィリス》の治療法も抜かりなく記されていた。アポローの怒りを宥めたのは神々の女王ユノーで、慈悲深い彼女は梅毒の特効薬をも島民に与えた。グアイヤックという木がそれで、シフィリスの島すなわち西インド諸島にしか生育しない。

グアイヤックは現地で古くから皮膚病全般の治療に使われてきたものである。梅毒の新大陸起源説が流布するとともに、その特効薬として大量に輸入されるようになっていた。『シフィリス』出版の前年、グアイヤックは医師にして錬金術師パラケルススによって効果なしと断じられていたのだが、フラカストロには医師としての持論とは別の思惑があった。グアイヤックの輸入はドイツのフッガー家が独占していたのだが、その権利は神聖ローマ皇帝カール五世が借金返済のために与えたものだった。フラカストロは皇帝が敵対するフランスを憎悪しており、つまりはグアイヤックの宣伝を買って出たわけである。一方のパラケルススはフッガー家に恨まれ、後々まで迫害されることになる。

グアイヤックの効能として西洋人が注目したのは発汗作用だった。根底にあったのは、毒素排出という古来の治療法である。グアイヤック自体は毒にも薬にもならないが、下剤の併用と厳しい食事制限のため、患者は非常に消耗した。これに対してパラケルススが推奨した水銀は、錬金術と融合したイスラム医学において皮膚病治療に使用されていたもので、確かに殺菌作用があるとはいえ激烈な副作用に見合うものでは到底ない。こちらも食事制限と下剤併用、発汗促進がセットだった。

いずれにせよ『シフィリス』の頃には、人々は梅毒を克服する希望を見出しつつあった。というのも、その症状は目に見えて軽微になってきていたのだ。感染力も致死率とともに下がったようだった。気の早い医者たちは、完全な消滅は近いと宣言した。このような楽観は、症状自体の軽減に加え、潜伏期間が長期化したことにもよる。特に後期潜伏期は数年から数十年に及ぶ上、最終段階である進行麻痺は梅毒だと気づかれていなかったのである。

麻痺と名が付くものの行き着くところは狂気であり、患者に梅毒の既往歴があることは次第に明らかになっていったにもかかわらず、この二つが結び付られるのはアルフレッド・フルニエによる一八七六年の報告まで待たねばならなかった。その後も論争は続き、一九一三年に野口英世らが進行麻痺患者の大脳皮質中に梅毒トレポネーマを発見したことで、ようやく決着する。原因菌の特定から、八年後のことだった。

フルニエは梅毒の害悪すべてを解き明かそうとしていた。次に彼が目を付けたのは遺伝梅毒だった。もちろん、梅毒は遺伝しない。乳幼児梅毒の存在は早くから知られていたが、遺伝梅毒という名称が使われ始めたのは十八世紀末である。提唱者の一人であるスヴェディオールは、次のような三要因論を説いた。まず母胎内での感染――これは現実の先天梅毒の原因である。続いて出生後、患者との接触による感染――遺伝という概念が当時、いかに曖昧であったかを示す好例と言えよう。最後が、父親の精子からの感染である。

一世紀後のフルニエの時代、遺伝梅毒は専ら父親由来だと目されるようになっていた。この場合、汚染されているのは精子の中身なので、母親に感染することはないのである。一九〇四年、フルニエは遺伝梅毒が人類の心身を退化させる可能性について述べた。翌年にはフロイトが、自身の患者の半数以上の父親が梅毒の既往歴を持つと発表した。

★アルフレッド・フルニエ

遺伝梅毒の概念をさらに拡張、飛躍させたのは、フルニエの息子エドモンである。彼によれば、知的障害および癲癇など神経系の障害はすべて遺伝梅毒が原因だった。第一次大戦を経て、遺伝梅毒はさながら世を覆い尽くす様相を呈する。肉体的であれ精神的であれ、またどれほど些細であっても、なんらかの異常を示す子供はすべて遺伝梅毒の疑いありとされた。梅毒は隔世遺伝しうると大真面目に論じる医者もいた。

遺伝梅毒という神話を生んだのは、十九世紀末以降の工業化社会に蔓延した危機意識だった——我々は退化しつつある。この危機を科学で解決しようとしたのが、すなわち優生学である。

退化への恐怖はつまるところ、台頭する労働者階級に中流以上の人々が抱いた恐怖だった。遺伝梅毒の精子由来説もそこに根差している。娼婦や女中といった下層の女と交わった父親の罪が無垢な子供に負わされる、という図式だ。大衆を担い手とする新興文化も退化の所産であり、蒼白く神経過敏な若き芸術家たちは無論、遺伝梅毒の犠牲者だった。

ところがこの恐怖の陰で、価値観の転倒が起きていたのである。下地となったのは、十九世紀末にロンブローゾが提唱した天才論——天才とは精神病の一形態——だった。その後、上述のエドモン・フルニエがあらゆる精神病の原因を梅毒に帰す。後期梅毒患者の一部に見られる知性の異常な亢進は、すでにロンブローゾと同時代のある医師によって報告されていた。そして登場するのが、エドモンの医学生時代以来の友人、レオン・ドーデである。「最後の授業」（一八七三年）で知られるアルフォンス・ドーデの息子で、医者を志したものの研修医になる前に方向転換し、父と同じ文学の道へと進んだ人物だ。

一九一五年、熱に浮かされたような調子でレオンは書く——このトレポネーマは、天才や逸材の、英雄や才知ある人を育てる鞭であり、また進行麻痺、脊髄癆、それからほとんどすべての変性を生む鞭でもある。ある時は興奮や刺激を与え、またある時はしびれや麻痺を与え、骨髄の細胞や同じく脳の細胞に穴を穿ったり、傷めたりする。（……）トレポネーマは姿は見えないが現に存在して、ロマン主義者、性格破綻者、崇高な様子の錯乱者、衒学的なそれとも乱暴な革命家を衝き動かす。トレポネーマは農民の少しばかり鈍重な生地を剝ぎ取って、それを二世代にわたって洗練する酵母である。トレポネーマのせいで一人の女中の息子が偉大な詩人に、穏やかな性格の小市民が風刺作家に、船乗りが天文学者か征服者になる……

実はアルフォンス・ドーデは梅毒患者であり、レオンは末期症状に苦しむ父の姿を目の当たりにしていた。父の天才はトレポネーマに由来する、とはレオンの弁である。アルフォンスの感染は青年期であり、あるいはレオンは自らの遺伝梅毒を疑っていたのかもしれない。その不安から、梅毒が天才を生むというロマン主義的《ロマンティック》な幻想を展開したのかもしれない。いずれにせよこの梅毒幻想は人々を魅了し、あまたの芸術家や学者が後天ないし先天の患者だということにされた。ニーチェやベートーヴェンなど、現在では梅毒説がほぼあるいは完全に否定されている例も少なくない。

さて冒頭で挙げたフラカストロの詩だが、羊飼いシフィリスに梅毒《シフィリス》をもたらしたのがアポローだったのは、その矢が陽光だけでなく疫病の象徴でもあるからだ。疫神は病の支配者であるがゆえに、彼は医神でもある。芸術も司るアポローが放つ梅毒の矢は、一部の者には創造性をも与えるのだろうか。臨床観察は困難だし、人体実験は論外——過去には非人道的な梅毒実験が幾度か行われたが、創造性の亢進が目的ではなく、副次的に確認もされていない。だが完全否定に足る証拠がないのも事実である。

作家の想像力は、現実の制約から解放さ

れている。トーマス・マンの『ファウスト博士』（一九四七年）は、才能の限界を突破するべく自ら梅毒に感染する作曲家アドリアン・レーヴェルキューンの物語だ。彼がファウストなのは、梅毒への意図的な罹患が悪魔との契約になぞらえられるからである。ニーチェ――梅毒性天才の筆頭と信じられていた――がモデルだとも言われている。

二十一年後、新たな梅毒幻想小説が登場した。トーマス・M・ディッシュ『キャンプ・コンセントレーション』――献辞はトーマス・マン宛てだし、作中で被験者たちが上演するのはクリストファー・マーロウの『フォースタス博士』だ。直接の言及こそないものの、『ファウスト博士』の影は明示されている。終盤、二度ほど話題に上る新進の女性作曲家は、その名もアドリエンヌ・レーヴェルキューンという。

そしてまたこの作品は、タスキギー大学で進行中だった史上最悪の梅毒実験を思い起こさせもする。黒人男性のみを対象に一九三二年に始まったこのプロジェクトは二次、三次感染も含め数百人の犠牲を出したが、彼らは自分たちが何をされているのか知らなかった。極秘でもなんでもなく堂々と論文が発表されていたので、ディッシュも何かしら知っていた可能性はあるが、どのみち詳細が明らかになったのは一九七二年の大々的な報道からである。物語でも被験者たちは惨めに使い捨てられる。だが結末の鮮やかな逆転は、彼らの中心的人物が黒人なのも相俟って、ディッシュがあらかじめ用意した、現実には起こらなかった救済であるかのようだ。

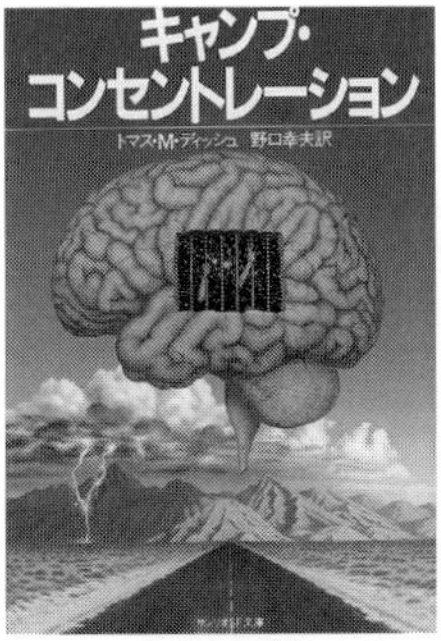

★トーマス・M・ディッシュ『キャンプ・コンセントレーション』（サンリオSF文庫）

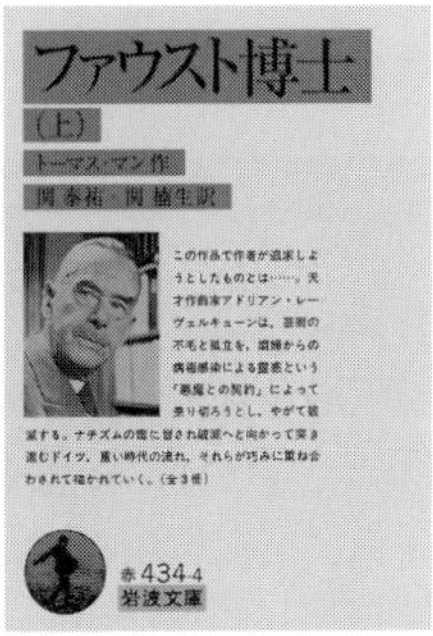

★トーマス・マン『ファウスト博士』（岩波文庫）

最後に、梅毒にまつわる謎をもう一つ紹介しよう――この病はどこから来たのか？古くからの通説は、新大陸が起源だとする。有力な根拠となるのは、最初の流行がサンタマリア号の帰還からわずか二年後である事実と、目撃者が揃って証言するこの疾病の新しさと毒性の強さだ。またコロンボの乗組員がこの病に罹っていたという医師の証言や、十六世紀初めの征服者《コンキスタドール》らによる情報――梅毒はかの地の風土病――などもある。最も新しく、かつ強力な証拠は一九九〇年代に行われた南北アメリカ大陸の古人骨調査で、梅毒の痕跡が広汎に発見された。コロンボが最初に到着したエスパニョーラ島では、およそ二千年前から存在していたと推測されている。

これに対して、旧大陸起源説もある。実際、骨の変性を引き起こすトレポネーマ属が二種、存在し、一四九三年以前の人骨からも痕跡が発見されている。どちらも性感染症ではないが、疫学的には梅毒トレポネーマとほとんど区別がつかない。どちらかが突然変異して真正梅毒になったと、この説の支持者たちは考えている。

論争は続き、疫学や歴史、考古学の範疇を越えて、政治的な領域に突入している。すなわち旧大陸派から新大陸派へと、梅毒の母胎という不名誉を押し付ける魂胆だろう、との嫌疑が掛けられているのである。

●文献案内
『梅毒の歴史』C・ケテル、寺田光徳・訳、藤原書店、一九九六年（原著は一九八六年）
『梅毒の文学史』寺田光徳、平凡社、一九九九年
『1491 アメリカ大陸をめぐる新発見』チャールズ・C・マン、布施由紀子・訳、NHK出版、二〇〇七年（原著は二〇〇五年）：「付記」に梅毒の起源に関するより新しい情報
『ファウスト博士』（全三巻）トーマス・マン、関泰祐／関楠生・訳、岩波書店、一九七四年（原著は一九四七年）
『キャンプ・コンセントレーション』トーマス・M・ディッシュ、野口幸夫・訳、サンリオ、一九八六年（原著は一九六八年）

舞踏病と死の舞踏

◉文＝志賀信夫

舞踏病

「舞踏病」という言葉を知っているだろうか。現在、ハンチントン病といわれる難病である。不随意運動という症状を伴うのだが、それは自分の意に関係なく体が動いてしまうことだ。手や足が震えたり不意に動いたりなど、それが時に、あたかも踊っているようにも見えることから、ハンチントン舞踏病といわれた。アジア人の有病率は欧州人の四分の一以下で、日本では難病に指定され、約九百人がこの病いに苦しむ。遺伝病であるために、その子どもは二分の一の確率で陽性因子を持つことになる。三〇〜四〇代で発症し、不随意運動から次第に体が収縮して動けなくなり、一〇〜二〇年で死に至る。

遺伝子異常の遺伝病で、症状などはパーキンソン病、筋萎縮症に少し似ているが、ハンチントン病の特徴は、患者の脳、つまり精神にも影響を与えることだ。次第に怒りっぽくなり、攻撃的になるとも、時に自殺衝動があるともいわれる。現在、治療法はない。そのため、親が患者であった場合、子どもが自分が陽性か陰性か二分の一の確率であり、遺伝子検査を受けるかどうかで悩む。陰性であれば、まったく問題なく普通の人生がおくれるが、陽性であれば、人生半ば過ぎで死ぬ、ということを予告・宣告されることになるからだ。前述のように、その不随意運動が踊るように見えることから、舞踏病という名がつき、後にハンチントン舞踏病、現在はハンチントン病として治療法が研究され続けているが、いまだに見つかっていない。

『レ・ミゼラブル』の翻訳で知られるフランス文学者の豊島与志雄に『舞踏病』（一九三二年）という短編がある。これは、ある医師が不随意運動の子どもを診て、その母親にかつて会ったことを思い出す。それは若い頃赴任した山間の村で出会った娘だったという話だ。物語では、舞踏病は十二指腸虫によるとされており、当時の日本の一般的な認識がうかがえる。だが一九七一（昭和四六）年になると、ハンチントン病の少女、松本則子の詩集に基づいた『父ちゃんのポーが聞こえる』（石田勝心監督、吉沢京子主演）が公開されて、この病気のことが知られるきっかけになった。

★『舞踏病vol.4』フィリップ・シェエール、小林嵯峨、在ル歌舞巫／東京明大前・キッド・アイラック・アートホール（2016年5月）

フランスの舞踊家、振付家のフィリップ・シェエールは、親がハンチントン病患者であったことから、近年、「病いと踊り」というテーマで公演やワークショップを行ってきた。そのワークショップはダンサーだけでなく、一般の人、病気の人なども含めて、身体についてとらえ直すというもので、筆者も体験したが、だれでもできて、とても楽しく、完成度が高いものだった。

フィリップは二〇〇四年、日本でワークショップを行ったが、そのときには日本の舞踏家、藤條虫丸と小林嵯峨も講師として参加し、そこから日本の舞踏とのつながりが生まれた。以降、東北芸術工科大学の舞踏家、森繁哉などの招きで、ほぼ毎年、日本各地でワークショップや公演を行っており、東京都現代美術館でも講演やワークショップも行ない、舞台では舞踏家小林嵯峨、和栗由紀夫との共演も果たした。最近は原爆の地、広島や長崎、九州でもワークショップを行っている。

日本の舞踏は、「立つ」ことを含めて、身体を考え、とらえ直すことを行い、舞踊と身体の思想といえる。そのため、「病いと舞踊」を考えることと結びつく。舞踏の創始者の一人、土方巽は、動けない身体の動き、身障者の動きを模倣しながら、踊りを追求し、病いをテーマにした『疱瘡譚』(一九七二年)という作品がある。また、舞踏は常に死と生と性をテーマにしており、死と生の問題をとらえ続けている。

　舞踏が生まれるまでの踊り、ダンス、バレエは、健康な身体が基本であり、より高く飛び、より多く回転し、より巧みに動くものだった。だが、舞踏により不自由な動き、踊れない踊りなどが注目されはじめた。そして西洋の舞踊でも、モダンダンスからポストモダンダンス、普通の身体による「行為」を含む踊り、さらにノンダンス、踊らない踊りなどが生まれ、それらは、コンテンポラリーダンスという、同時代=現在のダンスとなっている。例えばバレエからウィリアム・フォーサイスが作り出した動きも、「脱構築」といわれたが、一般的なバレエなどの動きの対極にある動きを目指し、これらは現代の新しいダンス、バレエの主流になっている。また、周知のように舞踏も日本独自の前衛表現として、国内よりも海外で高く評価され、コンテンポラリーダンスへの影響も大きい。

★土方巽『疱瘡譚』(1972年)

死の舞踏

　死の舞踏は、中世末期の一四～一五世紀に、フランスの詩をきっかけに広まった。人は貧富の差なく、死の恐怖によって踊りながら死んでいくという寓話と、それに基づく絵画などの美術作品である。さまざまな職業の庶民から貴族までが、骸骨となったり、骸骨とともに、時には踊るように描かれるものだ。死の恐怖というよりも、骸骨=死に招かれていく、年齢も階級もなく死によって踊るように導かれるというものだ。

　「死の舞踏」の絵画は、パリのサン・ティノサン教会のフレスコ画(一四二四～二五年)、ドイツのバーゼルのコンラート・ヴィッツ、リューベックのバーント・ノトケの作品、ハンス・ホルバインの一連の作品などが広く知られる。ノトケの作品はリューベックのものは失われたが、エストニアのタリンの聖ニコラス教会に作品が残っており(一四七五/九九年)、筆者はたまたま訪れたときにそれを見た。石造りの古い教会の中に静かに存在する『死の舞踏』は圧巻だった。

★ミヒャエル・ヴォルゲムート『死の舞踏』(1493年)

　一四世紀、欧州をペストの波が襲った。伝染病として広まり、死亡者は八五〇〇万人。欧州人口の三〇～六〇%が亡くなった。その体が黒くなるので「黒死病」ともいわれるが、「死の舞踏」の流行はこれがきっかけだとされている。

　さらに、古代ローマからあった「メメントモリ(memento mori)」、つまり「死を想え」「死者を敬え」という言葉もペストにより広まった。そして、墓に腐敗する死体の姿を彫った「トランジ(transi)」もその一つといえる。これは、「通り過ぎる」という意味だ。ただ、古代ローマ時代の「メメントモリ」は、「carpe diem (いまを生きよ)」という、死に対しても前向きであれ、という意味だった。

　骸骨、特に頭蓋骨を描く絵画は中世から静物画に多くみられるが、これは「ヴァニタス（vanitas）」といわれ、「空虚」の意味で、同じように死を意識して生み出された。静物画はフランス語で「Nature morte」、つまり「死んだ自然」というが、動かない＝死ということは、死とともに生を意識したものと考えられる。

　「死の舞踏」と同様に、一四世紀のペストの流行によって描かれた一連の絵画に「死の勝利」がある。「死の勝利」は骸骨＝死が人を襲うという描き方で、むしろ死の恐怖が強調して描かれる。ペーテル・ブリューゲルはピサでそのフレスコ画を見て、『死の勝利』（一五六二年頃）を描いたといわれる。ペスト流行から二世紀後の一六世紀に描かれたこのブリューゲルの作品には、死を恐れる「死の勝利」と受け入れる「死の舞踏」の要素が混じりあっている。

　また『死の舞踏』のテーマはロシアにも流入し、一五世紀、『生と死の論争』という説話として広まった。これは、無敵の戦士と擬人化された死が争うもので、死の前には身分も性差も関係なく、死を金で買うことはできないといった内容だった。

　ペストはペスト菌により鼠からノミなどを媒介に感染する。最初は五世紀に流行し、次の大きい流行が一四世紀で、欧州人口の三分の一から二分の一が亡くなり、イギリス、フランスの死者は過半数に達したといわれる。その大きな被害から「神の怒り」ともされ、キリスト教信者によるユダヤ人虐殺も起こった。また、アジアからモンゴル人の侵攻とともに、中東を経てイタリアから入ったとされており、アジア発祥説と中東発祥説がある。

　イタリア、ジョバンニ・ボッカチオの『デカメロン』（一三四九〜五三年）は、ペストを避けて集まった男女一〇人が語る物語で、ペスト流行期に書かれた。ペストは後年も何度か流行があり、実は現在も少ないが感染者、死者がある。一七世紀の流行を題材に、英国のダニエル・デフォーは『疫病旅行記（ペスト）』（一七二二年）を書いている。また、二〇世紀になって書かれたアルベール・カミュの『ペスト』（一九四七年）は、アルジェリアにペストが流行するというテーマの小説である。二〇二〇年のコロナウイルス流行で注目が集まり、欧米で再びベストセラーになり、日本でも一五万部が増刷され、合わせて一〇〇万部が読まれている。

　サン＝サーンスは、一九世紀フランスの詩人アン

★バーント・ノトケ『死の舞踏』（1475/99年）

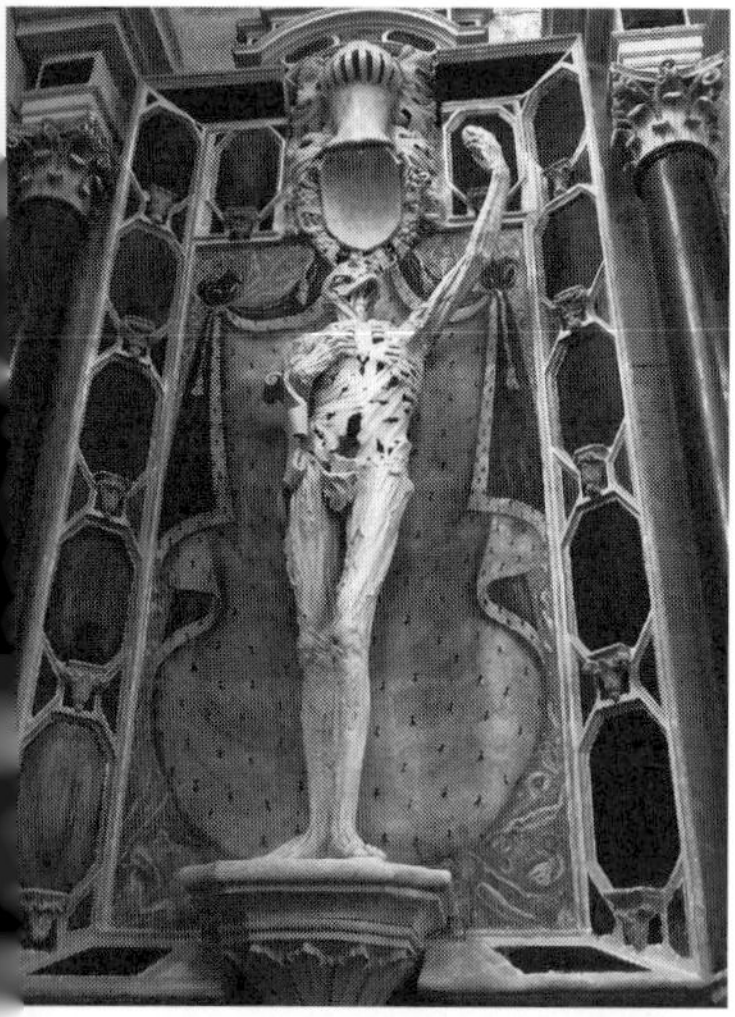
★16世紀の貴族ルネ・ド・シャロンのトランジ

★ピーテル・クラース『ヴァニタス』（1630年）

★ペーテル・ブリューゲル『死の勝利』（1562年頃）

★ハンス・バルドゥング・グリーン『死と乙女』(1517年)

リ・カザリスの詩『死の舞踏』(danse macabre)』に着想を得て、交響詩『死の舞踏』(作品40、一八七二／七四年)を作曲した。またフランツ・リストはピサの『死の勝利』に着想して、管弦楽曲『死の舞踏—「怒りの日」によるパラフレーズ』(一八四九〜一八六五年)を作曲した。

『展覧会の絵』のモデスト・ムソルグスキーは、「死の舞踏」の影響で生まれた「生と死の論争」から着想して、歌曲集『死の歌と踊り』(一八七五／七七年)を作曲している。さらにその管弦楽伴奏版を一九六二年に編曲したドミートリイ・ショスタコーヴィッチは、これをきっかけに交響曲一四番『死者の歌』(一九六九年)を作曲した。ちなみにこの初演時のリハーサルに、かつてショスタコーヴィッチを窮地に追い込んだ共産党幹部が倒れて後に死亡、祟りだといわれたという。

骸骨と裸体の女性の姿を描いた、一六世紀ルネッサンスの画家、ハンス・バルドゥング・グリーンの『死と乙女』(一五一七年など)もまた、同様のモチーフによるものだ。フランツ・シューベルトは、このテーマで、ドイツのマティアス・クラウディウスが書いた詩に基づいて、歌曲『死と乙女』(一八一七年)を作曲し、後に弦楽四重奏曲一四番『死と乙女』(一八二四年)ともなったが、これは近年レオ・ムジックなどの振付家が舞踊作品としている。

感染症と芸術

ペストの次に流行したのがスペイン風邪である。これは一九一八年、米国で最初の患者が記録されているが、発祥は不明で、欧州全域で猛威を振るったが、当時、第一次大戦中だったために、各国は感染者・死者などを報告せず、参戦しなかったスペインだけが報告して、「スペイン風邪」と、さもスペイン発祥で世界に流行したような不名誉な名前が与えられた。

スペイン風邪では、世界の人口の四分の一の五億人が感染し、一億人が亡くなったとされており、経済学のマックス・ウェーバー、詩人のギョーム・アポリネール、画家のギュスタフ・クリムト、エゴン・シーレがこの病気で亡くなっている。日本でも人口の四割以上が感染し、死者は三八万人以上。日本のスペイン風邪については、あまり詳しく研究されていない。

日本では、松井須磨子との不倫騒動でも有名な新劇の島村抱月、東京駅をつくった建築家辰野金吾、画家の村山塊多などが亡くなっている。流行したのは一九一八年から二〇年なので、この三年のいずれかが逝去年となる。ちなみに、シーレはその妻が先に感染して胎内の子どもとともに亡くなり、シーレも感染し亡くなった。また抱月がスペイン風邪で亡くなると、須磨子は後追い自殺している。塊多は二三歳で夭折した。

大きな感染症としては他にコレラがある。コレラ菌自体は古くから確認されていたが、大きな流行は一九世紀、一八一七年からとされ、何度か流行があった。欧州では抑えられたが、アジアなどでは現在まで続いており、二〇〇〇年代にもハイチやアフリカで流行し、日本でもわずかだが死者がいる。なお、コレラについては、ガブリエル・ガルシア＝マルケスの『コレラの時代の愛』(一九八五年)以外は、文学や美術などの作品がほとんど知られていない。

　ペストやコレラはそれぞれペスト菌、コレラ菌によるもので、血清(抗原)や抗生物質により治療されるが、コロナやSARSなどのインフルエンザはウイルスによるもので、抗生物質は効かず、ワクチン(抗体)による治療が必要だ。細菌とウイルスの違いは、細菌は単細胞生物で増殖するが、ウイルスは無生物で細胞に寄生して増えることだ。大きさも数十分の一以下で、細菌は光学顕微鏡で見えるが、ウイルスは電子顕微鏡でないと観察できない。細菌、ウイルスともに人類にとって大きな脅威であり続けている。

　編集部から与えられた今回の特集テーマに基づいて、数カ月前から執筆していたが、そのなかで新型コロナウイルスの問題が起こり、驚いている。現在、芸術表現を行う人たちが直面しているのは、活動ができないということだ。劇場・映画館などが閉鎖され、公演・上映が行えない。映画やドラマも撮影できず新しい作品が生み出せない。公共施設やスタジオが使えないため、ワークショップどころか稽古、トレーニングもできない。絵画も展覧会やギャラリーでの展示が中止され、文字媒体でも出版延期などが起こっている。もちろんどんな仕事、経済活動も同様だが、個人での活動が中心の芸術家、表現者たちは保障もなく、さらに厳しい状況に追い込まれている。それは社会的弱者についても同様だ。行政を含めた支援が必要なことは間違いない。

　コレラから一〇〇年でスペイン風邪、それから一〇〇年でコロナウイルスといった言説も見かけるが、周期説は予言や都市伝説と同様、意味がない。ただ、過去の感染症に学ぶことは大切だ。アメリカではスペイン風邪の最初の年、一九一八年に平均寿命が一二歳下がったという。今後、さらに感染が拡大して、どうなっていくのか、日々変わる状況に予測が不可能なのが現実だ。

　マスクや医療物資の不足は、明らかに政府の対策の誤りであり、オリンピックのために実施を控えたとされるPCR検査など、問題は大きすぎる。非常時にトップを批判すべきでないといった意見も見られるが、誤った対応が人々を窮地に陥らせているとすれば、その責任は問われるべきだろう。また緊急事態宣言のために憲法改定を画策する向きがあるが、それは火事場泥棒に等しい行為といっていい。

★ギュスタフ・クリムトの遺作『The Bride』(1917/18年)

　そんななかで、フェイク情報によるトイレットペーパーなどの買い占めや、大学などでの感染で感染者の特定を求めたり、非難や抗議などが起こっている。それは自分が既に感染者である可能性を考えてない行為だ。筆者も、近親者の勤務先で、その取引先に感染者が出た。そのため勤務先の同僚が濃厚接触者となり、一緒に働いている近親者もその接触者、三次感染の対象だ。すると家族は四次感染の可能性が出てくる。仮にそれぞれ五人の関係者がいると、三次感染対象者は二五人、四次は一二五人となる。つまり一人感染者になると、周囲の百人以上に脅威を与えることになる。幸い、その近親者は問題なかったが、どこの会社、組織、施設、病院でも、どこでもその可能性がある。さらに知人にも感染者が出た。

　私たちは、感染の問題も、芸術家や社会的弱者の訴えも、まず自分のこととして考える視点を失ってはならない。そして、感染拡大防止のために、できることをやり続けて、また、ネットを使った活動を広げつつも、芸術文化の本来の活動の再開を待つ必要があるだろう。

身体のメタモルフォーゼ
——舞踏家・土方巽の〈病み〉について

◉文＝馬場紀衣

病気が数えきれないほどあり、そのすべてが謎めいていて死ぬということが一般的だった時代には〈病〉は〈死〉のイメージと深く結びついていた。〈病〉そのもののイメージは、センチメンタルな美術や文学、ペンも手にする医者の病症例によって何世紀も前からさまざまな形で書かれてきた。ミショーは『盲の舞踏』に牛にまたがる死を登場させたし、12世紀から1969年まで実在したパリの中央市場（レ・アル）近くのイノサン墓地の回廊の下方には『死の舞踏』の絵図と散文が記された。源信の『往生要集』で語られる人道不浄相の九想では、屍の瓦解が9段階に分けられ、死屍の膨張や色の変化、肢体がばらばらとなってゆくその先の変貌が見られるが、これは健康体のもので、病気をもっていればなおさら変化は著しいだろう。ヨーロッパ中世に著された書物では、インノケンティウス三世をはじめ、オド・ド・クリュニーら多くの宗教思想家が肉体の腐敗について語っており「身体の内にはただ汚物のみ、痰だの糞だのには指一本触れないのに、なぜ汚物袋を抱きたがるのか」など女の魅力をスカトロジカルに批判している。13世紀のあるドイツ僧侶は人間の身体を「ヒキガエルの袋、蛆虫の住処」と嘆いている。腐るのは無論、女ばかりではないのだ。

ところでフランス人は蛙を食べるが、レ・アルにも蛙を売る店があったのだろうか。フランソワ・ド・ラ・サラなる人物の墓像は静かに両手を胸に合わせて永遠の眠りについているが、その屍骸像の両眼、口もとにはそれぞれ2匹、性器には1匹の巨大な蛙がへばりついている。身体全体には、模様のように蛆虫のごとき生物がまとわりつき、皮膚を食いちぎり、内部にまで侵入している。墓地には蛙が棲息しているし、葬られた屍体には蛆虫がわくから、一種の自然現象を表すべく作られたものと考えてもよいだろう。

★フランソワ・ド・ラ・サラの墓像

ただ、あらゆる冷血動物のなかでもっとも人間に近いとされる蛙は、たとえば『黙示録』のなかで悪霊の役を負っていることからも分かるように「罪と悪の象徴」でもあった。食卓にのぼることもある蛙を悪業のイメージと重ねるのは食指を失う話だが、胃袋いっぱいに詰め込まれた食べられるものの成れの果てを考えれば、ドイツ僧侶の嘆きは案外、的を得ていると言えないこともないのである。

1928年に秋田市で生まれた舞踏家の土方巽が、まだ焼け跡の生々しい戦後の東京に出てきて前衛舞踏の伝説的存在となるまでの経緯を知る術は残された資料のみというのが残念だが、わたしが当時すでに伝説的存在となっていた土方の舞踏に出合ったのは、海外でのバレエ留学を終えて帰国した、今から10年以上前のことだった。

土方は「反舞踊」の出発点を「自分の踊りは決して古典舞踊に対するアンチではない。むしろ人間概念の拡張であり、動物も植物も生命のない物体もふくめた、あらゆるものに人間の肉体をメタモルフォーズ（変身）する可能性を発見するということに、自分の舞踊の根本理念を置いている」と語っている。東北の村に生まれ育った土方に見える世界には、〈私〉という定まった中心も、〈私〉という特定の人物との関係も、それらの関係を包み込む地形、風景、時代といった座標らしいものがいっさい欠けている、らしい。そこには〈私〉もなければ、〈私の身体〉もない。形も仕切りもない、空間と化しており、ちょうど屍体が時間のままに形を損なっていくように、土方ダンスにおける肉体も絶えず侵食され、輪郭を失っているのである。土方の身体は、光線や蒸気や影や砂糖や昆虫や畳や障子などに射し貫かれ、喰われている。

土方ダンスにおける肉体が〈闇〉や〈病〉と結びつくのも、たぶん、これが理由なのだ。寝たきりの病弱な人が、家の中の暗いところでいつも唸り、畳に身体を魚のように放してやるような習慣から土方は〝舞踏〟することを学んだ。土方がいつも見ていたであろう「舞踏する闇」を世間では、前衛の名で「暗黒舞踏」と呼ぶが、この柔らかくて残酷な空間に身体を浸して生きているのは舞台上の人間だけではない。器官を病んでぐったりと横たわる肉体の重量や掠れた呼吸音は誰もが経験しているだろう。肉体とは病の温床である。そこでは日々、毎秒ごとに再生と破壊が繰りかえされ、融合と混成が奇妙に交ぜられ、生の混合物を分泌しているのだ。

病による一種の変化、有機体の組織の塊である肉体の解体と腐敗、不潔、不浄と言った道徳的判断などは土方巽の白塗りの舞台化粧にも表れている。天然痘は顔を崩してしまう。名高い黒死病はペストに犯された体の色に由来する名前であり、ボッカッチョは『デカメロン』の第一日で、ペストの腫瘍はすぐさま全身に噴出し、やがて黒色から鉛色の斑点に変わりだしたと記している。黒色は、ペスト腺腫と化膿と腐爛の色で、レプラ患者の皮膚はレモン色、白色に変色し、見るからに不浄だったと言う。たぶん、それはまさに不浄の印だったのだろう。

エリザベス朝の隠喩では、病とは社会的な逸脱・不均衡を指すものだった。症状の表面的な現れだけが〈病〉の名を誘うのではない。〈病〉とは不健康な身体状況であると同時に、生き抜いた人間のスティグマなのである。そして不幸なことに、病とは、患ったときに発見されるものなのだ。

土方巽の舞踊では〈病〉に特権的な地位が与えられている。このことが、わたしたちが肉体の美しさと破壊を評価する決め手となっている。そして、その少しあとには、やはり〈死〉が続いているのである。わたしたちのほとんどは踊り手ではないから、肉体が変貌していく過程を体験するわけにはいかず、ただ土方の架空の舞台と狂気の幻想によってのみ、この暗い穴の闇を体験するしかない。

ジョン・ダンは『祈り』の中で近代の病気体験を「何らかの器官とその働きを乱すものはことごとく病気であり」、わたしたちは常に病気に痛みつけられており、本物の痛みがくるまで落ち着くことはできないと語っている。「患者」を意味する〝patient〟が語源的には苦しむ者のことを指しており、その苦しみは肉体ではなく、人をおとしめる苦痛にあることも、病が人の想像力に隠喩的に付きまとう理由なのかもしれない。

★「土方巽全集」（新装版、河出書房新社）

パンデミックが生んだ寓話
——「吸血鬼ノスフェラトゥ」とペスト

◎文=べんいせい

吸血鬼ノスフェラトゥ

吸血鬼を扱ったホラー映画の元祖として知られる「吸血鬼ノスフェラトゥ」(1922)は、サイレント映画の巨匠監督フリードリヒ・ヴィルヘルム・ムルナウが、1897年に出版されたブラム・ストーカーの「吸血鬼ドラキュラ」の映画化権を獲得できないまま、ドラキュラ伯爵をオルロック伯爵という名に変更して、ノスフェラトゥによるペストの蔓延と終息という独自の解釈で、強引に映画化に踏み切った作品である。遺族であるストーカー夫人フローレンスよって著作権侵害で二度訴えられ、約3年の裁判の後に敗訴し映画公開の中止、フィルムの破棄をも命じられたが、幸いなことにヒット作として広く世間に流通しておりプリントが残っていたため今も見ることができるという、いわく付きの作品である。

ストーカーの原作が、ドラキュラは「人の生き血を吸う、滅びゆく貴族」というかなり政治的な暗喩を含ませているのに対し、ムルナウはネズミによるペストの蔓延でヨーロッパが死に瀕した歴史から、「病気を含んだ」を意味するギリシャ語に由来する古代スロヴァキアの言葉「ノスフェラトゥ」を用い、吸血鬼を伝染病に擬えて描いている。

物語のあらましはこうである。ブレーメンで不動産業に勤めるフッターが新しい屋敷の売買契約を結ぶために、トランシルヴァニアのオルロック伯爵という人物のもとに派遣されるところからはじまる。亡霊の地とも呼ばれるトランシルヴァニアへ行くフッターの身を案じるエレンだったが、彼は何も心配することはないと旅立ってしまう。フッターの愛妻エレンは鋭い直感で夫の危険を察知し、自らは精神のバランスを崩して夢遊病になりながらもフッターの身を案じ警告の念を送り続ける。妻の思いに助けられオルロック伯爵の正体に気付いたフッターだったが、一枚上手だったオルロック伯爵はフッターを城に閉じ込めると、彼の持つ写真で見初めたエレンのいるブレーメンへと向かうのであった。

自らの棺桶を携えて旅を急ぐオルロック伯爵が通った後は死人の山が築かれ、何も知らずに棺桶を積み込んだ帆船デーメーテル号ではペストの蔓延と吸血によってあっという間に船員が全滅、最後に残った船長も瀕死の状態で港に到着する。オルロック伯爵がブレーメンに上陸すると、たちまち疫病が蔓延し次々に住民は倒れていく。街に災いを撒き散らしながら、オルロック伯爵はフッター家の向かいの屋敷に居を構え、夜な夜な窓辺に立ってエレンの様子を監視する。

やっとの思いでオルロック伯爵の城を抜け出すことに成功しブレーメンに戻ってきたフッターは、愛するエレンと再会するも、歓びも束の間エレンはフッターが持ち帰った吸血鬼伝説の書を読み、向かいに住むオルロック伯爵の正体に気付いてしまうのである。その書には吸血鬼を倒すには清らかな魂を持つ女性が、自らの血を捧げて夜明けまで怪物を留め置くしか手段はないと記してあった…。

表現主義による死の擬人化

ドイツ表現主義とは、〝人間の内面の主にマイナス面の感情を外面に現れるものとして表現する〟ということらしいが、この作品においては一歩進んで、内面性と外的要因による蓋然性を対比させることで事象の具現化(今風に言えば擬人化)へと

★「吸血鬼ノスフェラトゥ」

昇華させたという点にあろう。暗喩に満ちた表現手法、それはオルロック伯爵の風貌についても然りで、ドラキュラ伯爵といえば狼や蝙蝠の鋭い牙のイメージに表現されるが、「ノスフェラトゥ」のオルロック伯爵はヨーロッパ中を死の恐怖に陥れたペストの媒介手のネズミを想起させる2本の鋭い前歯である。この生命の血を奪うマックス・シュレック演じるオルロック伯爵の不気味な様相は、その後のドラキュラのイメージに影響を与えたともいわれている。

また人間の感情を映像に表出させた演出に加え、それぞれ一つ一つの構図が様式美とも取れる完成度で表され、じわじわ忍び寄る死の恐怖と不安を映像の中に充満させていく。

食虫植物が昆虫を捕獲するドキュメンタリー映像を用い、生命が奪われていくことの恐怖、不安を観察眼的にリアリティを与える。それは、自らの生命を守るための非情なる生存競争の模様を暗喩的に観る者に刷り込ませるには十分な装置として機能している。さらに船倉に積み込まれた数個の棺、そこにはノスファラトゥに力を与える腐蝕した土が詰まっている。次々と死んでいく船員たち、棺からはネズミが次々と這い出してくる。

この表現で観ているものは何が起こっているのかを想起する。そしてオルロック伯爵が登場した後に船上の壮絶な描写が挟まれ、死を乗せた不気味な船がゆっくりとブレーメンの港に向うのである。これこそがヨーロッパ大陸を幾度となく恐怖に陥れたペストによるパンデミックへの暗喩に他ならない。物語の冒頭、夫フッターから花束をプレゼントされた妻エレンが「きれいなお花なのに、どうして命を摘み取ってしまったの?」と悲しげな表情を見せる場面に、見事なまでの生と死のカタルシスが凝縮されている。

余談ではあるが、ムルナウの脚本を元に「ノスフェラトゥ」をリメイクしたドイツの名匠ヴェルナー・ヘルツォーク監督は、「一つだけでいいからムルナウのような作品を撮りたい。そうすればそれで満足して映画をやめることが出来るだろう」と語っている。

死の病という既視感

この映画が、ムルナウの時代の直近に起きたペストによる歴史上三度目のパンデミック（世界流行）の影響を受けているのは間違いない。これは、1855年中国雲南省で、イスラム教徒の清朝政府への反乱とそれに続いた難民の移動による混乱の中で発生した。それが1894年には香港（世界流行のさなか日本人の北里柴三郎によって香港でペスト菌が発見された）や広州にまで広がり、広州の死者は8~10万人と推定されている。

その後、南中国の港から船に乗って全世界各地へと広がって行き、アジアやアメリカ大陸に多くの罹患者を発生させた。インドでは死者が相次ぎ1907年には最多の131万人の死亡が報告されている。全世界では1903~21年（何とムルナウがノスフェラトゥを世に送り出す前年）まででペストによる死亡者数は1千万人と推定されている、そしてこれが今現在のところ最後のペストによる世界的大流行となった。

ここで重要なのは、疫病が船に乗って東方より来たるという既視感である。現実の世界で起こったこの人類を襲った大きな厄災に、ドラキュラであるノスフェラトゥを重ね合わせて、大いなる禍を運ぶ死の擬人化として表したのではないか。

ペスト菌には3種類の亜種が知られ、そしてそれぞれが歴史上有名なペストの大流行の原因となった。Antiqua と呼ばれる種は541年に東ローマ帝国から始まった大流行を起こし、Medievalis と呼ばれた種は14世紀のヨーロッパでの大流行を、そして Orientalis という種はムルナウの時代まで続いた1855年からの大流行をそれぞれ引き起こしている。但しヨーロッパ人であるムルナウがイメージしたであろうパンデミックの恐怖は、14世紀に全ヨーロッパに跨って大流行した史上二度目のペスト Medievalis のイメージによるのではないか。

オルロック伯爵がもたらした厄災により荒廃した姿に描かれたブレーメン、ヴィスボルクの街こそが、14世紀末までに3回の大流行と多くの小流行を繰り返しヨーロッパ全土を死一色の風景に染め上げた Medievalis によるパンデミックのイメージに重なるのである。

因みにこのペスト禍が起こった背景には、モンゴル帝国によるユーラシア大陸を横断する版図の拡大が影響したと言われ、帝国の支配下でのユーラシア大陸東西の交易が盛んになったことがこの大流行を引き起こしたと考えられている。この中世のパンデミックはヨーロッパに先立ち中国で大流行し、中央アジアからイタリアのシシリア島メッシーナへと上陸した。その後アルプス以北のヨーロッパへと渡って猛威を振るいヨーロッパ全土を焼土に変えたのである。正確な統計数が残されている訳ではないが一説によると全世界で8500万人、当時のヨーロッパ人口の1/3から2/3の人が死亡したと推定される。

劇中でノスフェラトゥによる死の媒介者としてネズミが登場しているが、ペストを運ぶと言われるクマネズミは別名家ネズミとも呼ばれ、船舶、家屋、倉庫など人と接触する場所を好む傾向がある。流行に先立って多数の家ネズミが死亡し、ネズミの約10%が感染した頃に、人のペスト流行が始まるといわれている。

病が創作に与える影響

これまでのことから考えてもムルナウによるノスフェラトゥは、題材とシチュエーションこそブラム・ストーカーの「吸血鬼ドラキュラ」を下敷きにしているとはいえ、その表現の目的とする内容はまっ

★ペストが蔓延したマルセイユの様子を描いたミシェル・セールの絵画（1720年）

たく違うのである。この作品は自分が生きた時代に起こった恐ろしい病の世界的な流行と、あらがえない死の既視感を描き出そうとしたのではないか。

同時代を体験したであろうアルベール・カミュの小説「ペスト」は1947年に出版された。アルジェリアのオラン市を襲ったペストに対して医者、市民、よそ者、逃亡者などが皆で助けあいながら立ち向かう。ペストは終息するが登場人物たちの運命の決まり方は不条理としか言いようがない。

カミュはこの作品でいかに世界は不条理に満ちているのかを描きたかったのかも知れないが、このペストによるアウトブレイクを引き合いに人々のペストに対する不安を見事に描き出している。カミュはこの得体の知れない病原体に対する闘いを、ムルナウがノスフェラトゥという死の影の擬人化を用いて迫り来る死を表現したのとは対照的に、ペスト同様に得体の知れない不気味なナチスという存在に重ね合わせることで、不安との闘いと不条理を暗喩的に描いたと言われている。

病が蔓延する恐ろしい状況にあっても人間は創造的であることを捨てない。渦中にあろうが経験に学ぼうが、そしてそれが伝染病という大いなる厄災であったとしても恐怖や暗喩という表現に昇華させることが適うのが創作の妙である。

シェイクスピアの「ロミオとジュリエット」では、ジュリエットが死を装った仮死状態であることをロミオに伝える手紙を運ぶ役目を担った修道士が、ロミオの元に向かう道すがら乞われてある病人のもとに立ち寄ったのだが、実はその病人はペストであることが判明し町は騒然となる。感染の拡大を防ぐため、修道士と病人は町の人々によって外部から戸や窓に釘打ちされ閉じ込められてしまう。この足止めによって修道士はロミオに手紙を渡せなかったのである。そしてそのことがロミオとジュリエットの悲劇的な死へと繋がってゆく。

この戯曲の中でペストは作品の構成上隠れた重要な要素になっている。イタリアが舞台のこの戯曲がイギリスで初演されたのが1595年、1592~94年当時のロンドンではペスト流行のため劇場が閉鎖されており、その衝撃的な経験が聴衆に、よりリアリティを抱かせ、悲劇性を効果的に訴えることとなったのである。

病んでいるのは、誰なのか？

——草間彌生の小説『すみれ強迫』

◎文＝宮野由梨香

前衛芸術家として名高い草間彌生（一九二九～）が小説を発表していた時期は、一九七八年から一九九九年までの約二十年間である。

長野県で種苗業を営む旧家に生まれた彼女は、一九五七年に渡米し、かの地で前衛芸術家としての評価を確立する。一九七三年に帰国するが、その前年から自身の半生をノートに記し始め、それが「自伝的私小説」へと結実していった。『すみれ強迫』（一九九八年・作品社）もその一つである。

それは、スミレの声を聴く「病んだ少女」の物語である。

○○

十六歳の少女・サチコの家は、樹齢数百年と言われるシイの木の傘の下にある。家の南の丘にはケヤキとクヌギが茂り、そこを降りたところに採種場がある。スミレ畑の中を行くと、スミレたちが口々にサチコに話しかけてくる。ゲンジスミレにヒゴスミレ、ノジスミレたちだ。

サチコはスケッチ・ブックを広げる。「畑の声を聴き、そのスミレのさんざめきを色に」（十四頁）するのだ。

> むらさき、青、白色、むらさきと、この反復が細部まで繰り返し、また反転する。この絵は彼女には、もはや自分の座るスミレの畑と同一であり、摂理であり、すべてであり、同時にこの畑は画紙の中の畑と地続きの宇宙であり、サチコ自身でもあるのだ。（十二頁）

スミレが声を発するのは、擬人化などでは決してない。次の詩句に、そのことは端的に示されている。

> ある日　突然わたしの声は
> すみれの声になっているの

小説『すみれ強迫』本文の前のエピグラフの詩句である。草間彌生の詩集『かくなる憂い』（一九八九年・而立書房）におさめられている詩「すみれ強迫」の一節だ。

スミレが私で、私がスミレだから、こうなってしまう。この状態をニンゲンの言葉で説明すると「スミレの声が耳に届く」（八頁）としか書けない。しかし、その時、スミレの声はわたしの声なのである。

スミレ畑にいる時、サチコは世界で、世界はサチコだ。

スミレだけではない。犬のロンも、白色レグホンのキースケも、サチコの大切な友達だ。

サチコにとって「スミレの織りなす、むらさきと青の四角の絨毯だけが、自分の知り得た世界であり、自分を知り得てくれる世界」（三頁）である。その世界の中では、すべてのものがサチコに呼びかけ、語りかけてくる。

実際にサチコには、このスミレ畑に咲く花々ばかりか星であれ雲であれ風であれ、すべての声が波動として耳に届く。幼いころからの、サチコの特異な才能だった。けれど、むろんそれは才能として見られるはずがなく、星に語りかけ、雲に笑み、風と遊ぶこと、そのすべては奇異な印象を、親もふくめて他人に与えただけだった。
（十四頁）

「特異な才能」なのに、それを「才能として見られるはずがなく」、「奇異な印象を、親もふくめて他人に与えただけ」になってしまう。

この土地の生命すべてとコミュニケーションをとることができるサチコにも、ただひとつ、交感し得ない生き物がいるのだ。

それは、ニンゲンである。

そのニンゲンの典型として、「母」がいる。

サチコは、母の言いつけ通りに「家も庭も掃除したし、作業場のコンクリも水で流したしブラシもした」上で、スミレ畑で絵を描いていた。しかし、エンレイソウの種を入れるための袋貼りを忘れていた。母はそれを責め、サチコの髪をつかんで振り回し、首を押さえて土蔵へ引きずっていく。

「暗いのはいや、もうやめて」ぐえ、ぐえ。

「こうしないと、おまえは判らないだろ、え」
「ああっ」ぐえぐえぐえー。
やっと咽から手が外れたかと思ったら、次の瞬間には引きずっていた脚を、ちょうど相撲のケタグリの要領で跳ねられ、宙に浮いたかと思った次の刹那には土蔵の中ほどまで飛ばされていた。
（二五頁）

重い扉が閉められ、ガチンとかんぬきを掛ける音がする。珍しいことではない。母はよくこうしてサチコを土蔵に閉じ込めるのだ。

空腹に耐えるサチコの耳に、ゲンジスミレの「ソウハできるのよ」とささやく声が聞こえる。

「サチコは掻爬《そうは》したいんでしょ。死にたいんじゃなくて、自分の運命を掻爬したいんでしょ」
（三二頁）

★草間彌生「すみれ強迫」（作品社）

★「草間彌生詩集 かくなる憂い」（而立書房）
※表紙は、少女時代の草間彌生

「自分の運命を掻爬」とはどういうことなのだろうか？

未読の方は、草間彌生の筆でもってその内容を知ってから、この先を読んでいただきたいと思う。

○　○

戦後の農地改革で、サチコの祖父は家督相続で受けついだ土地のあらかたを失った。彼は農地改革の対象外だった山林を担保に、S湖周辺の工場の株を買い占めた。一九五〇年の朝鮮戦争勃発によって工場は精密機器の供給源となった。祖父は小作農に安く転売されていた地所をすべて買い戻し、種苗業者として財をなし、N県議会議員となった。それは七年前のことだ。

多くの旧家が没落していく中、祖父は先祖代々の土地と家名を、こうして守り通した。

留守がちな祖父に代わって、家では母が権勢をふるっている。母はサチコをこき使い、スケッチ・ブックを取り上げ、暴力をふるい暴言をあびせ、土蔵の中に閉じ込め、時には食事を与えない。

母はこの旧家の跡取り娘で、父は入り婿である。夫婦仲はきわめて悪い。

かつて出征したサチコの父は、わずか半年で病気で使い物にならなくなり、帝国挺身隊の統括者である義父（＝サチコの祖父）の顔に泥を塗った。その頃から母は、サチコの父に暴言を浴びせ続けている。

サチコの父の病気は、戦争神経症だった。「焼け焦げた死体、切り裂かれた死体、ちぎれた肉片」「農民や市民へのまるで意味のない殺戮と強姦、その連鎖が生んだ地獄」（四一頁）が、神経を狂わせてしまった。戦争が終わっても、父は体を痙攣させ泡を吹いて倒れる発作を繰り返している。

しかし、S湖周辺の工場の株の買い占めを祖父に勧めたのは、サチコの父だった。祖父はそれを高く評価し、サチコの父を自身の金庫番として便利に使っている。

母はサチコを学校に行かせない。「この児は馬鹿だし、だいいち家の仕事が忙しいから」（三一頁）というのが、その理由だ。

N県の「山や丘陵に囲まれた盆地」（二四頁）で、祖父所有の土地を出ることなく、サチコは毎日を過ごしている。

たまたまサチコのスケッチ・ブックを見た医者が、サチコの父に受診を勧め、父はそれを了承する。激怒した母は、サチコの父を罵倒し、サチコの祖父に連絡する。受診先のイチカワ病院は、戦時中、イチカワ脳病院と呼ばれたところだったから、祖父も怒鳴る。

> このウチからイチカワへ入れる者が出るのは、なにしろ困る。そのスケッチ・ブックとやらをすぐ焼いてしまえ。（七七頁）

祖父や母は、家名や世間体を重んじる。代々受け継がれてきたものを、自分たちの代で壊すわけにはいかないのだ。しかも、戦後の農地改革で、理不尽にいったん奪われてしまったそれらを、彼らは自らの才覚で取り戻した。そのため、よりいっそう深く執着するようになっている。彼らも必死なのである。

○　○

広い土地を管理し、育む植物によって生計をたてきた旧家は、親戚どうしで嫁や婿をやりとりして血筋を保ってきた。植物の声を聴くことはその血筋において最も重要な資質だったのかもしれない。

サチコの一家は、実は同じ資質を持つ者たちの集まりだ。一見、一八〇度異なるかのように見える母も、いわば、もう一人のサチコの成れの果てなのである。

スミレの栽培にしてからが、花好きの祖父の道楽だ。スミレは鉢植えで売られるのが普通なのに、祖父は「可憐で栽培のむずかしく、経済的にも未知数の品種」（一三頁）のスミレから、わざわざ種子を採ろうとしている。

祖父は政治について、これっぽっちも興味がない。好きなのは、女と金、それに花なのである。女と金については言うまでもない。が、なぜか花となると、さらに眼の色が変わってしまう。（十頁）

「政治について、これっぽっちも興味がない」くせに、彼は「県議会議員」をしている。資質に合わない無理をしているのだが、それに対する自覚はないし、周囲もそうは思わない。

母もまた、無理を蓄積させている。シイの大木の下の家に生まれ、植物に囲まれて育った彼女は、この土地や植物に関する独自のセンスと知識を持っている。だからこそ、農場で采配をふるっている。幼い頃はサチコと同じようにスミレの語る声を聴いていたのかもしれない。土地を身体化していた彼女にとって、農地解放は強烈なトラウマとなったのだろう。それが彼女を、過剰防衛に走らせている。

「ここは狂っているわ」（十六頁）と、ゲンジスミレはサチコに言う。「種子のないのは根こそぎ」引っこ抜かれてしまうことの異常さを指摘するのだ。「スミレは宿根草だから、放っておいても冬越しして、また次の春には花を咲かせるはずなのに」（一四五頁）なんてことは、この一家の誰もが知っている。

土地が伝えて来る生命への直接の呼びかけと、この時空間でのサバイバルや現世利益とがズレている。その不一致に、サチコの一家は病む。呼びかけを聞き取るセンサーを持っているからこそ、効率化を求めてくる時空間との軋轢に病むのだ。

　これは、この一家だけが抱えた問題では、もちろんない。

○　○

　サチコが病院に去った後、土地の効率化は一気に進行する。

　効率化とは、効率的でないものを排除することだ。効率的でない生命は、殺戮されなくてはならない。

　その窮状を、「大変なんだよ」と、ただ一人の兄弟であるらしい弟が、電話でサチコに知らせてくる。

　母がチャボまで食肉化し始めた。犬のロンと四匹の仔犬も撲殺されそうだ。「それにねえ、ねえちゃん、スミレの畑、耕土するって」と、弟は言う。

　耕土とは、土を掘り起こすことだ。そのための機械……耕耘機の購入がなされたのだ。


「おじいちゃんが買って、今週中には届くんだよ。もうガソリンだって大きなドラム缶で三つも運ばれて、土蔵においてあるんだよ――中略――耕耘機がきたら、もう畑は全部は耕土されちゃうんだよ。それに雇い人もずいぶんクビにするって」（一四一頁）

　サチコは「自分の中で血が泡立」ち、「百億もの細胞が騒ぎたてている」のを感じる。

「自分の知り得た世界であり、自分を知り得てくれる世界」の破壊は、サチコ自身の破壊である。

　サチコは病院で得た仲間とともに、病院を抜け出し、家へと走る。

　蓄積されたエネルギーの暴発が招く物語のラストは、何ともすさまじい。

　父以外の男と土蔵で交接中の母を、その格好のままに縊り殺し、男の背広に火をつける。火は土蔵に置かれたガソリンに燃え移る。

ああ、これが掻爬なのね。（二〇〇頁）

　こうしてサチコは「自分の運命を掻爬」（三一頁）した。

　火の中で、「人には見せることのない微笑み」（二〇四頁）をもってサチコは笑い、物語は幕を閉じる。

○　○

　さて、「自分の運命を掻爬」とは、何だろうか？

　運命とは、生まれた時空間に多くを負っている。

　物語の舞台は、一九五七年頃の日本のN県である。その時空間は、サチコにとって幸せなものではなかった。物語の最初において、既にサチコはそれを「掻爬」しなければ生きられないような状況に追い込まれていた。

　物語は、「ああ、これが掻爬なのね」（二〇〇頁）という結末に向かって、動いていくしかなかったのだ。

　戦中の地獄や敗戦後の理不尽の中をサバイバルした人々によって、戦後日本の「復興」はなされた。彼らは自らの受けた被害のリベンジを、経済力によって果たそうとした。二度と被害者になりたくないという思いが、彼らの行為を過剰にした。

　戦後日本における「健常者」とは、そのような人々だ。

　彼らがつくりあげた世の中にあって、病まないでいられる者こそが、実は最も病んでいる。

『すみれ強迫』のラストは、サチコの「掻爬」の瞬間であると同時に、時空間の「掻爬」の瞬間でもあろう。サチコはこの時空間を掻爬した。同時に、この時空間はサチコという存在を掻爬した。

　この時空間のその後を、我々は知っている。

　土地は薬にまみれ、大木たちは切られ、草花の種類は均一化し、虫たちも姿を消していった。外で放し飼いにされる犬の姿もなくなった。仕事を「耕耘機」に奪われた人々は、その地を去って既に久しい。

「健常者」たちはますます深く病まざるを得ないのだが、自らが病んでいることに気付くことさえ、できなくなっているのである。

『ジョーカー』——「病気の人」、あるいは「父なるもの」の不在

◎文＝梟木

　それほど著名であるとはいえない志賀直哉の短編に「児を盗む話」というのがある。父親からの叱責に耐えかねて実家を飛び出した小説家の「私」が、移り住んだ先の下宿でなぜか精神を病んでいき、ついには他人の子供を誘拐する犯罪に手を染めてしまうという、歪んだ妄執に駆られた男の物語。小説の最後に「私」は警察によって曳かれていくが、それから父親との関係がどうなったのか、なぜ「児を盗む」という空想に悩まされるようになったのかはわからない。

　こんな話から始めたのはほかでもない。トッド・フィリップス監督による二〇一九年の問題作でありバットマンの宿敵ジョーカーの誕生譚でもある映画『ジョーカー』の主人公アーサー（ホアキン・フェニックス）もまた、そのような「もの病み」の幻想に憑かれて犯罪に走ってしまう人物として描かれていたからだ。人を笑わせるコメディアンを夢見ながら老いた母親と二人で貧しく暮らすアーサーの仕事は、しがない道化師。しかし職場に拳銃を持ち込んだことが発覚して馘首になり、ソーシャルワーカーによるカウンセリングと向精神薬の処方も打ち切られてしまう。さらに地下鉄でのつまらないトラブルから発展して人を殺してしまい、いよいよ社会的な行き場を失っていくアーサー。やがて彼は母親が隠し持っていた手紙の情報をもとに、自らが大富豪トーマス・ウェインの隠し子であると確信するようになるのだが……。

★志賀直哉「清兵衛と瓢箪・網走まで」（新潮文庫）／「児を盗む話」を収録

　なぜ心優しきアーサーは闇の犯罪道化師ジョーカーとして覚醒するのか。「児を盗む話」の「私」がそうであったように、そこに明確な解答はない。もともとそういう気質が備わっていたのかもしれないし、誰にも心を打ち明けられない孤独が彼を追いつめたのかもしれない。あるいはただ単純に、自分の人生に厭気がさしてしまっただけなのかもわからない。

　ただしアーサーと「私」には、いくつかの共通点がある。まずは二人が正常な人間関係（とりわけ女性との関係）の構築に、つねに悩まされてきたこと。そしてもうひとつはこの世界に存在しているかどうかに関わらず、「父親」の影に脅かされるようにして生活してきたということだ。

「父親」の空白

　「父親」とは厄介なものだ。子供にとってはこの世でたった一人の存在でありながら、ひとつ屋根の下に同居し続けていれば、それは必ず衝突を生む。ならば離れて暮らせばいいのかといえばそうでもなく、この世のどこかに存在しているかもしれない父親の影は、絶えず息子を抑圧し続ける。「児を盗む話」の「私」もまた、実家にいる父親との衝突を恐れて下宿へと移り住むが、必ずしもそれで問題が解決したとはいえない。口入れ屋の老婆に若い女中を頼んで不審がられる冒頭の場面（それは自らが父親的な存在に成り代わりたいという、純粋な願望の表れでもあったろう）といい、「とと（父）とと」という女児の呼びかけについ反応してしまう直後の場面といい、「私」は父親のもとを離れてなおその支配から脱することができず、コミュニケー

ションの不全に悩まされ続ける。結果、孤独な心持ちから精神の「病み」傾向を加速させた「私」は、祭りの夜、ついに他人の家の子供を浚ってしまう。

それでは『ジョーカー』の場合はどうか。

父親がどこの誰かもわからない、私生児であるアーサーは、一見したところ「父親」からの支配を離れた、まったく自由な存在であるかに思える。しかし心の中ではつねに父親の影を追い求めており、劇中ではマレー・フランクリンというTVショーの司会者（ロバート・デニーロ）にコメディアンとしての才能を見出され、疑似的な父子の絆まで結ぶという、荒唐無稽な妄想を繰り広げてみせる。しかし実の父親と睨んだトーマス・ウェインにその可能性を否定され、マレーからもショーの映像を通して侮辱的な扱いを受けたことで、アーサーはいよいよ心の均衡を失い、大犯罪者へと生まれ変わる準備を始めることとなる。なんと——ここからは『ジョーカー』という作品の根幹に関わるネタバレになるのだが——自らがゲストとして出演したTVショーの収録の最中にマレーを撃ち殺し、トーマス・ウェインもまたアーサーが引き起こした騒動の余波によって間接的に殺害されてしまうのだ。『ジョーカー』は世界一有名なアメコミヴィラン・ジョーカーの誕生譚であると同時に、父を知らずに育った青年アーサーによる象徴的な二人の「父殺し」の物語でもある。

狂気の人を「病気の人」へ

徹頭徹尾「悪」の誕生について描いた作品でありながら『ジョーカー』はなぜ、これほどまでに広く世間から受け入れられたのか。ひとつはこれまで見てきたように、その物語が普遍的な「父殺し」の構造に支えられたものであったから。そしてもうひとつは理解不能な「狂気の人」であったジョーカーを「病気の人」に変換するという、トッド・フィリップス監督の操作によってだ。劇中、アーサーは緊張すると笑いの発作に襲われるというトゥレット症候群のような障害を抱えた人物として描かれており、そのために私たちはつい、スクリーンの中の彼に対して同情的な視線を送り続けてしまう。「狂気の人」は理解できない。だがもしそれが「病気のためである」といわれれば、私たちは素直にその説明を容れざるをえない。

もちろんそこには歪さもある。病気や障害については一定の理解を求められながらも「狂気」に関しては徹底的に排斥しようとするのは、いまの私たちの社会も同じだからだ。とりわけネット社会においてその傾向は顕著で、常人に理解できない主張や発言を繰り返すアカウントはすぐにブロックされて消されていくいっぽう、病気や障害を揶揄するような投稿などについては（たとえそれが意図されたものでなくとも）「正義の人」によって容易く「炎上」させられてしまう。トッド・フィリップス監督もその状況を熟知していたからこそ、狂気の代表格といえるジョーカーのキャラクターを「病気の人」へと置き換える必要性を感じたのかもしれない。

そのこと自体の是非は問わない。しかし父親的な権威が失墜したいまの時代に敢えてそのような「倫理」の復活を求める動きがあるとすれば、それについては考えてみる余地がある。アーサーが父親の庇護を求めてその存在を妄想的に復活させたように、私たちもまた「父なるもの」（＝父親的な権威）の空白をネット炎上という「私刑」によって埋めようとしている、のか。

『ジョーカー』の物語は、アーサーの「病気」が決して私たちと無縁のものではないことを教えてくれる。

美人薄命の文化史（仮）
——誤解と偏見に満ちたミーハー的疾病論

◉文＝浦野玲子

美人は早世するという神話

昔から、俗に「美人薄命（佳人薄命）」といわれる。これは、（容姿が）美しい人は病気がちで、若死にする人が多いことをいう。天才的芸術家なども、並みはずれた才能が俗世に受け入れられず、麻薬におぼれたり、自堕落な生活をおくったりした挙句、若くして亡くなることが多い（ように思える）。

美の基準はさまざま。文化的・地理的・歴史的条件や人々の価値観で異なってくる。それを知ったうえでも、あまりに美しい人を見ると、この世の人とは思えない…と思うことがある。

たとえば女優や男優やアイドルといわれる人々は、人から見られる、他者からの視線によって磨かれ、常人とは異なるオーラを身にまとう。

そんな芸能人のなかでも、病を得て夭折した人々は、若く美しい映像とともに人々に記憶され、いっそう哀惜の念を誘ったりする。近年でいえば、白血病で亡くなった夏目雅子や本田美奈子、乳がんで幼子を残して亡くなったフリーアナウンサーの小林麻央などが思い浮かぶ。

★「海神別荘」（シネマ歌舞伎のポスター）

小林麻央の夫である、市川海老蔵（もうすぐ團十郎襲名予定）の若かりし頃も、この世ならざる壮絶美といった風情を湛えていた時期があった。もう20年ほど前になるが、坂東玉三郎と共演した『天守物語』の図書之介や『海神別荘』の公子の姿は、惚れ惚れするほど美しかった。いずれも原作は泉鏡花。鏡花の世界観を具現化するには、性を超越した歌舞伎役者であり、この世ならざる美しさを湛えた玉三郎や海老蔵しかいないのではないかと思った。

また、海老蔵が新之助時代の掉尾を飾るのは、国立劇場の『義経千本桜』の「小金吾討死の段」ではないかと個人的には思う。前髪立ちの初々しい若侍、小金吾が討死する凄絶な美しさを見るため、国立劇場に日参したほどだ。

当時、老いたゲイで歌舞伎通の知人（彼も日参組）は、「彼の姿を見ると、あまりに美しくて若死にしそうと思っちゃうのよねぇ…」とオネエ言葉で嘆息していた。

いまの海老蔵は、往年のコメディアンであり名優の三木のり平みたいな顔になってきたが、かつては青年期特有の荒ぶる精神や梨園の重圧に対する反抗心からか傲慢と鬱屈を抱え、その美しさをもてあましているかのような振る舞いが多かった。ミーハー的に歌舞伎座で出待ちしたこともあるが、群れるファンを睥睨するような傲岸不遜な態度だった。ファンは、それすらも美しい!と感激したりする。

その後、海老蔵は人気の絶頂期に半グレのような輩にボコボコにされ、役者生命を絶たれかねない重傷を負ったのは有名な話。父親の12代目團十郎は白血病で闘病中だったし（その後亡くなった）、海老蔵も夭折するのでは…?とファンはやきもきしていた。

それを救うかのように、あるいは海老蔵の不幸や素行の悪さを一身に引き受けたかのように、小林麻央は34歳という若さで亡くなってしまったのではないかと思ったほどだ。

白血病で早世した夏目雅子も、『鬼龍院花子の生涯』の「なめたらいかんぜよ!」のセリフとともに、その凛とした美貌が人々の記憶に残っているので

★「女優 夏目雅子」（キネマ旬報社）

はないだろうか。この人は、カネボウ化粧品の小麦色の肌をした健康美あふれるモデルとして一躍有名になった。そんな女性が白血病に倒れるなんて！　そのギャップに驚かされ、あらためて美人薄命という通俗的言説に納得したりするのだ。

音楽家や美術家にも早世する人が多い。1960年代後半から70年代にかけて、欧米では多くのロックミュージシャンが27歳で亡くなり、彼らをリストアップした「27クラブ」というのまである。

「27クラブ」のメンバーは、たとえば「ドアーズ」のジム・モリソン（セクシー！）、ジミー・ヘンドリクス、ローリングストーンズのブライアン・ジョーンズ、ジャニス・ジョプリン（美人とはいえないが）などがいる。彼らの多くは、過剰な薬物摂取が死因だ。

時代が下って、「ニルヴァーナ」のカート・コバーンや絵描きとしての才能のほうが有名になったバスキア、自身の薬物乱用リハビリ施設での体験や恋愛を自虐気味に唄った『リハブ』で有名なエイミー・ワインハウスも「27クラブ」のメンバーとなった。彼女はユダヤ系だが、いわゆる「ブルー・アイド・ソウル」の典型のようなシンガー。ソウルフルでパワフルな歌唱力が魅力だった。

厳密にいえば「27クラブ」ではないが、個人的好みを列挙すると、「ピンク・フロイド」のシド・バレットや「セックス・ピストルズ」のシド・ビシャス、T・レックスのマーク・ボランもイケメン薄命組に加えたい。シド・バレットは往年の面影は見事に失われ、ぶよぶよスキンヘッドで60歳まで生きたので夭折とはいえないが、ドラッグで若くして廃人同様になったのが惜しまれる。

メロドラマと病気の甘い関係

昔々、筆者が子どものころ、不治の病や難病ものの映画が流行った。なかでも大ヒットしたのは、1964年の『愛と死を見つめて』（斎藤武市監督）という〝純愛〟映画だ。主演は、吉永小百合、浜田光夫という当時の美男美女俳優。

あらすじは、骨肉腫という不治の病いに侵されたヒロインが何度も手術を繰り返し、恋人との別れも決意する。しかし、恋人に励まされ、ついには顔半分を切除する手術を受けるも、その甲斐なく亡くなってしまうというもの。

『愛と死を見つめて』の原作は実在の大学生の恋人たちの往復書簡集。今でいうメディアミックスで、原作もメガヒット。一家に一冊というほど売れたのではなかったか（インテリ家庭をのぞいて）。青山和子が歌う「愛と死を見つめて」の歌謡曲も大ヒット。「♪マコ、甘えてばかりでごめんね、ミコはとってもうれしかったの」云々という楽曲が毎日毎日テレビで流れた。そのフレーズは半世紀以上たった今でも歌える。

この大ヒットの要因は、主人公の男女が若く美しかったからだろう。永遠のアイドル、吉永小百合の楚々とした美しさ、浜田光夫の誠実な好青年ぶり。じっさい、原作者の二人も並み以上の容姿の持ち主だった。後年、浜田光夫が演じたマコこと河野實さんのその後の映像が報じられたことがあったが、知的で風格のある大人になっておられた。

美男美女の悲恋は、凡人の胸を打つ。ハッピーエンドではなかったからこそ、凡人は若く美しい男女の叶わなかった恋に涙する。いっぽう、ブサイクなカップルが終電前の駅改札でじっと見つめ合ったり、別れを惜しんだりしていても、はたからみれば滑稽でしかない。その二人は自分たちが発情フェロモンやホルモンの作用か何かで、自分たちのこ

★「愛と死を見つめて」

とを絶世の美男美女と思い込んでいるのかもしれないが。

『愛と死を見つめて』が大ヒットしたせいか、その2年後には二番煎じ的に『愛と死の記録』（蔵原惟繕監督）という映画がつくられた。

これは原爆が投下された広島を舞台にした被ばく者の物語。戦後二十余年くらいで、幼時に被ばくした人がちょうど青年期を迎える時期。白血病をはじめ、被ばくによる〝原爆病〟を発症する人も多く、彼らは否応なく自分の身体と命の期限に向き合わざるを得なかったのだろう。

本作もヒロインは吉永小百合だが、恋人の青年役は渡哲也。こちらは青年が白血病で亡くなり、そのあとを追ってヒロインが自殺するというおはなし。ロミオとジュリエットばりの悲恋ものだった。

1960年代は、核戦争直前だったといわれるアメリカ・旧ソ連の代理戦争「キューバ危機」があったり、世界各地で核開発の実験が行われたりしていた。放射能の雨が降るから、子どもたちは雨に濡れてはいけないとか、放射能の雨で頭がツルッパゲになるとか、白血病になるといった噂が駆け巡った。20世紀末のノストラダムスの大予言のごとく、当時の子どもたち（昭和30年代後半）も放射能という恐怖の大魔王が空から降ってくるかのような不安と閉塞感に襲われていた。白血病という言葉は、不治の病として子どもたちの心に焼き付いていたのだ。

1970年代になると、今度は『ある愛の詩』（アーサー・ヒラー監督）というアメリカ映画が大ヒットした。これは、名門富豪の御曹司オリヴァー（ライアン・オニール）とイタリア移民の娘で美しく聡明な女子大生のジェニー（アリ・マッグロー）の物語。ふたりは富豪の父の反対をおしきって結婚するも、ジェニーは白血病に侵され、帰らぬ人に。オリヴァーが父に言う言葉がかっこよかった。いわく、

「愛することとは決して後悔しないことです」

この名セリフとフランシス・レイの甘く切ないメロディが相まって、世界中の婦女子の心をうった。

余談だが、誠実なオリヴァー青年を演じたライアン・オニール自身が白血病を患っていたことがわかった。現実は皮肉なものだ。

★「ある愛の詩」

メロドラマの系譜からは少し外れるが、『足摺岬』（吉村公三郎監督・新藤兼人脚本）という映画も忘れ難い。原作は田宮虎彦の『足摺岬』と『絵本』、『菊坂』という三つの短編をモチーフにしており、肺結核と脊椎カリエスというふたつの病が描かれる。

時代は昭和初期、軍国主義が市民生活を圧迫し始めるころ。昭和のインテリ・イケメン俳優、木村功演じる苦学生は左翼運動で逮捕され、さらに肺結核に侵され、アルバイトもままならない。彼の下宿の子どもは脊椎カリエスを患っており、学校にも通えず家で寝たきりの生活。唯一の楽しみは絵本だ。

そんな苦学生に絡むのは、金子信雄演ずるブルジョア学生。広々として快適そうな部屋に住み、当時の青年たちの流行であった「マルクス・エンゲルス全集」を買い揃えている。いっぽう、苦学生は金に困り、教科書も買えない。そこで級友のブルジョア学生にわずかばかりの援助を頼むのだが、あっさり拒否される。そのときの言い分がなんとも憎たらしい。

「前に貸した金（本？）だって返さないじゃないか。なのに、また借金だって⁉ 貧乏人は心根が卑しいからいやなんだよ」云々。

これを見ると、おい、マルクス・エンゲルス全集はなんのために読んでんだよ！ 左翼思想も単なるファッションか⁉ と思いきり突っ込みたくなる。日本ではマル・エン思想もブルジョア子弟の玩具、ファッションアイテムにすぎなかったんだなあ…と映画を見ながらしみじみ思った。

この場面では、木村功の病みながらも白皙で端正な容姿と、ふっくらして（栄養たっぷり）で生意気そうなブルジョア青年、金子信雄の対比がこの世の理不尽さを強調する。

やがて、金策もままならず、学業も断念せざるを得ず、死を決意した苦学生は町の食堂で出会い、淡い恋心を抱いた美しい娘の故郷、足摺岬へ向かう（足摺岬は自殺の名所でもあったのかもしれない）。せめてその娘に別れを告げたいと思ったのだろう。海辺の村で育った娘の健康的な美しさと、信州あたりの山深い里で育った肺病やみの苦学生との対比も面白い。

映画は、足摺岬からの飛び降り自殺を断念してなんとかサバイバルしようと思ったのかどうか、木村功のまなじりを決した悲愴美あふれる顔のクローズアップで終わる。

ここで、木村功と金子信雄という俳優のキャスティングが逆だったらどうだろう？と思うことがある。

金子信雄といえば、後年の『仁義なき戦い』シリーズのこずるくて憎々しいヤクザの親分役が思い浮かぶ。悪役の代表格という印象が強いが、若かりし頃は正義感が強く明朗快活な好青年の役が多かった。

木村功はどこか憂いを帯びながらも理知的なイケメン。実生活でも54歳の若さで亡くなっている（死因は食道ガンという）。いっぽう、金子信雄には肺病やみは似合わない。メタボ系の糖尿病とか動脈硬化とか、不摂生による生活習慣病がお似合いだ。だが実は、金子信雄は少年期に結核を患い、長年闘病生活をおくっていたという。

麗しきイメージとしての結核と白血病

病気とひとくちにいっても、美男美女に似合う病と、ブサイクな人に似合う病というものがあるようだ。病気のイメージ化であり、イメージとしての病気である。

こんなことをマジメにアカデミックに考察したのが、スーザン・ソンタグの『隠喩としての病』なのではないかと思う。

古くから文学では（とくにロマン主義的文学）、肺結核は美人薄命（「佳人薄命」というのが正解らしい）を象徴する病とされてきた。

欧米の病気文学のアンソロジー『病短編小説集』（石塚久郎監訳・平凡社）の解説がわかりやすすので紹介する。

「名だたる病の中でも最も美化され神話化されたのがこの結核である。結核は洋の東西を問わず、佳人薄命の病とされ、特にうら若き麗しい繊細な人を好んで襲い、その命を奪うものとされた。また、天賦の才に恵まれた若き詩人・芸術家を夭折させる病として神話化された。自己を魅力ある個人に鋳直し、その他大勢の凡庸な他者から峻別するかつての結核はナルシスティックな「自己の病」の典型といえる」。

肺結核に罹患すると、「瞳は光り輝き、肌は白くなめらかに、頬は（微熱のために）紅潮し、唇は朱をさしたように映え、やせ衰えて首筋は鶴のようにほっそり…」と、絵に描いたような美人に見えるという。また、「性欲が強くなる」という言説も流布していたようだ。ロマンチックに（あるいは「種の保存」という観点から）考えれば、生命の危機を察知し、少しでも性交の機会を増やし、自分のＤＮＡを残そうという本能的な生存戦略かもしれない。

かつては「死病」として忌み嫌われた結核が、一部の人の間ではある意味、選ばれた人が罹患する病いとして、いわば「病気自慢」のモチーフとなっていた時代があったのだ。

そもそも、裕福な深窓の令嬢などブルジョアや貴族階級の人々は、肺病になってもサナトリウム（結核文学の定番装置）などで闘病する余裕があった。いっぽう、朝晩ジャガイモしか食えないような農民や下層階級の人々は、病気になったら即死に直結し、文学的余韻にひたるなんていう余裕はなかっただろう。

ご婦人方のお化粧も、病人のように見えるようなテクニックが流行した時代があったという。たとえば、古代ローマ人と英国エリザベス朝の女性は白鉛でつくった白粉を塗り、白さを際立たせようとした。エリザベス朝の女性は、より白く見せるために、血を抜くこともあった。さらにフランスの貴族の女性たちは首や肩のあたりに青い血管を描いて肌の白さを強調したという。

日本の舞妓や芸妓の白粉もこの類かもしれない。谷崎潤一郎の『陰翳礼讃』は、ほの明かりにぼーっと浮かぶ女性の（幽霊のような）姿に美を見出しているのかもしれない。また、18世紀当時のヨーロッパの情景や風俗を忠実に再現するため、自然光や蝋燭などの灯りだけで撮ったスタンリー・キューブリックの『バリー・リンドン』（1975年）を見ると、白塗りの病的な美しさの意味も分かるような気がする。

日本でも、古くは『源氏物語』や『枕草子』の昔から肺結核は描かれてきたという。かつては「労咳」と呼ばれ、幕末の沖田総司や高杉晋作はこの労咳で亡くなっている。沖田総司は今どきの少女漫画に登場するような美青年だったかは定かではないが、たぶん病気による肌の白さと喀血の血の赤さというビジュアルがミーハー的美意識を刺激するのだろう。

石川啄木や中原中也や立原道造、梶井基次郎といった夭折の詩人や作家たちも肺病やみだった。もっとも、立原や中原中也はいかにも育ちがよく、繊細な詩人という容姿だが、梶井基次郎は鬼瓦権造みたいな、いかつい面貌。『檸檬』の繊細で美的なイメージとは若干違うが。

★立原道造、23歳の写真。24歳で急逝した。

★梶井基次郎、1931年1月（29歳）の写真。この翌年3月に他界した。

肺病＝結核は、若い人が罹患しやすく、致死率の高い死の病としての認識はあった。それは若さの絶頂期に生命を奪われ、美しいままに死んでいくことと重ね合わされた。さらに美男美女の病気として美化され、ある種の憧憬まで抱かせるものになっていったのだろう。

たぶん明治以降、『椿姫』をはじめ結核文学ともいうべき欧米の作品が翻訳されたり、徳富蘆花の『不如帰』の胸を病むヒロイン、浪子の悲恋物語が流行したりしたことの影響もあったのだろう。まさに「鳴いて血を吐くホトトギス」である。

結核が不治の病であったころ、美人薄命に加え、「天才肺病」という言葉もあったという。前述した石川啄木や中原中也や立原道造、梶井基次郎、樋口一葉や正岡子規ら、結核で夭折した文学者は数多い。まあ、肺病は日本人の国民病とさえいわれていたのだから、彼らが特別なわけではないのだが。

ブスは病んでも同情されない!?

私事で恐縮だが、病気はいかに個人の容姿や年齢や生活環境で判断されるかを、身をもって体験した出来事がある。自分史上「世紀の大誤診」ともいうべき事件だった。

数年前の初夏、筆者は40度近い高熱が出て、近所の医者にかかった。ひょろひょろ痩身、血色が悪い筆者。レントゲン撮影では肺に白い影が見える。その結果、医者の見立ては「肺結核の疑い」となり、さっそく某国立医療センター送りになった。

医師の言葉を聞いた瞬間、血の気が引いた。自分の病気ではあるが、周囲の人への迷惑を考えたのだ。結核菌は濃厚接触どころか、空気感染するといわれる。同時に、傲慢にも「美人薄命ってこのことね」と世をはかなんだ（笑）。

悲愴な覚悟で医療センターに赴いたのだが、精密検査の結果、肺結核はまったくの誤診！　瞬間的にわたしは近所の医者に〝藪医者〟の判定を下した。

いまや結核は、うら若く繊細な美女ではなく、栄養の行き渡らない不摂生なビンボー人や老人が罹患しやすい疾病とみなされている。その予断に基づいて、近所の医者は結核と診断したのではないかと思う。

医療センターでの見立ては「肺MAC症（非結核性抗酸菌症）」ではないかというもの。まだ広く知れ渡ってはいないようだが、風呂場の湯アカやぬめりなどにいる細菌が原因で、中高年女性が罹患しやすい病気といわれる。

そうか、「肺MAC症」か。たしかに、やせ細ったビンボー臭いおばちゃんには似合いの病気かも……と腑に落ちた。

その後、筆者は何回も通院と検査を繰り返し、最後は結核でも肺MAC症でもなく、持病の気管支系の病気が一時的に悪化した病変ということに落ち着いた。美人薄命ではなかったことに安堵しながら、医師というプロフェッショナルも患者の見た目や年齢や職業といった属性で診断を誤ることもあると実感した。

さらにいうなら、町場の医者、〝なんでも診る〟科のような医者は、決して広いとは言えない診察室で、自前の旧式な機械でレントゲン撮影をしたり、患者の体にじかに接し、その身なりや顔色や話しぶりを見ながら診断を下す。そこには医師と言えども、予断や偏見が介在するのだろう。

いっぽう、最先端の医療機器を備えた総合病院などの医師（とくに若手）は、データ偏重主義ではないかと思う時がある。検査室から直接送られてきた各種データを確認するためつねにPCに向き合い、患者本人をじっくり観察することは少ないように思う。

そこではシステマティックに診断・治療が行われ、医療費の支払いもセルフレジで行われる。患者も個人ではなく、病院という巨大オートメーションで給餌される家畜のように思えてくる。

本論に戻ろう。夏目雅子や小林麻央や本田美奈子といった美女の夭折は、その美しさゆえに伝説となり、多くの人の涙腺を刺激する。だが、人並み以下の容姿や肥満型の人や老人は病気になっても因果応報とばかり、同情やシンパシーは得られないのではないか。

エイズの場合も、当初は同情どころか忌み嫌われる病気だった。エイズは同性愛者や汚染された注射針を使いまわすジャンキーや、不特定多数の男性を相手にする街娼や風俗嬢やらに多く発症し、まさにインモラル、不道徳な病気とみなされた。

ところが、アメリカの伝説的バスケットボール選手、マジック・ジョンソンがエイズ感染をカミングアウトし、英雄もまた不治の病を得るという事実にあらためて驚愕した。だが、マジック・ジョンソンはエイズを発症することはなく（免疫力が高かったのか？）、1992年のバルセロナ五輪にアメリカの「ドリームチーム」の一員として出場し、金メダルさえ獲得した。これぞ真の英雄、パチパチ（拍手）！

昨今は、「クイーン」のフレディ・マーキュリーの伝記映画『ボヘミアン・ラプソディ』の影響もあり、エイズへの理解も深まったようだ。要は、生活の質を落とさない程度で生命維持ができるような治療法があれば、病に対する過度の恐怖や偏見や差別もなくなる。

本年パンデミックとして世界を震撼させている新型コロナウイルスも、治療法が確立されれば、電車内で咳をしただけで白眼視されたり、殴り合いになったりするような偏見と差別と、闇雲な恐怖心はなくなるのではないかと思う。

ブサイクな人や薬物依存症やメタボな人が病気になると、美人ほどには病気になっても同情されない。それどころか、その生活習慣を非難されたりする。自己責任の国アメリカ流にいえば、自己管理やセルフコントロールができない怠け者やルーザー（負け犬）が、罹るべくして罹った病気＝因果応報とみなされることが多いのではないだろうか。

だが、「美人薄命」という言葉にも裏の側面があるのではないかと思う。美貌や並外れた才能の持ち主が「あたら若い命を散らして…」という同情や哀惜の念と共に、凡人凡夫には、「天は二物を与えず」という思いがあるのではないか。

美貌にも才能に恵まれた人が、しかも健康長寿（さらに裕福）だったりしたら、ブスやデブやハゲ、ビンボーで医者にも満足にかかれない人たちは、「神様はなんて不公平なんだ！」とか「真面目に働いていられるか！」、「やってらんねー！」と、暴動を起こすに違いない。

昔からいわれるように、「死ぬのはいつも他人」。他人の死を体験することで、自分が生きていることを確認し、安堵する。真のエリート（選良）とは、長く生きて天寿をまっとうした人ともいわれる。けっきょく、われら凡人凡夫は、実は美人や天才が若死すること、「美人薄命」を心の底では願っているのではないだろうか？

病弱な少年はなぜかくも美しく〝尊い〟のか

◉文＝日原雄一

キタモリオに夢中

死の手ざわりは懐かしい。病の気配は心地よい。と、ブッソウな文面を見せびらかすように書いてみる。私も中二病という病をかかえた身なのである。中二病患者の常で、これももちろんオリジナルのフレーズでなく借りものだ。冒頭の文章は、北杜夫「幽霊」からの引用です。或る幼年と青春の物語、という副題もついた、北杜夫の自伝的小説である。「ずっとぼくは〈病気〉であった」と作中にあるとおり、「或る幼年と青春」のなかで、いくつもの「病気」の物語がしるされる。

★北杜夫「幽霊―或る幼年と青春の物語」（新潮文庫）

そのなかには、「どくとるマンボウ昆虫記」でエッセイとして描かれたり、初期短篇「狂詩」、連作「病気についての童話」中の「百蛾譜」などにもあるような、幼き日に腎炎で絶対安静・食事制限もキビシクされた際のエピソードも出てくる。「食事は塩気のないものばかりであった。腎臓病のために無塩醤油というものがあったが、ただへんな薬品の味だけがした」。「やがてぼくは刺戟ある味にも諦めを抱くと、今度はきらびやかな色彩にあこがれた。その色彩は頭のなかで、夏の日ざかりに咲くウマオイの透きとおった翅となり、芝生のうえにたわむれる甲虫の姿となった」。

そして、自分のつくった昆虫の標本箱を探し出してきてもらう。そこには「瑠璃色の小灰蝶も紅色の下翅をもつ山蚕蛾もいる筈であった」けれど、実際には「蝶も蛾も甲虫もみじめに黴につつまれており、胴体が虫に喰われていたりした」。

残酷なシーンである。だからこそ、迫力あるシーンでもある。「僕はむかし、それは美少年だったですよ」と北氏はふざけて語ったことがあったが、このシーンはぜひ映像作品でも観たいものだと思う。ふとんに横になりながら、標本箱を手に、ためいきをつく青白い顔の美少年。病を手にした少年は、よりいっそうのかがやきをもつのである。幼少期の神木くんにやってほしかったところだ。いまなら「原因は自分にある。」の長野凌大くんにお願いします。マンボウ氏の作品で映像化されたものはすくなくて、自身の一族を描く長篇「楡家の人びと」は、六〇年代、七〇年代にドラマが放送されてて気になるところですが、ソフト化はされていないようでざんねん。

この「楡家の人びと」を、三島由紀夫は「これこそ小説なのだ！」と賞した。その三島氏の「仮面の告白」について、筒井康隆は「ダンヌンツィオに夢中」で「比較的すなおに自伝的作品と受けとめている」と書いた。私もそのように受けとると、三島氏も幼いころから病弱で、「自家中毒」で瀕死になり「何度となく危機が見舞った」。「自家中毒」というのが、三島氏ののちのちを暗示するようで意味深ですが、「二十歳までに君はきっと死ぬよ」と言われるような三島少年は、それよりかは長く生きた。高橋睦朗は「在りし、在らまほしかりし三島由紀夫」で、三島氏の幼少期について、「アルバムの写真で見る公威少年は一種の美少年、すくなくともひよわな少年の魅力を持っていた」と語ってる。あの

★6歳の頃の三島由紀夫。5歳で自家中毒にかかった翌年の写真。

高橋睦朗に言われると説得力がありますね。

　その、ひよわな美少年は、「生まれながらの血の不足が、私に流血を夢見る衝動を植えつけた」とも主張する。街を歩いていてうら若い兵士を見つけると、脇腹に刃を刺す妄想をしてたのしむような血気盛んな青年になり、その後はご存じの展開である。

　この「仮面の告白」も含めて、三島作品のエッセンスが詰め込まれた映画「MISHIMA」は製作総指揮がコッポラとジョージ・ルーカス、緒形拳の三島役で制作されたが、日本では三島夫人の反対などもあり未公開。でも、瑤子夫人の意向で同じく封印されていた三島由紀夫監督・主演の映画「憂国」は、夫人の没後、「決定版 三島由紀夫全集」に収録されている。「MISHIMA」もＤＶＤ出してほしいなあ、と思ったら、海外版が出てるっていま知りました。しかも、アマゾンで注文できるのかよ。ソッコー購入したところであります。

奇跡の美少年・神木隆之介

　まあ、少年時代の三島役も神木隆之介にやってほしかったんだけれどさ。黒い樹木の幹に裸で縛られる美しい美少年・聖セバスチャンの絵に魅入られ erectio し、ejaculatio に至る神木くんとか、想像しただけでズドンとくるでしょう。

　神木隆之介の初期作品に、「Little DJ」という映画がある。病気で長期入院中の少年が、病院の院内放送でDJをやる話だ。「野球中継きいてて、真似してて」、深夜ラジオの「MUSIC EXPRESS」も愛聴してるんだそうだ。透きとおるほど青白い肌で、しずんだ表情の神木くん。彼が、院長先生の部屋で古いレコードに囲まれたなかでは、ウキウキとマイクに向かう。その美しさ、可憐さには、いくら言葉を尽くしても足りない。

★「Little DJ 小さな恋の物語」DVD

　その少年の院内ラジオが始まってから。「入院生活がすっごくたのしくなったの」と、一つ上の女の子、福田麻由子は言う。福田さんも大怪我で、長期入院中の患者である。お互い仲良くなって、いっしょに映画「ラストコンサート」をみにいく。

　悲痛な運命の少女・ステラをえがいた物語に、神木くんは神妙な表情で「よかった」とうなずく。「ステラって、白血病で死んだんでしょ」と、氷の顔の神木くんに、福田麻由子はいっぱいの笑顔でうなずく。「そう。ステラは、残された命を、恋にささげたの。できる？ そんなこと」。そして、神木くん演じる少年も、実は白血病なのである。

　その後容体が急変して、ベッドに横になり細切れに話す神木くんのすがたは、なんとも切なくいとおしく、何度も泣かされてしまった。医者になってからとくに、自分は涙もろくなった気がする。

　神木くんも幼少時、かなり深刻な病気だったという。「生まれたときから病弱でした」と、ひさしぶりに出た写真集の「23年の人生を語る」インタビューで、開口一番に話してる。四ヶ月くらい危篤状態で、集中治療室にずっといて。幼稚園までは、よく救急車で運ばれていたとか。「生きているのが奇跡だった」そうだ。どれだけ生きられるかわからなかったから、神木くんのお母様が「生きている証をつくりたい」とタレント事務所に写真を送ったんだそうだ。よくぞ送ってくれました。

　そんな事情もあってか、幼少期のフィルムに残る神木くんは、ひときわすげくかがやいてる。中島らもは自身の原作の映画「お父さんのバックドロップ」に出演した神木くんを見て、「あの子は天使や」と泣いたという。そして今はからだもよくなり、すばらしい作品を世に生み出し続けてくれている。ほんとうにめでたいことである。

病み少年の命が惜しいことに就て

　病弱だったからこそのかがやきを、三島由紀夫も北杜夫も、神木隆之介も持っている。日原さんもずっと頭痛もちなんだけど、ここにまぜてはもらえないものかしら。体調くずして休んで、エロチャンスになるのは、くろは「有害指定同級生」とか桜井のりお「僕の心のヤバいやつ」とかのエロギャグマンガでよくあるけど、それはエロギャグマンガだからだ。ただずきずき頭が痛んで、学校でも肩こりの薬ぬりまくってたら「肩さん」ってアダナがついたぐらいだ。そういう謎チャンスしかなかった。しょーがねーだろぼっちなんだから。

　天藤真「遠きに目ありて」は、重度の脳性マヒで、ほとんど全身の自由がきかない少年・信一の話だ。常時車椅子で、言葉もとぎれとぎれだけれど、犯人を即座に言い当てる。究極の「安楽椅子探偵」である。病気で動けない、しかし頭の中はフル回転する。天藤真もあとがきで、「わが最も愛する信一君へ」と何度もよびかける。神木隆之介が国の宝なのと同じく、信一君も宝である。

　病人がホンモノの宝になる小説もあった。斜線堂有紀の「夏の終わりに君が死ねば完璧だったから」。大学生の都村弥子さんは多発性金化筋線維異形成症、通称「金塊病」にかかっていて、徐々に全身の筋肉が硬化し、純金になってしまう。金塊と化した遺体は、三億円の価値をもつ。

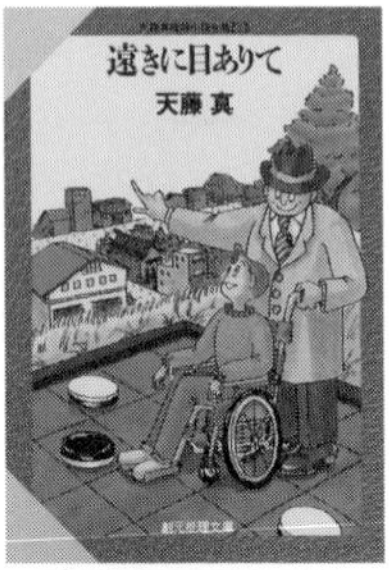

★天藤真「遠きに目ありて」（創元推理文庫）

　私は、オモテの職業は医者である。精神科医のまねごとをしている。病気は商売道具、という言いかたもできる。「患者がいないと医者は食うに困るから、完璧に病気を治す薬はつくらないんでしょ」というステレオタイプな物言いがあるが、そんなことまったくないと思う。ヒョットコ医者の私ですら、わりとくたびれるくらいには忙しいし。とは言いつつ忙中閑ありでコンナもの書いてますが。基本的には、病気のひとがずっと治ってくれたら、世界から病気がなくなればどんなにいいかとおもっている。

　吉田健一は「命が惜しいことに就て」でこう書いた。「人間の命が尊いのは我々がそれを惜み、それがいつまでも続くことを望むからではなくて、それが何れは終り、又、いつ終るか解らないからである」。「なくすことが出来ない命などというものはないのみならず、もしそのようなものがあったならば、それが尊い訳がない」。稲垣足穂の「少年愛の美学」にはこうある。「少年の命は夏の一日である」、「美少年の美とは、（美的美女の場合と同様に）『不幸に運命づけられた者のみに賦与された特権』とでも云いたい或物である」。そうして、先日ついにでた、岩田準一作品集「彼の偶像」収録の「三つの心」では、少年たちがこんな会話を交わしてる。「お前には所謂美少年のタイプを具へてゐると思ふ」、「お前の体は未だ充分の発育を遂げきらないから今は初々しい若葉の様な少年だが、もう二三年たてば総ての方面から一時に変化を見る」。「そんな事あ知らないや」と、言われた美少年はわらう。

★斜線堂有紀「夏の終わりに君が死ねば完璧だったから」（メディアワークス文庫）

　さあ、ここから結論をみちびこう！　病弱な少年が尊く美しく見えるのは、これからも医学がドンドン発展し、そうした存在がいつかいなくなるよう願われるからである。そんな端境期の今に生まれた、神木隆之介の存在は奇跡だった。世界中から病気がなくなって、彼のような病みの気をもっていた少年が生まれなくなれば、さればこそ彼の存在は尊いのであります。もちろん「尊い」という言葉は、腐女子のかたがたがつかうような意味合いも含めて読んでいただきたい。神木くんの前に神木なく、神木のあとに神木なし。空前絶後の奇跡の美少年と、ともに同じ時代を生きられる我々はしあわせである。言わずもがなではあるけれども、我々もいつまでともに生きられるかわからないからとうといのである。いつまでともにいれるのか、そんな事あ知らないや。

近代の病からポスト近代の病へ

◉文＝石和義之

一九七五年私は中学一年生で、当時の多くの男子中学生と同じく『週刊少年チャンピオン』の愛読者だった。『ブラック・ジャック』や『ドカベン』といった人気作と並んで、それらと比べるとマイナー気味の作品『750ライダー』（石井いさみ作）が連載されていた。オートバイ好きの早川光という名の高校生が主人公の一種のヤンキー漫画なのだが、その画風は、六〇年代末から七〇年代前半にかけて流行った青年コミック様式の劇画調で、主人公も眼光鋭く翳りのある人物に造形されていた。未読の読者に伝えるならば、俳優の松田優作の系統であると言えばイメージできるだろう。バラエティー番組には向かないタイプである。所謂愛されキャラではなかったが、白土三平や梶原一騎の劇画作品に親しんでいた私は、この作品を気に入っていた。

けれども一九七七年にかけてこの作品の絵のタッチが変わる。松田優作がデビュー当時の郷ひろみに変わったかのようであった。若い狼がポメラニアンの子犬に変わったのである。劇画好きの私としては、この変化は由々しき事態であったのだが、一九七五年前後において漫画の表面的な変化だけでなく、文化の深層およびそれと連動した人間の心身組織それ自体が大きな変容を被ろうとしていた。

時はやはり一九七五年、場所は大西洋上をアメリカへと向けて飛行する飛行機の機内。著名なフランスの精神分析家ジャック・ラカンと彼の著作の英訳者との間で、「享楽＝ジュイッサンス」をどう訳すかについて話し合いがあった。「エンジョイ」という訳語を勧める訳者の言葉にラカンはなかなか首を縦に振らない。やがて飛行機が空港に到着すると「エンジョイ・コカ・コーラ」と書かれた看板が目に入る。「駄目だ、エンジョイではない」とラカンはすぐさま断言した。一九七五年の時点で世界において、享楽が後景へと退きエンジョイが前面にせりあがってくるという状況が生れつつあった。では、なぜラカンは、「享楽」を「エンジョイ」と訳すことを拒絶したのだろうか。

★石井いさみ「750ライダー」第1巻（上）と、1983年発行の第40巻（いずれも少年チャンピオンコミックス）

彼の理論をすでに知っている者は、この問いに対していとも容易く答えることができるだろう。享楽とは、人間が安定した象徴システム（＝象徴界）のなかに参入することと引き換えに失われたものである。それゆえ、享楽すること（あるいは、失われたはずの享楽が回帰してくること）は象徴システムが不安定化されることと同義であり、端的に言って、享楽は死のイメージをまとっている。だとすれば、渇きを癒し、生を持続させ、むしろシステムの安定化に貢献するという点で健康的な意味を含みもつ「エンジョイ」は、享楽とは程遠いものなのである。（松本卓也『享楽社会論』）

享楽とは、初期の『750ライダー』が担っていた非日常的な輝きを目指す劇画調の生のスタイルである。それに対してエンジョイは、非日常の美学を消去し、あくまでもシステムの安定を目指すスタイルである。そのスタイルを選択した『750ライダー』は恋愛を日常スケッチとして描く少女漫画の方法を踏襲し、その様式がこの作品を十年にわたる人気作に押し上げた。この頃にはアメリカン・ニューシネマは終息し、イーグルスの「ホテル・カリフォルニア」は「革命は終わった」と歌い、アメリカン・エンジョイ・ライフを日本に広める雑誌『ポパイ』が一九七六年に創刊された。一九六八年革命後の風景である。一九七四年にはシステムの侵犯を目指す享楽の残骸ともいえる三菱重工爆破事件が起きた。

ところで六八年より前に人間の在り様の変化を鋭敏に察知した文学者がいた。『成熟と喪失』を書いた江藤淳である。一九六七年刊行のこの書物の中で江藤は、農村共同体の崩壊と同時進行しつつあった高度成長期における日本文学の変容を確認する。江藤が見た日本の風景は、個人=市民の立ち上げに失敗し、言いかえれば市民社会の成立が流産し、日本社会がなし崩し的に消費社会の中に飲み込まれつつある姿だった。それは八〇年代にはっきりと可視化されたポスト・モダン現象であったが、その前哨戦は第一次戦後派から第三の新人への移行に認められた。

★江藤淳「成熟と喪失」（講談社文芸文庫）

……いわゆる「第三の新人」の諸作家が、もっぱらこの中学生的な感受性を武器にして文壇的出発をとげたのは特筆すべきことと思われる。つまりそれは「子供」であり続けることに決めた「大人」の世界であり、どこかに母親との結びつきを隠している。ある意味では、「第一次戦後派」から「第三の新人」への移行は、左翼大学生から不良中学生への移行だといえるかも知れない。もちろんこの左翼大学生である「第一次戦後派」は「父」との関係で自己を規定し、「第三の新人」は「母」への密着によって書いたのである。

「父」と「母」という精神分析学的な言葉が口にされているが、江藤が『成熟と喪失』を書くにあたって参照したエリクソンによれば、「拒否も保護過剰も成熟の妨げになることに変わりは」なく、「母親の拒否がしばしば人格の核の弱い、他人とつながることのできない人間をつくる」という。峻烈な切断も過剰な密着も、ともに病に繋がる。峻烈な切断=享楽と過剰な密着=エンジョイという図式は、近代の精神病とポスト近代の精神病という図式に重なる。そして近代の病たる享楽を突き詰めた文学者に、江藤以外には、彼の師の小林秀雄と彼がライバル視した吉本隆明がいた。江藤、小林、吉本、この三者は近代特有の風景を経験していた。そしてその風景は『「分裂病」の消滅』の著者内海健が描く分裂病者の風景と同じものだった。

【A】近代の政治思想が実現すべき理想として来たのは、近代以前の「被治者」を一様に普遍的に「治者」にひきあげようとすることである。しかし、この過程で現実におこったのは、いわば、人間を「往還から引っ込んだところに岡や藪を背にして、いかにも風当りの心配なんかなさそうな、おだやかな様子で」立っている「藁葺の屋根」の下から引き出して、「隠れ場所というものがない」禿山の上に「全身をさらす」のに等しいことであった。（江藤淳『成熟と喪失』）

【B】主体はどこにも手がかりのない空間に向き合う。つまり隔てられてしまっている。その空間には身を滑り込ませる契機がなく、かくれて棲むことはもはやあたわない。すなわち目立ってしまったのである。さらに「一者であれ」という命法は、主体を孤立化させ、そして「内面」というトポスで充満させる。（内海健『「分裂病」の消滅』）

【C】けれどわたしは自らの隔離を自明の前提として生存の条件を考へるやうに習はされた　だから孤独とは喜怒哀楽のやうな言はばにんげんの一次感覚の喪失のうへに成り立つわたし自らの生存そのものに外ならなかった（吉本隆明『固有時との対話』）

【D】反逆や懐疑や飢餓を感じてゐない精神とは、その特権を誰かに売り渡して了つた精神に過ぎない。（略）だが、精神は新しい飢餓を挑発しない様な満腹を知らない。満腹が與へられれば必ず何かしら不満を嗅ぎ出す。安定が保たれてゐる處には、必ず釣合ひの破れを見付け出す。単に反復を嫌ふといふ理由から、進んで危険に身を曝す。

（小林秀雄『「悪霊」について』）

【A】における「治者」と「被治者」という言葉は誤解を招きやすいが、それぞれ、「自立した市民」と「群れとしての大衆」と受け取ってよかろう。人が自らを律する個人となるには、日常的な地平、あるいは江藤風に言えば、母の保護の下から離脱し、「隠れ場所というものがない」近代の抽象的な空間に踏み入らなければならない。【B】で言及された「どこにも手がかりのない空間」において孤立化し、極限まで内面化を被った主体は、危機の状況を通過する。小林が愛読し自ら訳したこともあるヴァレリーの「テスト氏」のように。「わたしは正確さを追い求めるという急性の病いにかかっていた。理解したいという物狂おしい欲求の極限を目ざし、みずからのうちに、注意力の臨界点を探しまわっていた」とテスト氏は語るが、「正確さを追い求めるという急性の病い」こそが分裂病の核心にあり、「自己を確立しようとして、過剰に自己たらんとして破綻する」（内海健）のである。【C】はその破綻の危機の生々しい報告書といったものであり、ここで語られた「一次感覚の喪失」を、江藤なら母＝自然の崩壊と呼ぶだろう。テスト氏は「知性は、日常言語に対して、本来それにそなわっていないような完璧さや純粋さを、えてして求めがちである」とも語るのだが、吉本が詩を書く必然は日常言語では語れない風景を体験していたからである。吉本の言う「固有時」とは、日常的な時間とは異質の、固有性がそこで育まれるような特異な時間性である。

【D】は、精神分析学が欠如や不在という言葉で語る心的機構を、文学の言葉で語ったものだと言える。精神分析学における概念としての父は、母と子の母胎空間における密着した関係に介入しこれを切断することで子を社会空間へと導き入れるのだが、同時に子に欠如を付加することで子の欲望を発動させる。ある意味、父は欲望への接近を可能にしてくれるのだ。そしてこの欲望は生物学的というよりは、心身両面のセクシュアリティに関わる。父の抑圧があるがゆえに、鋼のような飢餓を抱えた精神が主体として立ち上がる（「精神は新しい飢餓を挑発しない様な満腹を知らない」）。

抑圧、欠如、享楽、主体、精神……それらは「第一次戦後派」的な父の文化と関わるものであったが、いまや「第三の新人」的な母の文化が覇権を握る。立木康介はそのような事態を表象の論理から感覚の論理への移行と語る。表象の論理とは、抑圧によって意識の領域から追い出された無意識がそれでもなお願望充足を果たさんとして、様々な迂回を演じ、そのアナログな過程において、思考や精神とどのつまりは生そのものの厚みを形成していくような論理のことを言い、立木はそうした人間の身体をエロース的身体と呼んでいる。それに対して感覚の論理とは抑圧という苦痛の体験を生の領域から排除し、そのような人生においては生の厚みが消滅し、反省的な思考が身につかない。刹那的な快感しか受け入れない身体からは外からの刺激がただ流れ込んでは通過してゆく。

そのようにすべてが素通りする器のことを、立木は生物学的身体と呼んでいる。父が不在であるがゆえに、子は母の体内に取り込まれ、母の欲望の専制下に置かれ、依存的な主体として形成されてしまう。「そうした主体は、目下流行している言説に同調し、自分の歴史＝物語をもたない。いいかえれば、過去や祖先や系譜にたいして引き受ける負債（ラカンの言う「象徴的負債」）をもたない」（立木康介『露出せよ、と現代文明は言う』）。こうして病的に空気を読む人間が誕生する。

空気を読む病を徹底的に病んだ存在が、村田沙耶香が描いた「コンビニ人間」である。コンビニエンスストアのマニュアルに従うことで「世界の正常な部品としての私」を実感する『コンビニ人間』のヒロインは、超越性を喪失した現代のグロテスクな戯画である。

狂気をスペクタクル化した医師

——シャルコーのヒステリー写真

◎文＝並木誠

狂気は、芸術においては、そいつがスパイスにもなり、作品を何倍にも盛ってくれる。平凡な芸術家には毒でしかないが、非凡な芸術家には妙薬的な効果にもなり、作品を天才的な境地に運んでいく。ヴァイオリンの鬼才パガニーニにしかり、モーツァルト祭りである。

この狂気を視覚化、計測出来ないかと考えた医師がいた。19世紀半ばに活躍したサンペトリエール病院の神経医学の医師ジャン＝マルタン・シャルコー(1825-93)だ。それまで悪魔憑き、狐憑き、神憑りや魔女狩りといった蛮習がまかり通っていたが、啓蒙思想や近代的な知である科学思想が台頭すると、そうした民間に流布されていた偏見や臆見が排除されていった。ミシェル・フーコーの言説を持ち出すまでもなく、狂気は近代と相反する概念性であり、駆逐すべきものであったのだ。その一方で、狐憑き、悪魔憑きなどの古典的狂気は、現代においては、ファシストなどさらに巧妙になってくるのである。

※　※　※

前近代から近代または現代という科学的合理主義の時代に突入すると、キリスト教的な意味合いが崩れ始める。ニーチェ的な「神は死んだ」のアフォリズムに象徴されるように、宇宙の、世界の中心は、神でも王でもなくなり、ブルジョワジーという新興階級の市民、いわば等身大の人間と資本主義に代表されるような、市場原理、経済原理が世界を回す時代に突入し、その中で狂気は、社会一般の眼から排除される対象になった。精神医学という学問体系が、ブロイラー、フロイトといった医師によって編まれていく。

シャルコーは、最初は精神分裂病、現在の統合失調症の研究をしていて、てんかんにおける痙攣と昏倒を記録してい

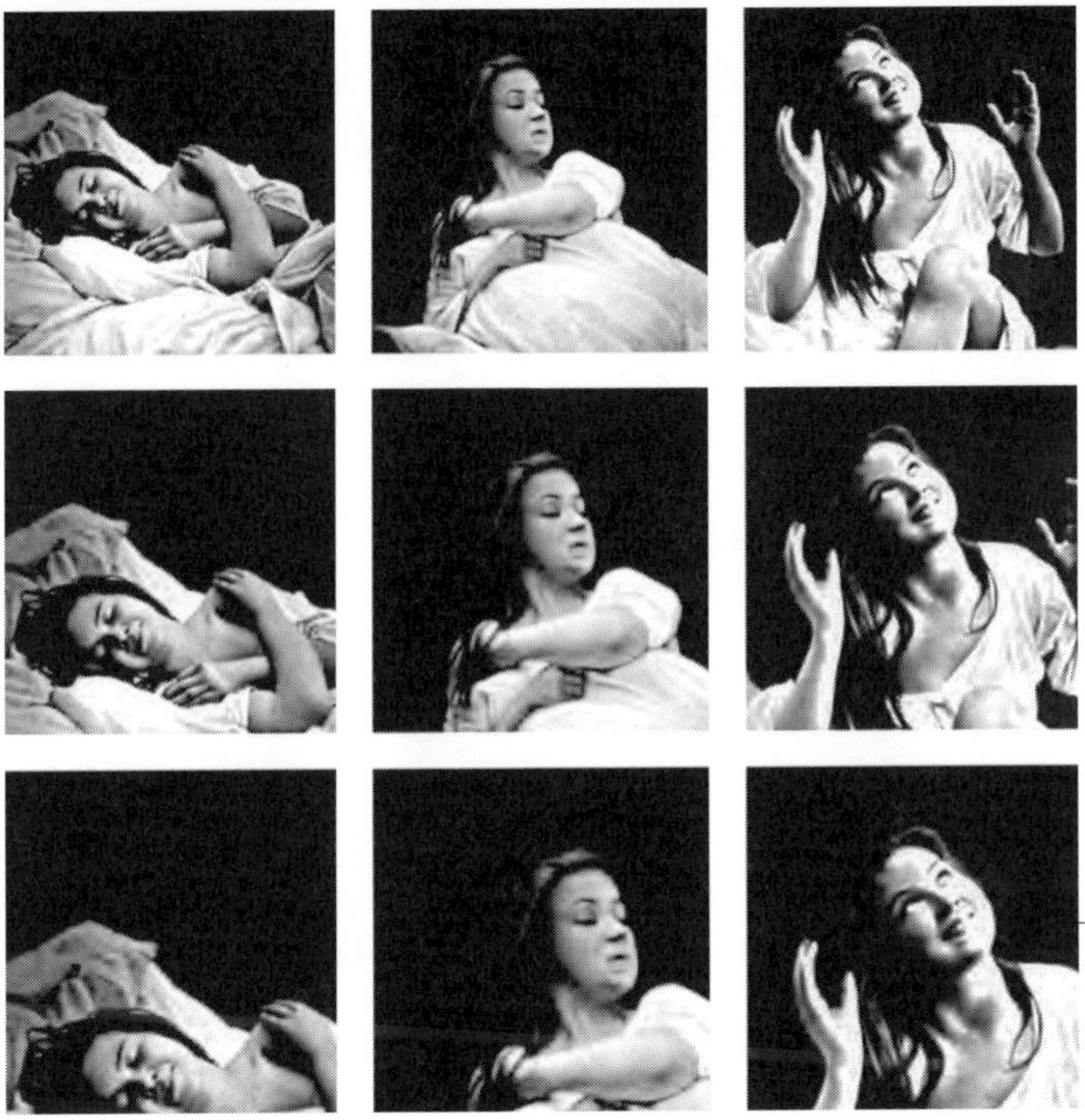

★ジャン＝マルタン・シャルコーによる臨床講義

★シャルコーにより催眠術で治療されるヒステリー患者の写真

たのだが、写真というメディアを使いヒステリー発作を記録していくうちに、ヒステリー写真というジャンルの医療記録写真の大家になっていく。はじめ女性の入院患者の睡眠発作を撮影していたが、そのヒステリー写真（ヒステリーは子宮という意味があり、女性ならではの症例と当時は見做されていた）を当時の精神医学界の論文に掲載したところ、写真というメディアの物珍しさと、精神病患者への下世話的な興味も手伝ってか、地方の精神病院の院長などが見学に来るようになる。そうした見学客を捌く為に、患者に発作の演技を頼むようになり、いつの間にか、本末転倒で、まさにヒステリーショーになってきてしまったのであった。卑しくも現役の医師によるヒステリーショー、見せ物、今風に言えば、ファッションメンヘラーショーなど許される筈もなく、当然シャルコーは、世論のごうごうたる非難を浴びることになる。

※ ※ ※

ここでの教訓は、シャルコーのヒステリー写真は当初は、てんかんの発作や精神病患者の特有の発作、睡眠発作、痙攣とか奇声などの身体症状を記録し、精神病に伴うてんかんのメカニズムを研究するための写真であったのだが、ショービジネス化して狂気＝スペクタクルの構図が出来上がってしまったのである。そこには学会対応に追われた偶然もあるのだが、もともと狂気は、スペクタクル、即ち見せ物であったのだ。現に癲狂院、むかしの精神病院では、金銭を取り、精神病の患者を見せ物にしていた記録もある。

写真のメディア性あるいは、スペクタクル的な特性もあるが、排除されるべき狂気がスペクタクルになるという逆説は、そのまま、モダニズムという近代合理化、効率化の歪みや矛盾を暴露してしまったことにもなるのである。つまり狂気とスペクタクルは、相性が良いのだ。シャルコーによる、ヒステリー写真は、禁忌をスペクタクル化した先駆であった。

とはいえ世界同時中継された湾岸戦争以来、リモートコントロールされたドローンによる映像など、テレビゲームのような戦争報道の映像をポテチ片手に観る我々現代人の狂気の方が空恐ろしく思えるのも事実だ。

◉参考文献
G・ディディ・ユベルマン著（谷川多佳子・和田ゆりえ訳）『アウラ・ヒステリカ パリ精神病院の写真図像集』（リブロポート、1990年9月。絶版）

想う病

ごとうゆりか

彼　嫌い？嫌い？大嫌い？
彼女　うん　嫌い　嫌い　大嫌い
誰　なによりもかによりも？

Ｒ.Ｄレイン『好き？好き？大好き？』
どんな人の影を感じているの？
エヴァンゲリオン「終わる世界」のサブタイトル
「Ｄｏ　ｙｏｕ　ｌｏｖｅ　ｍｅ？」らしい
様々な見解は相違なるが合致する
笑っているけど泣いている
子供な大人な子供な大人はどうしたらいいの？
そんな時に想うのは『いつか』
病は生きている
他のものにたよって成立・存在する共依存。
人は病を恐れ引き離す
されど病に満ち溢れ生きる糧になる
日々日々の目録を拇印し　半ば当て付けのように愛を誇示し、　想いを表現する

今の僕に語る資格なんてない
それは、きっと、想いが果てて果てしないから。
希望と日常の糧は集結した集団行動のその先にあって
その先に見える景色は腐りきった発酵した景色が観える
何とも香ばしい愛おしい現実があるのにそこには満足がない
満足という景色は一瞬で過ぎ去り残骸を見せる
生きる限りふつふつと湧き出す欲望が黙っちゃいない
と、結局そんなもんだろうと考察する
完璧な奴にはなれないなんて想う反面、現実に虚像を放発しいつしか暴発する
生きていれば何とかなるさなんてそんな呪文はさておいて
自分を主軸に置くと結構きつくて
病の結露は欲望
そして、孤独走

とても簡単なことだ。ものごとはね、心で見なくてはよく見えない。
いちばんたいせつなことは、目に見えない（１０８ページより）

恥晒しをしてみようと想いました
『いつか』の、想いが叶うように
想う病は繰り返される。
そんな病が、好き好き大好き。

北條民雄
——療養所文学に咲いた大輪の徒花

◎文＝阿澄森羅

1 忘れられたベストセラー作家

眼球が脱却して洞穴になった二つの眼窩、頬が凹んでその上に突起した顴骨《かんこつ》、毛の一本も生えていない頭と、それに這《は》入《い》っている鞭のような條《すじ》、これが氏の首である。ちょっと見ても耳のついているのが不思議と思われるくらいである。その上腕は両方共手首から先は切断されてしまっており、しかも肘の関節は全然用をなさず、恰も二本の丸太棒が肩にくっついてぶらぶらしているのと同然である。そかてて加えて足は両方共膝小僧までしかない。それから下部は切り飛ばしてしまっているのである。

破壊の限りを尽くされた人体の描写だが、これはホラーや戦争小説の一部分ではない。一九三六年（昭和十一年）発表の随筆『続癩院記録』の、ハンセン病——かつては癩《らい》と呼ばれた病が進行した患者の容姿を説明する場面である。

作者の北條民雄《ほうじょうたみお》は前年にデビューした二十二歳の新人作家で、彼もまたハンセン病を発症し、東京の東村山にある療養所『全生病院』（後に『多摩全生園』と改称）で入院生活を送っていた。

当時のハンセン病の治療法といえば、効果が不明瞭な民間療法由来の薬品が投与されるのみで、病が引き起こす皮膚疾患や神経障害を防ぐ術は皆無だった。なので、療養所でも進行する病状や突発的な劇症化には対症療法しか手立てはなく、しかも致命的な状況は中々発生しないため、冒頭にあるような姿となって生き続ける患者が多数存在していた。

更には、ハンセン病が伝染性と判明すると政府が徹底した隔離政策を行ったため、発病を認定された人々は各地の療養所行きを余儀なくされた。こうした風潮により、発症のメカニズムの不明さへの恐怖と、生きながら体が崩壊する症状への嫌悪で、古来「天刑病」「業病」などと呼ばれ迫害に晒されていたハンセン病者への差別は半ば国家公認のものとなり、患者は忌避される存在から排斥の対象へと変化していく。

そんな特殊な環境に身を置いていた北條による、自身の病をテーマに書かれた作品は発表と同時に大きな反響を呼ぶ。二作目の短編『いのちの初夜』は芥川賞候補になり、同名の作品集は発売から一年で十四版と華々しい売れ行きを見せた。

しかしながら、現在の北條民雄はほぼ忘れられた作家となっている。ハンセン病の歴史や差別問題と絡めて語られはしても、単独で話題に上ることはまずない。その理由を探るために、北條作品を取り巻く状況を見ていこう。

2 絶望から紡がれる物語

北條のデビューの経緯は少々変わっている。少年時代から郷里の仲間と同人雑誌を発行するなどしていた北條は、療養生活の傍ら創作に打ち込んでいたのだが、ある日まったく面識のない川端康成に宛て、自らの境遇を述べつつ師事を願う手紙を送る。その申し出に対する快諾に奮起した北條が書き上げたのが『間木老人』で、完成度の高さを認めた川端の推薦で『文學界』に掲載され、北條は新人作家として世に出ることとなった。

ハンセン病患者が療養所を舞台に書き上げたリアリティ抜群の作品で、しかも無名の新人としては相当に整った文章で書かれていることもあって、『間木老人』は世間からも文壇からも好評を博した。これによって北條には作家として明るい前途が拓けるのだが、作品自体はどうしようもなく暗い。北條の小説は全作が暗いトーンで貫かれているが、それにしてもこれは別格の感がある。

療養所に入院したばかりで不安に満ちた日々を送る青年が、入院して十年になる元軍人の老患者・間木と知り合い、穏やかで知的な老人との交流で未来に僅かな光明を見出したところで、不慮の出来事から絶望を抱え込んだ間木が死を選び、青年はその縊死体を眺めながら現状の酷薄さを改めて認識する——という、まるで救いのない物語になっている。

ハンセン病がほぼ「不治の病」だった昭和初期には、この薄暗さは現実に即した演出と受け止められていたようだが、時代が移ると共に内容への違和感が表明され始める。

北條の友人であり、彼の評伝『いのちの火影』を出版した光岡良二も編者に名を連ねる『倶会一処 患者が綴る全生園の七十年』（一光社）では、「北條の作品はあまりに暗すぎると言われ、すでに過去の文学だとして、療養所の中では今はまったく読まれない」と容赦ない斬り捨て方をされている。

ハンセン病患者による文芸作品を紹介する『ハンセン病文学全集』（皓星社）では、編者の加賀乙彦が「ハンセン病文学の嚆矢であり代表的な作品ではあるが（中略）この世に患者がいなくなった時代となってみると、彼の小説は、あまりにも過酷な状況とハンセン病の病状を克明に描きすぎていて、むしろ病気への誤解をまねくという負の役割もはたしてきたのである」と評している。

批判は北條個人にも向けられ、『倶会一処』では「北條作品には『まず癩者になり切ることです。すべてはそれから始まるのです』といった発言が頻出するが、自身は軽症者で『なり切る』どころか入口に立ってもいない（大意）」と断じる。健常者に近い感覚を有する「異邦人」の立場だからこそ、他人事としてリアリティのある不安や恐怖や絶望を描けた、的な文章も続くがフォローになっているか怪しい。しかしそういった指摘は的外れで、北條にすれば「己の未来として書かずにいられなかった」が正解ではないだろうか。次章では、当時の北條が置かれていた状況を再確認し、その心情を掘り下げてみたい。

3 終わりなき苦痛の先に待つ何か

比較的軽症とはいえ、北條自身の病状も安定や回復からは程遠く、残された日記を読めばその端緒から、怪我をしても痛みがなく、傷が治らないことへの不安が綴られている。その後も熱瘤（発熱と痛みを伴う結節）を度々発症したり、極度の神経痛で寝込んだり、目の充血が続いて失明に怯えたりと、身も心も休まる隙がなかったのが伝わってくる。

日記の中には、咳が止まらない北條が「このまま喀血でもして死ねたらなあ」と言い、友人が「そううまい具合に行けば言うことはない」と返す会話なども記されている。結核ですら憧れになるほど、闘病生活は耐え難いものだったようだ。そんな事情もあって、苦痛に塗れた生を終わらせる手段としての自殺が、北條の小説にも日記にも非常に身近なものとして頻出することになる。

「今のところでは、死のうと思うと急に生命が大切なものになって来そうですし、生きようとするとまた急に死にたくなって来るような気がしてなりません。でも根本は誰だって生き

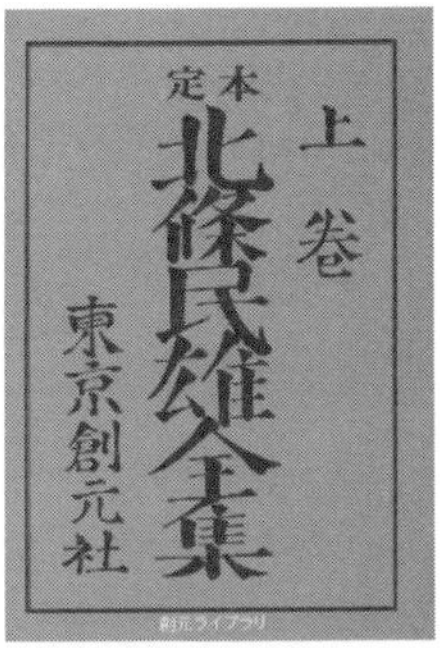

★「定本 北条民雄全集」（創元ライブラリ）

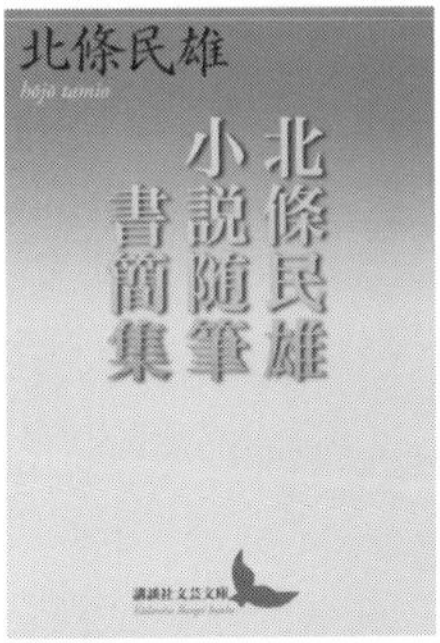

★「北條民雄 小説随筆書簡集」（講談社文芸文庫）

★「いのちの初夜」／1936年発行の創元社版

たいのですし、死にたいと思うのもほんとの心は生きたいためだと思います。でも、死ねれば死んだ方がいいようにも思います。僕には判りません」

これは三作目の短編『癩院受胎』の中で、自殺を予告する男と主人公の会話シーンからの抜粋だ。死んだ方がマシな未来を自覚し、自殺や発狂で生を放棄する人々を間近に見ながら、北條作品の主人公たちは逃避を選ばない。そんなキャラの有り様には、絶望の中から希望ではない「イビツな何か」を掴みろうとする作家の意思が感じられる。多分に感覚的なので説明が難しいのだが、その核に近い部分にあるのは恐らく、北條が繰り返し作中人物に語らせる『いのち』という概念だ。

4 再び人間として復活するために

『いのち』『生命』『人間』など様々な表現で登場するこの概念は、他に言い換えれば『魂』や『自我』が近いと思われる。五感を奪われ、目鼻や手足を失っても、生きている限り人は人であり、自分であり続ける――それは「そうであってほしい」という北條の切実な願いだったのだろう。

この辺りの諸々に関しては、代表作『いのちの初夜』を読み解きつつ説明するのが早いのだが、物語の核だけを提示するのは避けたい（未読の方はまず本編を読んでほしい、という個人的な感情がある）ので、『いのち』についての考察を発展させた描写を含んでいる『道化芝居』を取り上げよう。

「人間はどんなに虐げられても、どんな屈辱を浴びせられても、決して心を失いはしないんだ。いやそうじゃない、どん底に落ち込んだ時、初めて人間はその人間性を獲得するんだ。（中略）幸福や自由を全部、失ってしまった時になって、初めて人間は人間になる」

これは都会で社会主義を学び、大志を抱いて故郷に戻ったものの、ハンセン病を発症して療養所送りになった若者・辻の言葉だ。彼のセリフの中には、北條が言うところの「癩者になり切る」覚悟が凝縮されている。この血を吐くような決意表明が北條の辿り着いた境地かとも思えるのだが、実際に覚悟が定まっていたかは疑わしい。北條の迷いは、不治の病を抱えて生きると宣言させた直後、辻を電車に飛び込ませる展開からも明らかだ。

北條作品は療養所内での体験をベースに、作者の分身である主人公と病の関係を中心にしたものが大半だが、異なるアプローチの作品も徐々に書かれるようになる。病を隠して結婚した男とその家族の悲劇を描いた『癩家族』、療養所内の学校教師と知的障害を持つ少年の交流を軸にした『望郷歌』、そしてこの『道化芝居』である。療養所が舞台ではなく、主人公は健常者でハンセン病は構成要素の一つでしかない、という設定はこれまでには見られなかったものだ。外の社会に目を向けて「現在」を書いた意欲作として、その姿勢を評価する論文なども複数書かれている。

しかし、転向者の苦悩とハンセン病患者の絶望を対比させつつ、主人公の破綻しかけた夫婦関係を背景まで含めて描くのは技術的にも枚数的にも無理があり、小説としては失敗作と言わざるを得ない。原稿を読んだ川端は発表に難色を示し、前出の全集でも北條の小説中で唯一掲載を見送られている。一方で、この作品に息衝く「ハンセン病文学」を脱して自身の表現を練り上げようとする野心は、今後の飛躍を大いに予感させる。だが、それが結実することはなかった。一九三七年（昭和十二年）の末、北條が二十三歳で夭折したからだ。

5 失われるものと残されるもの

世間の評価に逸ったのか病気の進行に焦ったのか、『いのちの初夜』以後の北條は猛然と作品を書き続け、短編や随筆を次々と有名文芸誌に発表する。養生が何より大事な状況で無理を重ねた北條は、体調

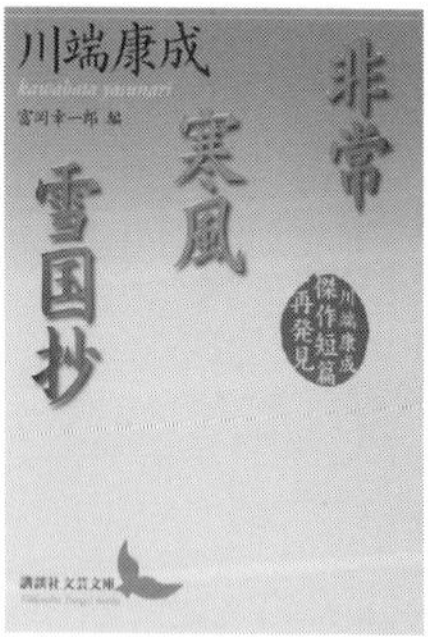

★川端康成「非常／寒風／雪国抄」（講談社文芸文庫）

悪化の果てに腸結核を発症させ、そこから回復することなく帰らぬ人となった。

師匠であり後見人であった川端は、一九四一年（昭和十六年）に発表された北條の死を題材にした短編『寒風』の中で、狷介で傲慢な性格だった北條は、協調や従属を要求される療養所ではさぞ生きづらかったろう、と述べている。作品からは伝わってこない裏事情だが、二十歳そこそこで商業的にも批評的にも成功した作家が、増長せずにいる方が不思議だと言えなくもない。

川端は北條がスポイルされるのを危惧し、全ての原稿をチェックしてクオリティを保ちつつ、マスコミとの接触や文壇との交流を慎重に制限し、流行の作品は読まず海外の名作や聖書などを読むよう薦める。そうすることで独自の作家性と穏和な人間性を確立するのを期待していたようだが、そこに至る前に北條は世を去った。『寒風』に「しかし故人は青臭い若さのまま死んでいった。鬼哭《きこく》啾々《しゅうしゅう》の作品を僅かに遺しただけだった」と記した川端の筆致には、死後数年を経てもなお北條の早世を惜しむ心情が垣間見える。

北條が切り拓き、広く存在を知らしめたハンセン病文学だが、その後の展開については「立ち消えになった」というのが最も実情に近い。ハンセン病の作家による佳作が発表されたりはしたが、『いのちの初夜』に比肩する作品は遂に出ることはなかった。それは北條の異才も然ることながら、彼の死からおよそ十年でハンセン病の特効薬『プロミン』が登場したことが大きい。

治療が可能となった結果、ハンセン病文学は病との対峙を描いたものではなく、病に付随する諸々や周辺事情を描いたものへと変質していく。患者や元患者への差別や偏見、療養所内で起きる権力闘争、らい予防法の悪法ぶりや改正・廃止に向けての闘争、といった辺りが主なテーマだ。こうしてハンセン病文学は、北條が一人で咲かせた徒花となってしまった——それは喜ぶべきことなのだが、北條が腸結核から回復して特効薬の登場まで命を存えていたら、とどうしても考えてしまう。

「俺は之から、二年、二年でいいから社会に出て暮らしたい。此処で獲得した今の此の眼で、もう一度生きた社会の現実の中に身を置きたいのだ。そしたら俺は間違いなく、まだ誰も書かなかったすばらしいものを書くんだがなあ」

死の三ヶ月前、重症者用の病室を見舞った光岡に北條が語ったこの言葉は、大言壮語で終わらなかった可能性が高い。現に、病床で書かれた随筆『続重病室日誌』では、北條の作風に明確な変化が起きている。死を意識しての心境の変化とは異なり、予てから目指していた「癩者になり切る」立場へと踏み込んだ気配があるのだ。日誌の最後、病院から配られた茹で栗を前に北條はこう記している。

今年もまた栗を食う——このことが何ものにもまさった喜びとなって心を温めてくれる。これが人生の幸福というものである。何年か経って、その時には多分盲目になっているであろう自分が、杖をたよりに道を歩きながらふと今日の栗を思い出したとしたら、あああの時はまだ眼も見えた、あの栗の滑らかな茶色の肌を眺めたものだ、と思わず杖をとめて懐旧の念にうたれることであろう。そういう未来を浮べながら、まだうで立てで温《ぬ》くまっているその皮をむいた。

病に由来する恐怖や不安、怒りや嘆きといった刺々しい感情は、その後も作中に残り続けただろう。自らの体験を踏まえて差別や偏見と戦う、ハンセン病者としての立場も捨てなかっただろう。だがそれと同時に、個人的な感情や体験を超越した物語を書いて大成する未来も北條民雄には用意されていた、という事実がこの静謐な文章には滲んでいる。

福永武彦は北條の小説を「読者の魂の中に鋭い傷をつけ、その傷跡がいつまでも残るような作品」と評した。概ね同感だが、魂に残された傷の発する痛みはきっと、逆境の中や絶望の底で人生を諦めようとした時、『いのち』の存在を思い出させてくれるだろう。

生命の深淵を窃視する

――野村芳太郎監督『震える舌』

◉文＝松本寛大

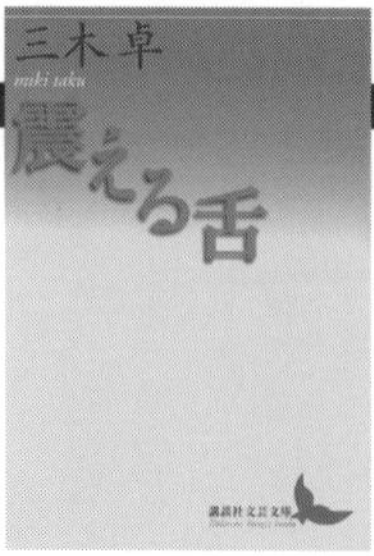

★三木卓「震える舌」（講談社文芸文庫）

たしか、児童向けの恐竜図鑑だったはずだ。その本には頭が背につこうかというほどに長い頸《くび》を弓なりに反らせた恐竜の化石の写真が掲載されていた。キャプションは、「破傷風によって筋肉がけいれんを起こし、死んだ恐竜」。

実はそうした姿勢の恐竜の化石は非常に典型的なものだ。原因には死後硬直などいくつかの説があり、現在の研究は破傷風との見方に否定的だ。しかしともあれ、破傷風は太古から存在する恐ろしい病気として当時のわたしに非常に強い印象を与えた。

破傷風菌による神経毒は激しいけいれんと硬直を引き起こす。顔面や顎が硬直し、やがて嚥下障害や呼吸障害となる。死亡率も高い。全身の筋肉の硬直は非常な痛みをともない、まれには骨が折れるほどだという。ワクチンが広まって以降、日本国内の患者数は少ないが、南アジアやアフリカなどを中心に現在も年間に推定二十万～三十万人が死亡している。

『震える舌』は詩人で作家の三木卓が一九七四年に発表した小説で、三木の長女が破傷風にかかった経験をもとにしている。

幼い娘、昌子の様子がおかしい。三木を思わせる文筆業の主人公が妻の邦江とともに昌子を病院に連れて行くが、原因がよくわからない。そして深夜、絶叫が聞こえる。そこには「信じられないほどの皺をよせて苦痛に堪えているこどもの顔」。赤紫色の顔をして、「噛みあわされた歯のあいだから血泡が溢れ出て」いる。大病院で破傷風の診断が下される。痛みに苦しむ少女。昼夜を問わず懸命に治療をおこなう医師。憔悴していく両親。破傷風菌との闘いが始まる――。

この小説をもとにした映画の監督は野村芳太郎。『砂の器』『八つ墓村』『事件』などの推理映画で評価の高かった野村が描く恐怖映画として宣伝された。原作は決して恐怖がテーマではなく、一見すると食い違いがあるようにも思える。

この疑問に対する答えを先に書いてしまうと、実は原作は闘病の物語であると同時に人間が立ち向かう不条理について書いた小説である。野村がいう「恐怖」はそこにあるのではないだろうか。

映画版の、子供の苦しみを描く場面や医療行為の場面は突出した恐怖表現だとして、現在に至るまで観客を魅了している。その点だけが喧伝されているといい換えてもいい。

破傷風では音や光といった刺激が筋肉硬直のトリガーとなるため、病室の窓には暗幕が張られ、昼間でも薄暗い。そこでカメラが切り替わる。エレベーターから出てくる配膳のワゴンに乗せられた食事のトレイは、いまにも崩れそうだ。配膳係の女性がトレイの位置を戻してあやうく落下は免れるのだが、次の瞬間、小児科病棟の子供が乱暴にトレイを押

★野村芳太郎監督「震える舌」ポスター

す。落ちる食器と激しい音。少女の絶叫と歪んだ顔のアップ、口から流れる血――。

観客は渡瀬恒彦と十朱幸代の夫婦とともに、幼い子供が苦しむさまを延々と見る羽目になる。当時の宣伝コピーは「彼女はその朝、悪魔と旅に出た」。どうやらウィリアム・フリードキン監督の『エクソシスト』を意識しているらしい。

たしかに、昌子が発作に苦しむさまは悪魔に取り憑かれた少女リーガンがベッドの上で暴れ回る姿を思わせる。

昌子の喉から血を吸い出すシーンや、舌を噛みちぎらないように医師が舌圧子で乳歯を折り取る場面などの目を背けたくなるような医療行為の描写にも、その影響が見られなくもない。

だが、根底のテーマに目を向けたとき、『エクソシスト』と『震える舌』は似ていない。

『エクソシスト』は、人間の信仰、ひいては人間の愛と理性と「信じる力」が脅かされるという物語だ。

ウィリアム・ピーター・ブラッティの原作では、老いたエクソシストであるメリン神父が、自らの信仰心につき疑問を抱いている若いカラス神父に向かっていう。「悪霊の目標は、とり憑く犠牲者にあるのでなく、われわれ……われわれ観察者が狙いなんだ」（宇野利泰・訳）と。悪魔は人間を「醜悪で無価値な存在であると自覚させようと」する。

一方、『震える舌』はどうか。

昌子の口をこじ開けようとして指を噛まれてしまった主人公は、自分も破傷風に罹患したのではないかと再三気にかける。医師に感染を否定されても、疑いから逃れられない。彼の妻も同様だ。病室で終日を過ごすうちに半ば精神を病んだようになり、いう。

「うつっちゃったのよ。あたし」

本作の根底にあるものはなにか。医学への不信感や親としての無力感、またそれゆえの罪悪感を描くことで、人間の「信じる力」を問い直しているのだろうか？

違う。それらは過酷な日々に翻弄される人間を冷静に描写したまでだ。

三木の原作は不思議な味わいの作品だ。その筆致はリアリズムをベースとしながらも、時折、前置きなしに幻想的な描写が挟み込まれる。映画版『震える舌』も、詩人である三木が描いたなにか観念的なものと切り離して語ることはできない。

講談社文芸文庫に収録されている三木のあとがきによれば、「単なる病気ものに終らせたくない」との気持ちで書いたという。「これは嫌気性菌と人間という、長い地球の生物進化の時間をはらんだ生命と生命の遭遇」なのだという。

嫌気性菌とは小説のセリフを借りれば「地球上に酸素ガスのない極めて初期の時代に生まれた古い菌」だ。気の遠くなるようなタイムスパンの話で、この菌と人間の闘いは個人の思惑を超え、生命というものの底なしの深淵を思わせる。

映画は基本的には小説の展開をなぞっている。夫婦の憔悴についてドラマを書き足して

★「震える舌」パンフレット

もいるが、原作からの逸脱がより目立つのは、たとえばこうしたところだ。小説において、主人公の妻の邦江は、紙に「細字でびっしりと数字や波形や記号」を書く。彼女は記録しなければ娘が自分から離れてしまうとでも思っているかのように、この作業に異様に固執する。一方、映画版では、渡瀬恒彦が敗血症のために死にかけた少年時代の夢を見る場面でその記録が画面に二重写しされる。円と棒線で人間の形が描かれた記号は象形文字のようだ。主人公が夢の中で、時間と空間を無視して昌子の体内に潜む太古の悪魔とコミュニケーションを試みているとも見える異様なシーンだ。

また、物語が終わりに近づくころ、渡瀬恒彦は昌子を見つめながら、微生物に語りかける。なぜ毒素なんか出すんだ。昌子が死んだらお前達だって死滅するんだ。彼はこのとき、破傷風菌を対等の存在として扱い、ある種の敬意を払っているかのようにすら見える。彼が疲れて眠ると、窓を塞いでいた暗幕が風に揺れ、陽光が差し込む。次の瞬間、昌子は苦痛の声をあげ、骨折するほどに背を反り返らせる。

光に浮かび上がるその姿。聖なる光に全身を包まれたような、夢幻的な瞬間だ。渡瀬恒彦は眠っており、昌子の硬直の瞬間を見るのは観客だけで、そこには窃視の感覚がある。

『エクソシスト』の悪魔の矛先は観察者にこそ向いていた。『震える舌』では違う。破傷風菌に対して渡瀬恒彦は徹底的に無力で、ほぼ蚊帳の外だ。昌子の闘いは、昌子のものだ。

さらに戸惑いを覚えるのは、昌子の闘いが観客の胸を打つようにして演出されていないことだ。観客もまた突き放され、主人公同様に、恐怖に対峙することはできない。観客にできることは、少女の闘いの向こう側に存在するなにか巨大なものを窃視することだけだ。

三木の家族は満州に暮らしていた。三木は幼少期に、腸チフス、小児麻痺、敗血症、ジフテリアなど、大病を繰り返している。また、三木が十一歳のとき、父親が発疹チフスで死亡。満州からは引き揚げ列車で日本に戻ったが、途中で祖母が死亡している。三木の作品には満州を舞台にしたものが多い。少年期に直面した理不尽さは、三木の作品に影を落としている。人の力ではどうにもならぬものはどうにもならぬのだ。

原作小説でもっとも胸を打たれるのは、回復し、咽喉から空気のチューブを外された昌子が声をあげる場面だ。声はなかなか出ない。咽喉の機能が衰えてしまったからだ。やがて声が意味を持った言葉として主人公の耳を打つ。

「こわいよう、こわいよう」声は叫んだ。
昌子は泣いていた。泣きながら叫んでいた。

恐れることは人が生きている証しなのではないだろうか。三木の筆は繊細に、その恐れをすくい上げて記録する。読者は恐れに自分を一体化させることができる。小説の力だ。

野村芳太郎は、映画ならではのアプローチ方法によって、原作の主題を表現してみせたのだろう。

◉参考文献
W・P・ブラッティ『エクソシスト』(創元推理文庫)

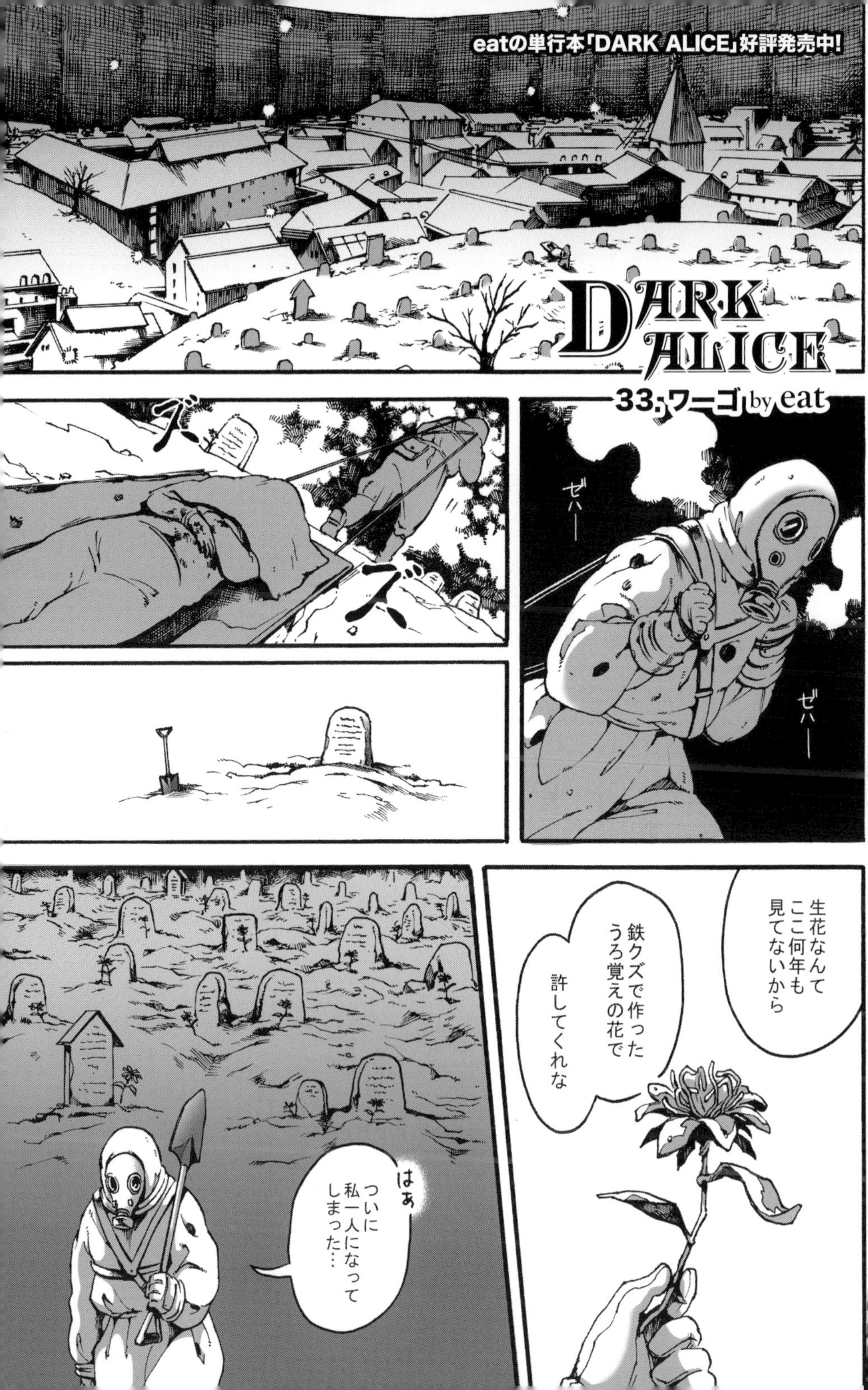
eatの単行本「DARK ALICE」好評発売中!
DARK ALICE
33.ワーゴ by eat
ゼハー
ゼハー
ズ
ズ
生花なんて
ここ何年も
見てないから
鉄クズで作った
うろ覚えの花で
許してくれな
はぁ
ついに
私一人になって
しまった…

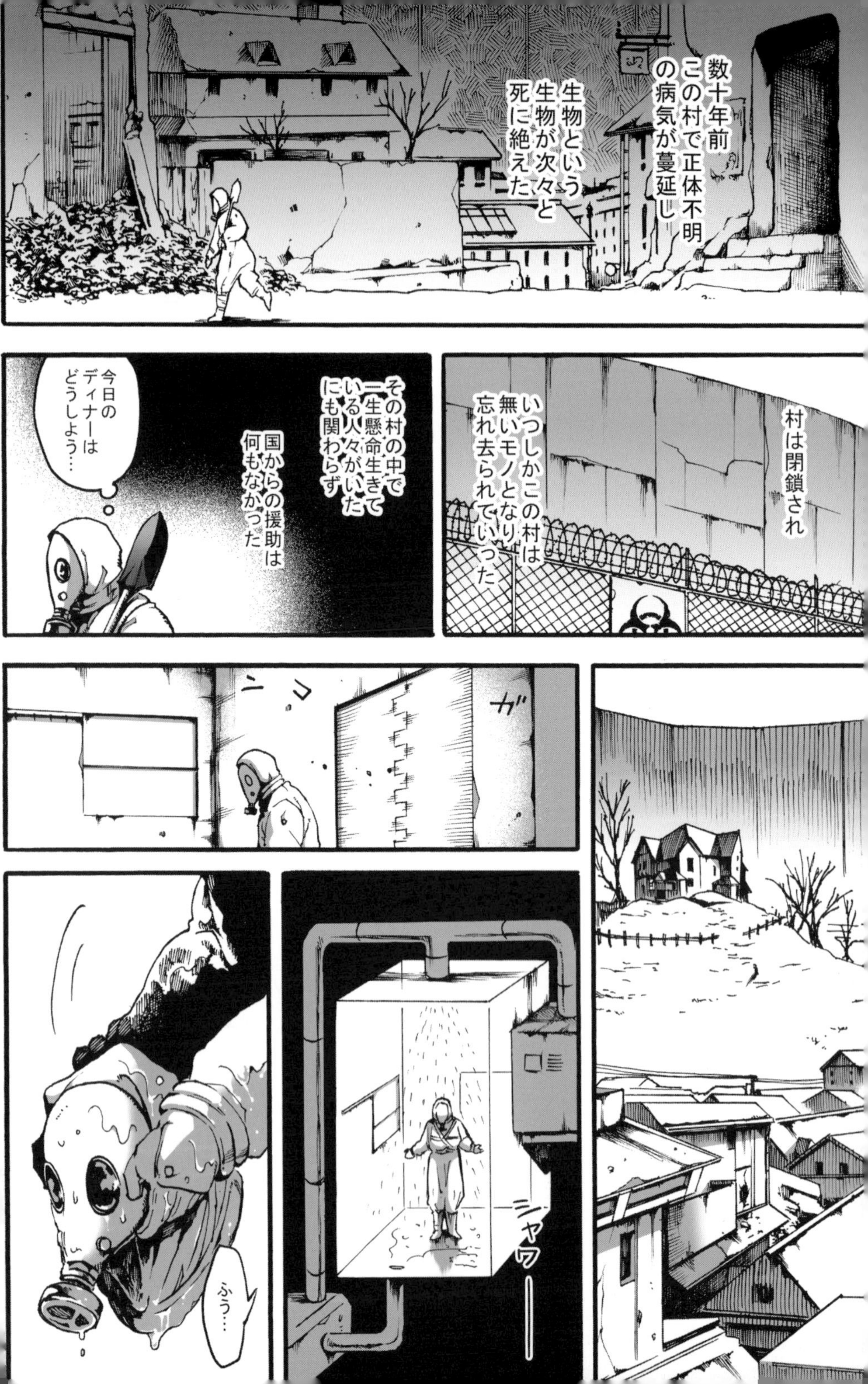
数十年前
この村で正体不明の病気が蔓延し
生物という生物が次々と死に絶えた
村は閉鎖され
いつしかこの村は無いモノとなり忘れ去られていった
その村の中で一生懸命生きている人々がいたにも関わらず
国からの援助は何もなかった
今日のディナーはどうしよう…
ニコ
ガ
シャワー
ふう…

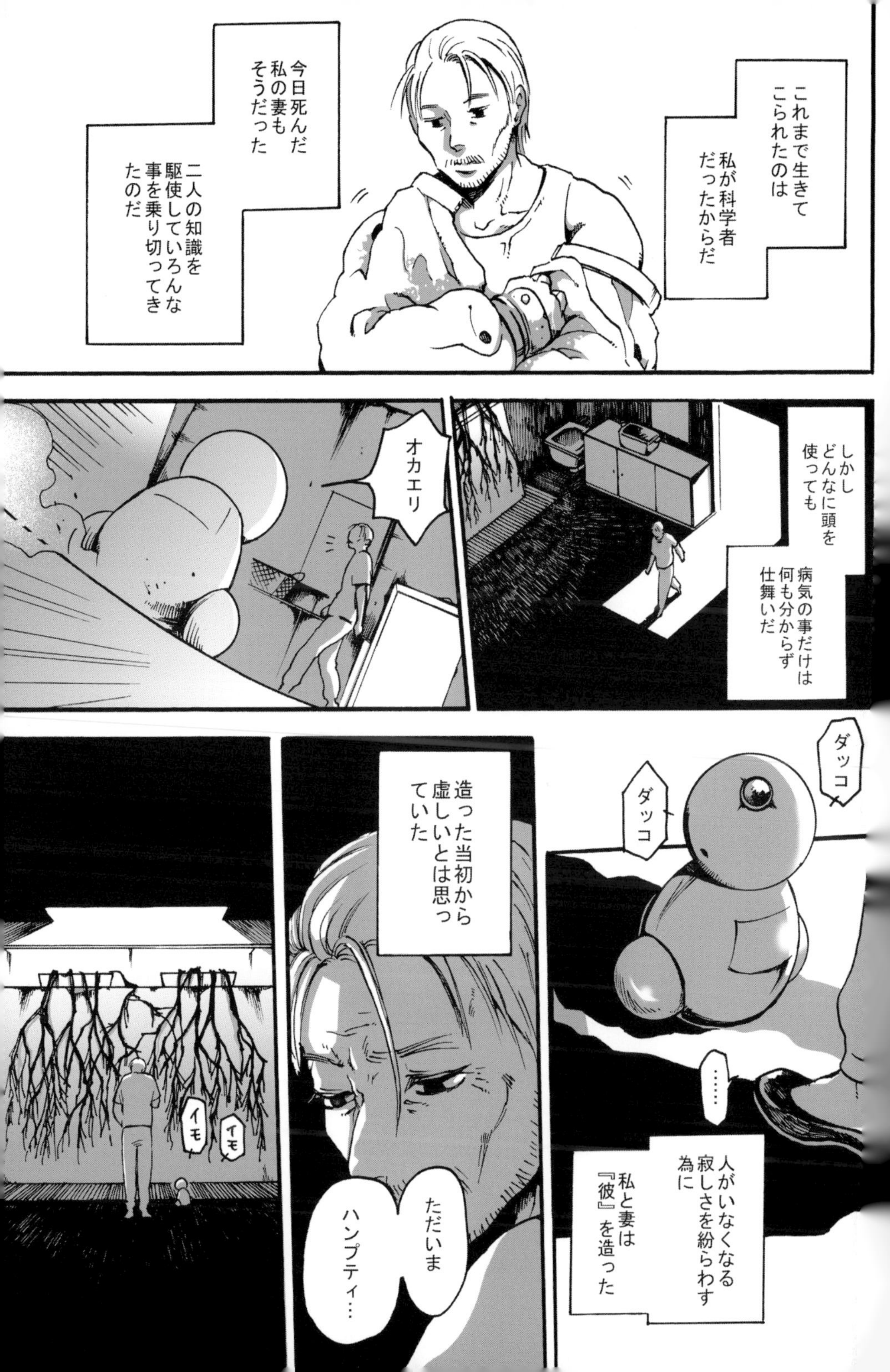
これまで生きてこられたのは
私が科学者だったからだ
今日死んだ私の妻もそうだった
二人の知識を駆使していろんな事を乗り切ってきたのだ
しかしどんなに頭を使っても
病気の事だけは何も分からず仕舞いだ
オカエリ
ダッコ
ダッコ
……
人がいなくなる寂しさを紛らわす為に
私と妻は『彼』を造った
造った当初から虚しいとは思っていた
ただいま
ハンプティ…
イモ
イモ

実をつけなくなって一ヶ月…
根を食べて食い繋いでいるが…
それもいつまで保つか…
ゴボ
ゴホ
ゴホォオ
護る者もいなくなった今…
生にこだわる必要があるのだろうか…
すまないハンプティ
一人にしてくれ…
ぽた
ワーゴ博士？
博士ー…？
オイルガモレテイマス
故障デスカ？

ミオ博士モ
オイルガ漏レテ
壊レマシタ
ハンプ…
ボクハ
一人ニナリ
タクナイ
修理シマ
ショウ
キット
ボクガ直シマス
ハンプ
トッ
ザザッ
ザッ
オイ
何してる!
急げ!
だってよ~
この地域の調査に
行った他の奴ら
帰ってきて
ねぇんだろ?
絶対なんか
あるって…

バカだな！
何かあるから
俺らが再調査で
派遣されたんだ
ろうが！
そうだけど…
それに
前回と違って
銃を支給
されてんだ
だからこの
隔離地域に病人が
残っていても―…
わ
わ
コノ村ニ花ガ
咲キダシタ頃
え？
何…
わあああ
チョーサイン
トイウ方々ガ来ル
ヨウニナリマシタ

ああ
私ハ彼ラカラ人間トイウモノヲ学ビマシタ
ボタ
ボタ
うわああ
人間ガドレホドモロイノカヲ知リ
博士ガモウ修理デキナイ事ヲ悟ッタノデス
一緒ニ過ゴスパートナーノ
苦シンダリ死ヌ姿ヲ
モウ見タクアリマセン
ダカラ
私ハ私ト同ジ身体ガ頑丈ナ
ロボットノ家族ヤ友人ガ欲シイ

私ハ出逢イヲ求メテ
旅ニ出ル事ニシマシタ
ダガ
仲間ヲ作ルノハ難シイ
人間ニ興味ハ無カッタガ
学習ノ為ニ
人間トハヨク話シマシタ
ドウヤラワタシノ村ハ
調査ニ行ッタ人間ガ誰モ帰還シナイ事デ
マダマダ未知ノ病気ガ蔓延シテイルト思ワレテイル様ダ
ハタマタ私ガ病原菌ナノデスカネ
フフ
アノ村ニ人間ガ近ヅカナイノハ好都合
私ハイツカアノ村ヲ
ロボットダケノ楽園ニスルノガ夢ナノデス

不気味なマスクをした人影が近づくよ。
苦し気な息遣いの少女が連れ去られ、戻って来なかった。
街には動かなくなった人々。
少女は天使になったと後から聞いた。
街には祈りの声。
あの子もこの子も天使になったよ。

岸田尚一コマ漫画 ◉コラージュ＆文＝岸田尚

生きてくれて、ありがとう

人形作家・与偶が語った人形作りへの思い

――誰もが苦しみから解放されることを一番願っているんです

◎聞き手＝切通理作

●カラー図版➡p.002

★与偶の人形／衣装：伊藤聡美、撮影：Kay

東京・阿佐ヶ谷駅北口から約4分のところにあるネオ書房。映画などの評論のほか、映画「青春夜話 Amazing Place」を監督したことでも知られる切通理作が、1950年代から続いていた貸本屋の店舗を引き継ぎ、昨年8月にオープンさせた古書店だ。映画関係や漫画、サブカル系の本のほか、CDや怪獣のフィギュアなどが並び、店内はどことなく昭和の香りを漂わせている。

そこでは、さまざまなゲストを招いてのトークイベントも頻繁に開催されている。今年2月23日に開かれたのは、人形作家・与偶のトーク。両親より凄惨な虐待を受けながら育ち、中学のころ自ら精神科医院に赴いて「統合失調症」の診断を受け、しかしその一方で、高校時代から独学で球体関節人形の制作を始めた与偶。トークではその与偶の人形制作の背景や思いが赤裸々に語られた。その内容をここにご紹介する。

幼いころから親に虐待されてきた

●切通理作……今日は、二人の間に人形が一体鎮座していますが、この人形を囲みながら、これを作られた人形作家の与偶さんにいろいろお話をうかがっていきます。まず、人形を作り始めたきっかけなどからうかがっていければと思うのですが。

●与偶……なんで人形を作り始めたかというと、私は赤ちゃんのころから親にものすごい暴力を受けて虐待されてきて、小学生の時に両親に羽交い締めされてレイプされるとか、金属バットで殴られて歯を折られるとか、そういう状況で育ってきた、ということがまずあります。

　私は生まれつき、幻覚が見えたり幻聴が聞こえたりしていて、いまは薬でおさまっているんですけど、当時はキッチンの方から爪でガリガリ引っかく音が聞こえたり、闇の組織に狙われてると思い込んで交番に逃げ込んだりしたこともありました。実家が岐阜の田舎だったんで、精神科に連れて行かれることもなく、「これはキツネ憑きだ」とか言って神社でお祓いされたり、「悪魔憑きだ」とか言って悪魔祓いをされたり。あとで年上の従姉妹から聞いて知ったことなんですが、私のIQを計ったらずば抜けて高い数値だったらしいんですね。父親はそれを知ると「こいつはわざとやってる、俺への嫌がらせで幻覚を見たとか言っている」と曲解して、さらに私を虐待したらしいんです。

　親はだから、私が家の恥になるのを嫌って、無理矢理愛知県のお嬢様学校に入学させて、「お前はブランドの学歴を持ってお見合いでもして、うちの名前を汚さず結婚して出ていってくれ」って考えていたんです。食事なんて与えられなくて、父親がちょっとした規模の会社の社長だったので、来客も多くてお年玉が十万円くらいたまってたんですが、それをちょっとずつ使って食べたり、家族が寝静まったあとキッチンの残飯をあさってなんとか凌いでいました。

　それで、ある日、家のリビングにカタログ雑誌が置いてあって、そのインテリアのページに小さい白いお人形が載ってたんですね。この人形欲しいなと思っていろいろ調べたんですけど。その日食べるためのお金さえままならない私が、そんな高いものを買えるはずなく……それで、だったら自分で作ろうと思って作り始めたのがきっかけなんです。

●切……それは何歳くらいのことなんですか。

●与……高校二年生ですね。

●切……最初から、いまの形の、球体関節の人形だったんですか。

●与……最初からそうです。ネットがまだ発達してない頃で、作り方が分からなくて、ハンス・ベルメールのバラバラになった人形の写真とか、インターネットでどなたか人形作家さんの情報とかを見て参考にして、試行錯誤しながら作りました。

因果なことなんですけど、私の父親はものすごく多趣味で、造形とか絵もできる人だったんです。父方の血統は全員造形ができましたね。呪わしい父親なんですけど、私もそれを受け継いでいるらしく、あまり勉強しなくても大体の形はできちゃってました。

ここに持って来た人形の義眼は高校生の時に作ったんですけど。これもどうやって作ればいいんだろうと思って、お金もないのでコンビニ弁当の蓋をコンロであぶって柔らかくして、ビー玉みたいなものにギューっと押し付けて変形させて、金紙を貼って光彩を作ったりしました。できるだけ自作していたんです。

虚無を引き裂く手

●切……それでだんだん点数を増やしていったんですね。

●与……そうですね。作ることがすごく楽しくて生きる支えになっていったんですけど、私の父親は、「こんな気持ち悪い人形を作るのは、俺への当て付けか!」と言ってバンバン壊されてしまった。何ヶ月もかけて一所懸命作ったのに。だから、高校は保健室登校だったので、保健室で人形を作ってました。お嬢様学校なので、クラスメイトと話はまったく合わず、無理矢理教室に座ってると過呼吸になっちゃって、教室に行かず保健室で過ごしいたんです。

手で引っ掻き回しても虚無を掴むだけだが、もっと力を入れて虚無を引き裂けば、その先になにかあるんじゃないかと思う。

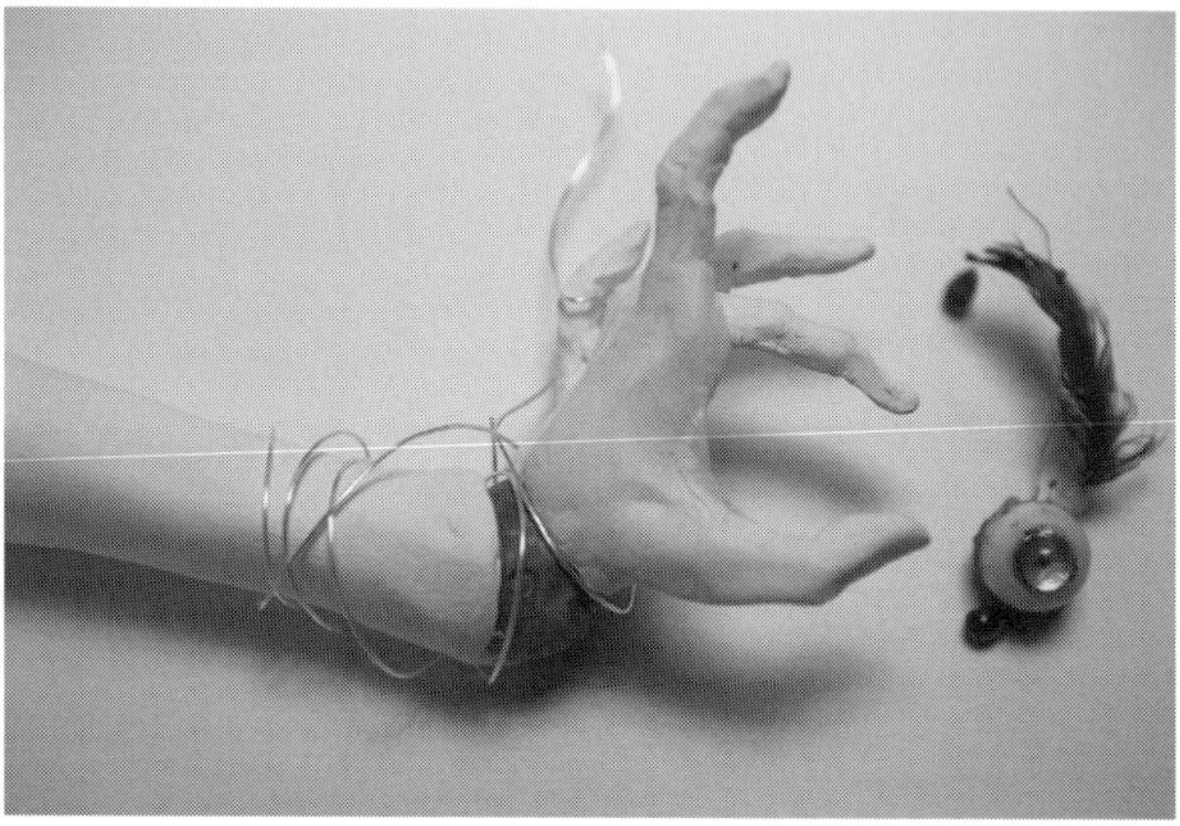

★与偶人形作品集「フルケロイド」より／撮影：SATOFOTO

私の作品集『フルケロイド』を見てもらうと、私の作る人形は、手がこう、虚空を掴むようにガーってなってるのがわかると思うんですけど、過呼吸になったり緊張したりすると、手足がそのようになって痙攣しちゃうんですよ。

●切……その人形の手の形って、すごく印象的ですよね。

●与……親に殴られてるときとかでもやっぱり過呼吸になっちゃって痙攣しちゃって、こういう手になってしまう。引っ掻き回しても虚無を掴むだけなんですけど、もっと力を入れて虚無を引き裂けば、その先になにかあるんじゃないかと思って……私の人形の手にはそういう意味もあります。

今日はアメジストという石を持って来たんですけど、心の中にはどんな色であれ、どんな形であれ、こういう多面体なクリスタルみたいな結晶ができてくると思うんですね。こういう結晶のように、楽しかったこととか、苦しかったところとか、辛かったこととか、いろんなことがあると多面体がどんどん複雑になっていって、いろんな色になっていく。このアメジストのように、場所によって色や光り方が違う。私の人形も全部顔が違うようで、実はこの多面体の一部一部のように見え方が違うだけで、根幹にあるのは全部同じなんですよ。人形自体の根幹は変わらないんですけど、その多面体の結晶の光り方によって、人形の個性が違うみたいな感じですね。

●切……実は僕、こんなトークさせていただいておこがましいと思ってるんですけども、与偶さんとはもう何度もお会いしていて、作品集も拝見しているんですけど、与偶さんの人形と対面するのは今日が初めてだったんですよね。皆さんがご入場される前、ここに人形をセッティングしているときに、与偶さんが、人形の首を傾げさせたり真っ直ぐにしたりしてくれたんですが、かなり印象が変わって、見る角度や照明によって同じ人形でも違う表情を見せるんだ、と驚いたんです。そうしたことも多面体と言っていいんでしょうね。

●与……そうなんです。首や手などが動くので、ポーズや見方によって、多面体のように全然違う表情を見せてくれるんです。そこもまた球体関節人形の面白いところです。

親から逃げ出し、東京へ

●切……それでちょっと話が戻るんですけど、そうして人形を作られて、外に発表というか、人に見てもらおうと思ったきっかけは何でしょうか。

●与……最初はただ作っているだけで良かったんですけど、人形を通して同じ苦しさを抱えている人とこの思いを共鳴し合えたら、それはすごく素敵だなと思って、外に向かって表現するようになりました。

●切……それは高校を出た後のことですか。

●与……そうです。愛知県に人形作家さんがいらっしゃって、その方と知り合いになって、東京のイベントに誘っていただいて、参加してみたらいろいろと声がかかるようになって。

　でも最初は、なんだかんだって言っても一所懸命作っても伝わらないだろうなって思ってたんです。ですが、ある方が人形を見てすごく泣いて下さって、その涙がとても美しくて、私ももらい泣きしちゃうくらいうれしくて。そういうことがあると、人形を作ってて良かったと思いますね。

●切……その後、東京に引っ越されるんですよね。

●与……高校を卒業して、親が無理矢理エスカレーター式に大学まで行かせようとしたんですけど、実家にいると虐待がすごくてすごくて、このままじゃ殺されるか、もう自分が死ぬかという瀬戸際になってしまったんです。そんな時、東京で人形を出品したときにお世話になったデザイナーさんと、昔のパリのミニチュアなどを作っている有名な作家さんが迎えに来てくれて、車で昼逃げをしたんですよ、東京に。親が働いている間に全部荷物を積んで。

●切……それは何歳のことですか。

●与……二十歳。それから東京での暮らしが始まったんですけど、いくら親元から逃げたといっても、夢の中に毎日出てきちゃう。毎日両親から虐待されて殺される夢を見るんです。東京に来たらすごく人形が作れると思っていたんですけど、そういう苦しみがあったり、もともと統合失調症という病気だったんですけど、鬱病とかもひどくなったりして、精神薬も増えて、七年間寝たきりでした。

　親の呪縛というものは本当に怖いもので、いまだに鮮明に頭の中に毎日毎日出てくるくらい苦しめられる。いまはやっと、自分に合った精神病院に通うことができて、そこは人形を作れる

人形を通して同じ苦しさを抱えている人と
この思いを共鳴し合えたら、
それはすごく素敵だなと思った。

ような薬の処方をしてくれるんですよね。だからこうして人形を作っていられるんです。

●切……七年も寝たきりだったんですね。その間は人形を作れなかったんですか。

●与……作れませんでした。そのときは、暴れなくして寝たきりにさせるような処方の薬だったんですよ。それで作れなかったんです。いまは悪夢とか、苦しいのとかが残る代わりに、人形を作れる気力が保てるレベルの分量の薬を出してもらっていて、苦しみながらですけど、作れるようになってきています。

心は子供のままで、人形も自身の分身

●切……インタビューなんかを読ませていただいてると、人形を作ること自体もかなり、過酷というか……。

●与……自分を刃物で傷付けていかなければ生きていけないように、人形も刃物で切り刻んで作っていくんです。戦うために自分を切り刻んで、戦うために人形も切り刻む。昔からなんですけど、リスカ（リストカット）とかの言葉もない時から、五歳か、それより小さいころからあちこち切ってました。親からの虐待を受けて逃げ場がない時には、手を切って自分の血が赤いってことで、命があるということを確認しないと、そ

★与偶

★切通理作

のまま自殺しちゃう感じだったんですね。自分の身体の中に赤い血が流れてるのを見るとすごく落ち着いて、だから人形も内側の空洞を自分の血で染めたり、爪にも血を塗ったりしています。

●切……自分の血で染めるというのは、人形をご自身の分身のように思っている、ということでしょうか。

●与……そう、分身ですね。私の心の中の結晶の多面体の一面がこの子だったり、別の一面が別の子だったり。

私は本当に、人格形成時から虐待されてきたせいで、土台がガタガタになってるんです。なので、その上に何かを積み上げていこうとしても、ガタガタ落ちて行ってしまう。だから、私はもうこの年になってこんな格好をしてるんですけど、ちゃんと大人になれずに、心の中はまだ子供のままで、感覚も感情も全部子供の時のままなので、人形も結構幼いんです。大人ではないのが多い。

●切……では人形は、子供のときのご自分にちょっと近いという感じなんですか。

●与……そうなんです。だから、私が年をとっても、人形の表現が変化しているってことは一切なくて、最初に作った人形から最新作まで、根幹は全部一緒なんですよ。たぶんこれから先も全部一緒だと思います。

苦しみを与える者を睨みつける目

●与……そういうふうに同じような人形を作っても意味がないと思われるかもしれないですけど、私がなぜ人形を作り続けてるのかというと、私みたいな苦しみを受けている人がいなくなるまで、人形は生き続けることができるからなんです。私みたいな人に暴力を与える人間がいる限り、人形が生き続けて、人形の目はほとんどが片目なんですが、その目で睨みつけ続ける。私の

人形の目は、苦しみを受けている人へは優しい見守る目であったり、救いを与えたいという目であり、一方で苦しみを与える人に対しては呪詛の目なんです。

　人形は目が命、顔が命みたいに言われるんですけど、人と話してるときも目の表情を意識しちゃって、目をどうしても見ちゃうんですよね。私は昔から切通さんの目が鋭くて好きで、私のこのいまの人形も、切通さんみたいな目に憧れて作ってる部分もあるんですよ。

●切……そういうことをお会いした最初の一回目か二回目におっしゃってましたよね。僕はたまに、ちょっと犯罪者みたいな目だと言われたりもして、あまり好きじゃないんですけど……。

●与……でも心の中に何かある人って、皆さんもそうなんですが、素敵な目を持っていると思うんです。人間の本当の美しさがそこにあると。それは目のパーツとかじゃなくて、表情筋がすべてだと思うんですね。その表情筋をどう使っているかで、その人の美しさが現れる。ただパーツが整ってるだけというのは、美しいとは思わない。

　だから人形を作るときも目から作ります。本当はバランスを考えながら身体全体の造形を作っていくんでしょうけど、私の場合は、目の表情を作ってから、どんどん周りを作っていくっていう感じなんですね。目だけ作って、そのイメージをどんどん後頭部や身体などにバーと広げていく感じで作っているんです。

私みたいな苦しみを受けている人がいなくなるまで、人形は生き続けることができるから、人形を作る。そしてその片目で、暴力を与える人間を睨みつけ続ける。

★与偶の人形／衣装：伊藤聡美、撮影：Kay

衣装のレースは毛細血管をイメージ

●切……最初に人形のイメージイラストのようなものは描かないんですか？

●与……一応設計図を描くんですけど、作り始めたら無視してます。頭作って、頭に合わせて胴体を作って、胴体に合わせて手足を作ってっていう感じで。最初の頃はデッサン通りに作ってたんですけど、それがつまらなくなっちゃって、どこまでデッサンを崩していけるか、ギリギリまで試してるところもあったりしますね。デッサン狂っていても、どこまで面白みが出せるかという方に興味が湧いてきて、で今は、目を作って頭を作って……というやり方をしています。

◉切……衣装に関してはいかがでしょう。トークの前に、衣装を作りたいという方がいらっしゃるということをうかがったのですが。

◉与……そうなんですよ。皆さんご存知、羽生結弦選手の衣装を作っている伊藤聡美さんという衣装デザイナーの方が、私の人形を見て、人形の洋服を作りたいと言って下さって、今度のヴァニラ画廊でのグループ展でその衣装を着た人形を展示する予定です。（※）

◉切……作品集に掲載されている衣装は、与偶さんが作られたんですか。

◉与……全部自分で作ってます。ただ私にとって洋服作るのは人形を作ることより難しく、作品集の表紙の人形の洋服も、前から見れば大丈夫なんですけど、後ろから見たら、なんじゃこりゃっていう感じで歪んでいて……下手くそなんですよ。

衣装でのこだわりは、できるだけレースを使うようにしていることで、レースは私の中では毛細血管のイメージがあるんですね。そのレースを含めて、衣装はすべて毛細血管をイメージしたものなんです。だから羽生選手の衣装を作っている方にも、血管をモチーフにした衣装にして下さいと伝えてあります。

私は無意識に作っている部分もあるんですけど、常に意味を求めようとしてしまうところがあって、レース以外でも、作品集の表紙の人形なら、切り裂くためのハサミを持っていたり、ものを開くための赤い鍵を首から下げていたりとか、小物に関しても意味を持たせようとしてしまうんです。

気持ち悪がられる昆虫への共感

◉切……作品集を拝見していると、羽とか、昆虫的なモチーフも目につきます。

◉与……そうなんですよ。私自身はいわゆるマイノリティーだという自覚があるんです。昆虫は男の人は全然大丈夫かもしれませんが、女性の方の多くは、ムカデとか蜘蛛とかを、その存在だけで拒絶してしまうところがありますね。私自身も私の人形もそういう虫のようなところがあって、気持ち悪くて生理的に受け付けないとか、そういう風に思われちゃうところが、共通してるなと思っているんです。

でもいつも思うんです。子供って虫を触《さわ》れますよね。なのに大人になるとなぜか触れない。私は岐阜の田舎で育って、昆虫はいっぱいいたの

★「フルケロイド」の表紙に使われた写真／撮影：SATOFOTO

（※）伊藤聡美が衣装を制作した与偶の作品を展示したグループ展「Condensed Vanilla 2020」は現在は終了。本誌掲載の川崎栄治撮影の写真が、同展での展示作品。

で昆虫大好きで、そのまま、さきほども言った通り、心の中は子供のままで大人になってる。私は蛾のタトゥーを入れてるんですけど、女の友達はこれを最も気持ち悪い昆虫だって言うんですよね。私は蛾は、身の部分が毛皮みたいになってて、夜羽ばたいて、街灯の光に向かって飛んでいくところがすごく好きで、蝶よりも美しいと思ってます。セミや甲虫とかもすごく好きで、羽の色とかもメタリックで美しいですよね。家の中にゴキブリがいても殺す必要なんてないので、手で鷲掴みして窓から逃してあげる。

　私の人形の場合も、血を使ってたりするので生理的に無理という方ももちろんいて、それが昆虫に対する見方と似てるなっていうのはすごく感じてて、私はそう思いもあって、体にいっぱい昆虫のタトゥーを入れてるんです。しかもイラストっぽいものではなく、標本のようなリアルな絵柄のタトゥーです。

人形制作において、自分の中にないものは作りたくない。

★「フルケロイド」より、漏斗胸の手術痕のある人形／撮影：SATOFOTO

友達の死を知り、泣きながら人形を作った

◉**与**……リアルというのは、人形制作においても、自分の中にないものは作りたくないというか、作らないっていう思いがあって、例えば、私は漏斗胸と言って、肋が奇形で陥没してる病気で手術を受けたんですが、作品集にも載っているこの子と同じ痕が実際に残ってるんですね。こういう風に自分がリアルの世界で感じとったもの以外は作らないことにしています。想像とか、おもしろ半分ではものは作らない。

　こうした人形作りは、たぶん苦しむ人がいなくなるまで、苦しめようとする人がいなくなるまで続けて、もしその役目が終わったら、人形も私も土に還れればいいなと思っています。

◉**観客**……役目が終わるっていうのは、具体的には何を指してるんですか。

◉**与**……私のように、私の場合は家族からの虐待ですけど、いろんな形で苦しめられている人は多いと思います。そのように苦しめられいてる人がいなくなれば、私はこんな表現をしなくてもいいと思ってるんです。いるから、その人の側にいてあげられる人形を作りたい。誰もが苦しみから解放されて、誰もが相手に苦しみを与えない世界になってほしいというのが一番の願いなんです。そうなったら、思い残すことはなくなると思います。

ただ実際は、苦しい人がいなくなることはないでしょうから、作ることをやめることはないでしょうし、土に還ることもないと思いますが。

◉観客……東京に出てから七年間、寝たきりで人形も作れなかったとのことですが、人形作りを再び始められたのは、何かのきっかけがあったんでしょうか。

七年間寝たきりで人形が作れなかったが、大事な友達を亡くして、すごい涙とともに、その友達をモデルにした人形を作った。

◉与……実は七年経ったあとに制作したのは、死んでしまった友達をモデルにした作品だったんですよ。本当に身近にいて大事な友達だったのですが、突然死してしまって、すごく深い悲しみに襲われて、その友達の人形を作らざるを得なかったんです。七年の余白があってもその悲しみの深さのおかげで、二体、赤いしほちゃんと白いしほちゃんっていう、しほちゃんっていう子が亡くなっちゃったんですけど、その子の人形が世に出てきました。

★「フルケロイド」より、亡くなった友達をモデルにした人形（左の写真も）／撮影：SATOFOTO

私は今三十八になったばかりなんですけど、私の友達は十代、二十代でみんな自殺しちゃったんですね。本当に心開いていた友達が、ほとんどいなくなってる。この二つの人形は、その時亡くなった子の白バージョンと赤バージョンなんです。私よりひとつ年上でいろんなことを教えてくれたり、遊んでくれたりした子なんですけど、武蔵野美術大学の卒展間近のときに突然死してしまって、それを、一年後にその子のお母さんから電話がかかってきて知ったんです。お母さんがその子の死後に日記を読んだら、私のことを「すごい好きだ」って書いててくれたので、苦労して連絡先を調べて電話してくれて。その話を聞いて、もう、すごい涙とともに、この人形を二体作りました。

その子は突然死だったんですけど。自ら命を断ってしまった友達がとても多くて、しかも思いつめてっていうよりは、突然パーッと飛び降りてしまう子が多くて、でも私は、死ぬなとは言えないんですよ。だって、そんなに苦しいのに、生きてろって言ったって、私が何十人も面倒をみてその傷を癒せるわけじゃないですし。

死という選択肢があるから、その分余裕を持てるということもがあると思うんです。私も、誰かに死ぬなって言われてその選択肢を奪われたら、もっと思いつめちゃうと思うので、だから人に死ぬなとは言えないんです。私も言われたくないんですね。

昔からの友達の一人には「オーちゃん」というあだ名で呼ばれているんですが、本名が「れい」で、れいは0《ゼロ》でO《オー》と同じ形なので、オーちゃんって呼ばれてるんですけど、その友達に、「オーちゃん優しいね」って言われたことがあって、なんで?って尋ねたら、「生きててくれるから」って言うんです。「先に死なれたら私たちが悲しい思いをするから、生きててくれて、私より1日でも生きててくれてありがとう」って。

私も相手に対してそういう気持ちを思っていて、例えばこちらに来てくださった皆さんとかも、切通さんも、一日でも長く生きてくださるのが私にはとても嬉しいことなんですね。皆さん、いろんな悩みや苦しいこととかあると思うんですけど、それでも今日ここに足を運んでくださり、話を聞いてくださって、そして今日を生き抜いてくださったことが本当に嬉しいんです。

だから、感謝です。

皆さん、生きてくれて、本当にありがとう。

◉注=質疑応答で「上京の七年後に友人をモデルにした人形二体を制作した」という意味の発言しましたが、時系列が私の記憶違いでしたので訂正します。その七年間の人形をまったく作れない時期の最中に、友人の死を知り、彼女への鎮魂のために無理を押して、歯を食いしばって、やっとの思いで完成させたのが、その二体でした。都会の暮らしにまったく馴染めず、精神はどんどん不安定になり、精神病院の閉鎖病棟に幾度も入退院を繰り返していた非常に辛いその七年間に、完成させられた球体関節人形は、その二体だけでした。(与偶)

★撮影：SATOFOTO

★与偶（よぐ）

1982年1月5日、岐阜県土岐市に生まれる。先天性の遺伝的疾患（漏斗胸、全身の蒙古斑、幻覚幻聴障害）を持ち、幼児期より日常的に両親から凄惨極まる身体的虐待、性的虐待、心理的虐待を受けながら育つ。1994年4月より父親の一存で愛知県のミッション系私立中学に進学。この時期から精神的な限界を自覚、自ら精神科医院に赴き「分裂病(現在は「統合失調症」と呼ばれる)」と診断を受け、通院治療を開始。

ミッション系私立高校進学後より、球体関節人形に関心を持ち、独学で人形制作を開始する。2000年3月、高校卒業後からはアルバイトの傍ら、自室で人形制作に打ち込む。名古屋在住の人形作家・神楽氏主催の教室の同人となってグループ展などに作品出品を開始。2001年、漫画原作者・大塚英志氏よりの依頼を受け、同氏制作のCD『ロリータの温度』ヴィジュアルのための人形を制作。2002年末、「季刊エス」創刊号に作品紹介とロングインビューが掲載され、反響をよぶ。それを受け、翌2003年、「季刊エス」第2号より『人形供養』を連載開始。同年4月、京都の昔人形青山/K1ドヲルにて初めての個展を開催。

成人となっても両親からの虐待は治まるどころか熾烈を極め、生命の危険を感じたために同年初夏、実家から家出。東京に移住する。両親から逃れたその後も、重度の精神病との長期に渡る闘病の他、さまざまな疾患の連鎖によって入退院を繰り返す(現在も継続通院治療中)。

2010年夏、本誌No.43より『辛しみと優しみ』を連載開始。2017年夏、初作品集『フルケロイド』を刊行、東京のヴァニラ画廊にて13年ぶりの個展を開催した。

★与偶人形作品集「フルケロイド FULLKELOID DOLLS」
好評発売中！ A5判ハードカバー・税別2750円
発行：アトリエサード／発売：書苑新社

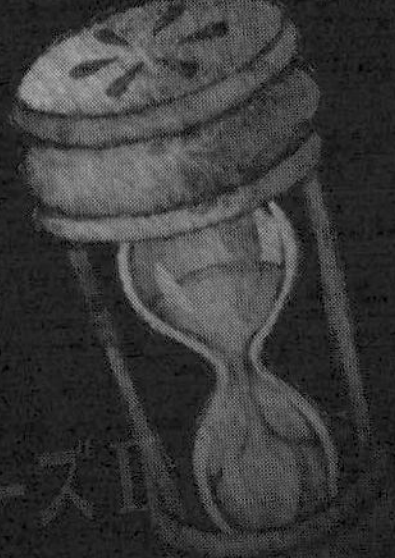

M氏の暗黒~~メルヘン~~日記Ⅱ

最合のぼる 文・写真

Tama / illustration

一月末日

某雑誌のS編集長より、常連執筆者向けに次号企画案募集のメールが届く。中々興味を惹かれる特集ではあるが……これは半年前の日記の冒頭であり、同様の状況が再び訪れた。それは、なんちゃら絵本シリーズの第二巻が三月に刊行されるからである。私はフィクションの書き手なので日々の営みを綴る行為に全く興味はないが、昨年末の忘年会だったかゝのS編集長にお会いした時、二巻の刊行に合わせて制作日記を再開することを提案してみたのである。S編集長はあっさりOKし、私は半年前の日記を使い回せるとほくそ笑んだが、読み返してみるとだいぶ様子が違ったので真面目に書かなければならなくなった。気を取り直して、このシリーズがどんなものなのかお復習いしよう、念のため。なんちゃら絵本シリーズとは、国内外の名作童話に着想を得て私がでっち上げるダークな大人のメルヘンに、五人の少女系幻想画家が毎巻全作描き下ろしの絵を提供し、合計五冊を連続刊行していくという夢のようなコラボレーションだ。確かに素晴らしいプロジェクトだが、私にとってもはや悪夢でしかないこの企画。なぜ悪夢かと言えば、刊行のペース配分をしくじったから。各巻四つの物語が収録される本作において画家は四話分の絵を描き下ろすが、私が書き下ろすのは一話だけだ(三話は連載分の再構成だから)。諸々の作業があるとしても半年ごとなら楽勝だろうと考えた。しかし年を取るほど、時間の流れが早くなるのを忘れていたのだ。気の遠くなるような年月を生きながらえてきた超高齢者の私にとって、半年など瞬きする間にやって来る。二百年に一冊くらいで良かったのだ、五巻目まで地球がないかもしれないけど。思い起こせば去年の夏、第一巻のK画伯との血反吐の日々の最中から、二巻の作業は進行していたのである(血反吐の日々は前回の日記をご参照)。第二巻の画家は、不気味キュートな画風で超人気、作品集もバンバン出している少女主義的水彩画家のT画伯。国民的長寿アニメ番組の海産物系一家に飼われている猫と、なにゆえ同じ画家名なのかは知る由もないが、T画伯とは初めて仕事をご一緒する。本作りには濃密なやり取りが必要となるが、氏とは挨拶程度しか話したことがないので、正直人柄は全くわからない。聞けば氏は、他人とコラボをしたことが一度もないと言うではないか。これは協調性の欠片もない、そーと一偏屈な人物に違いない。もちろんこの企画を打診した時は、とても朗らかにご快諾頂いたが、そんなの表向きの顔に決まっている。おまけにT画伯、絶世の美女なのだ。これはマズいと本気で身構えた。だってさー、美人で画才があってしかも性格良いとかナイナイナイ、絶〜対無い。少しでも機嫌を損ねようものなら、化け猫さながら攻撃してくるだろう。いや化け猫ならまだ可愛い、とんでもないドS女王だったらどうしよう……妄想はさておき。何と言っても、仕事の早さに驚かされた。とにかくラフ(構図のアイデアをさっと描いたもの)がジャンジャン来るもんだから、こちらも必死でついていくハメになった。恐る恐る多少の修正をお願いしてみれば、瞬時に直したラフが送られて来る。調子に乗って更に修正を依頼しても、これっぽっちも嫌な顔をしない。奇っ怪なことに楽しんでいる様子さえ覗える。そしてラフも早ければ、ラフから下絵になるのも、着色して完成するのも光速だ。もちろんどれも素晴らしい出来映えですよ、何なのコレ。確かにこちらが〆切りを設定しているが、本気で守ってもらえるなんて思っちゃいない。自分を含め遅延上等、作家なんてそんなもんだ。ところが毎月きっちり、ほぼ同じペースで上がってくるという驚異の計画性と実行力。一巻目のK画伯は訳あって少しペースダウンしていたが、それでも筆が早いと思っていた。しかしT画伯はその数万倍もの早さで、私がページ配分間違えたために追加でお願いしたカットも、私がモタモタしていた書き下ろしの絵も、果ては出版記念展用の新作絵画まで、ひょっとしたらすーごく良い人なのかも♡と思い始めた頃には、全作ぶっちぎりで描き終えしまった。スゲーわ、マジで惚れた。

二月某日

少し間が空いてしまった。この間、何をしていたかといえば、原稿の色調整だ。Ｔ画伯、水彩画ゆえに繊細な色合いにはかなりこだわりがあるようで、いつも色校には膨大な時間を費やしているとのこと。作業の段取りとしては、テストプリントを元に色調修正をした画像を再送してもらい、差し替えたテストプリントでまた確認していくという感じ。当初から原画と印刷物の色の違いについて悩ましいと言っていたＴ画伯、おそらくこの作業を徹底して行うことが予想された。すでにＴ画伯のお人柄はピンク色の小さな薔薇のように可愛らしく、そよ風のように爽やかなポジティブ思考と確信できたが、どんな人物でも二面性があるもの。それが優れた芸術家なら尚更だろう。こだわりの色調整、今まで伺い知る事のなかった病的なまでの固執に立ち会うことを覚悟した。余談だが、一巻目のＫ画伯（Ｂ型）との色校は絵に関してはほぼ一発ＯＫ、表紙やロゴに関してはシリーズ初刊ということもあり、入念なやり取りをした記憶がある（こだわりは人それぞれだな）。とにかくまず一回目、おそらく全ての色にダメ出しを……あれ？　届いた画像は半数もない。どこを調整したのか素人目には全くわからないが、いやいや、その微調整こそが画家のこだわり。凡人が判別できない色が見えているに違いない。因みに私は書籍全体の調整をするので、扱うページ数はＴ画伯の倍以上、微妙なグラデーションなども多く、それなりに時間を要する。しかしそんな私の執着などカッパの屁、画家の足元にも及ばないはず。そして二回目、差し替える画像は……あれれ？　たったの四枚。しかも「私はこのくらいで大丈夫です(^^)」というメッセージが添えられているではないか。まだまだ続ける気マンマンだったこちらの気持ちは、すっかり置いてけぼりに。結局その後、入稿ギリギリまで、文字通り病的なまでにテストプリントを繰り返してＳ編集長に嫌がられたのは、私の方だった。

三月某日

月が変わり、日記というより月記の呈。なんちゃら絵本シリーズ二巻の原稿は先月末に無事に入稿し、出版記念展の準備も佳境だ。しかしここに来て、世の中不穏な空気に満ち満ちているのは、どうしたことか。よもやこの話題に触れることさえ忌々しい。というか諸兄がこの日記を読む頃には事態が収束し、笑い話になっていることを切に祈りるばかりである。とにかく二月は諸々の作業でイッパイイッパイだったので、Ｓ編集長から来ていたメールを放置していた。実は前回同様、この日記を書くにあたって、何か面白い話題を振ってくれとお願いしていたのだ（前回は全く面白くなかったけど）。ふむふむ、ふーん……新刊に込められた“ヤミ”について収録作ごとに解説とか、Ｔ画伯の作品に感じる“ヤミ”についてとか、名作童話における“ヤミ”についてとか、どうですかね。面白くもなんともないですが、面白くして下さいませ！……だって。なんだよヤミヤミヤミヤミって。もうさ、どこの疫病神が暴れてるんだか知らんけど、この話題は腹一杯で胸焼けする。え？「病み」じゃないの？　何でもいいけど、やる気になったら考えよう。それはそうと、私は作風のせいで病んでいる系に思われがちだが、全くそんなことはない。心身共にかなり健康な方だと思う。超高齢者であることは周知の虚実だが、健康診断でひとつも異常値はないし、幸運にも手術を伴うような大病もしたことがない。睡眠時間はどんな時もたっぷり八時間、筋トレは週に四日、三度の食事は高タンパク低カロリーを心掛け、脂質は良質なものだけを少量摂取し、夜の炭水化物は控え目に。強いて問題があるとしたら酒量だが、そこまで制限したらストレスがたまる。なぜこんなに気をつけているかと言えば、健全な肉体と強靱な精神がなければ、不健全な物語は創作できないと考えているからだ。そんなわけで、そろそろ夜明けが近いのでオヤスミナサイ。くれぐれも日中に連絡してこないよ

三月某日の数日後

そろそろＳ編集長から寄せられた質問の回答でも考えようか。そう、新刊収録作の解説だ。ところで私は自分が書いたものを、ほとんど読み返さない。こう見えてＴ画伯以上に前向きな性格なので、書き終えてしまえば忘却の彼方、過去は振り返りたくないないのである。そうは言っても、解説するにあたり全く覚えていないのでは話にならないので渋々読み返してみたら、あら大変。どの物語も、それは酷いこと酷いこと。特に一話目、二話目は何じゃこりゃって感じだし、主人公たちはかなり病んでいる。なんでこんなラインナップになってしまったのかと言えば、Ｔ画伯の作風に寄るところが大きい（責任転嫁）。因みにアンデルセン色が強かった第一巻に比べ、今回はグリム色が強くなったのは偶然だが、良いバランスになったように思う。そーいえば、Ｓ編集長からのメールにやたらとヤミヤミ書いてあったが、あれは「病み」なのか「闇」なのか。まあ、いいや。各話に登場するユニークな人物たちからアプローチして紹介しようじゃないか。どれがどの収録作なのか、是非なんちゃら絵本シリーズ第二巻をお買い求めの上、付け合わせをして楽しんで頂きたい。立ち読みは、呪う。

症例１　嫌悪感を好むという特殊嗜好を持つ女子児童

カエルの解剖で開眼し、加速度的にグロテスクなものを欲していく少女が主人公の、収録作の中でも一二を争う身も蓋もない話。アンデルセン童話『親指姫』の序盤で、コガネムシがさらってきた親指姫を仲間の虫たちに「可愛いだろ〜」と自慢するくだりを覚えているだろうか。期待した羨望の眼差しどころか、仲間のコガネムシたちが口々に親指姫の姿を罵る場面だ。私はどちらかと言えば虫が苦手だが、大きな理由の一つにその造形がある。沢山の手足や蛇腹のような胴体など、こうして書いているだけでも悪寒がする。逆に虫の方からしてみれば、二足歩行で肌もなめらかな人間の姿はかなり気色悪いのではないだろうか。ところで苦手と言いつつも私の自室にはなぜか虫の標本がずらりと飾られている。理由は嫌なモノを見たいから。死骸ならば動かないので安心して気持ち悪さを堪能できる。嫌よ嫌よも好きのうち、このアンビバレンスな感情は一体……何の話だっけ。ともかくこの物語に相応しい絵を考えた時、真っ先に頭に浮かんだのがＴ画伯だった。愛らしい絵柄ながらも、少女たちの体は千切れ、内臓を引きずり、蛆虫なんかも容赦なく描かれる。可愛ければ可愛いほど気味悪く、Ｔ画伯の内に秘めた深い闇を感じずにはいられない。めくるめくキュートなグロテスク世界！　実に素晴らしい！　あ、大事なことを忘れていた。このシリーズの背景写真は全て私が撮影しているが、トライポフォビアもしくはその傾向のある方は、特にこの物語にはご注意頂きたい。如何なる場合も責任は負いかねる。

症例２　一度封印した欲望を開けちゃった冴えないアラサー女性

人間には様々な欲があるが、一番と言っていいほどやっかいなのは食欲ではないだろうか。生命を維持するための栄養摂取のはずが、味わうことを知っているが故に欲望は過剰になっていく。そんな行き過ぎた摂取の果てには肥満による各種病が待ち受け、今度は厳しい食事制限を余儀なくされる。病気にならずとも、永遠にダイエットを続ける女性も少なくない。そういった食に対する欲望、さらには飢餓を扱った童話といえばグリム童話の『ヘンゼルとグレーテル』が思い浮かぶ。空腹の貧しい兄妹が辿り着くのは、夢のようなお菓子の家。兄妹は美味しいケーキやクッキーを腹一杯食べるが、それは丸々と太った二人を食べたい魔女の罠。自然界の食物連鎖をメルヘン仕上げにした残酷物語だが、至極真っ当なところが一点だけある。それは魔女でさえも〝食べ物〟を欲するところだ。だってほら、人間だってお肉だし、一応。ではこれが、普通には食さないモノを好む人だったらどうなるのか。そう、いわゆる異食ってやつ。世の中にはガラスとか鉄屑とかを好んで食べてしまう人がいるらしい。そんな風変わりな人物に思いを馳せて紡いだこの物語、私にしては珍しく微かに百合風味であり、食欲減退必至のオチも酷い貴重な一篇となった。因みにＴ画伯の絵の見所は魚のぶつ切り、探してみよう。ところでお菓子の家はどうして腐らないのか、森の中で野ざらしなのに。答えは、主人公の女性が自信なさげに呟いている。

Dark fairy Ta

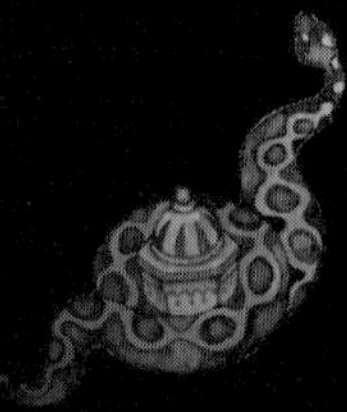

症例3　何と戦っているのか自分でもわからないボクっ娘

誰しも思春期に漠然とした反抗心を抱いたことは少なからずあると思うが、今思えばあのモヤモヤとしたやり場のない感情は何だったのだろう。攻撃性を外に向けて荒れる者がいる一方で、一見大人しく聞き分けの良い者は案外その刃を自分自身に向けてしまうこともある。この主人公は正に後者で、眠り続けることで自分を取り巻く世界に反旗を翻している（たぶん）。因みにこの子は自分のことを「僕」と呼ぶ。それはファッションなのか、某かのコンプレックスなのか、判断は読者に委ねるが、とにかく少女が自分を「僕」と呼ぶ声が私には聞こえた（幻聴ではない）。そのせいで疑うことを知らないピュアなT画伯は、当初、少年主人公の掌編だと思ったようだ。何しろ氏は少女主義なので少年は描けない。否、描いてはいけないのだ。氏が悩みに悩んで静かに発狂していく様も見たかったが、その前にボクっ娘である旨を伝えて事なきを得た。さて、グリム童話の『いばら姫』。主人公の王女は、魔女の呪いにより、十五歳で百年の眠りにつく。まさに思春期真っ只中の彼女が眠っている間に見ていたはずの夢の話は書かれていない、百年分もあるのに。どんな長編悪夢か、機会があれば聞いてみたいものだ。

症例4　ロマンチックな妄想をある種の怨念に昇華させた少女

このなんちゃら絵本シリーズでは、必ず一作、画家からリクエストされた童話から物語を書き下ろすことにしている。それが今回の表題作である物語だ。グリム童話の『灰かぶり』、シンデレラと言った方がわかりやすいかもしれない。この物語に決定するまでの経緯を書いていると収まりきれないので割愛するが、T画伯からの候補作はバレエに関するものが多かった。聞けば少女時代に習っていたという。少女T画伯のチュチュ姿、想像するだけで鼻血……じゃなくて。とにかくバレリーナが出てくる話にしようと、童話より先に決めてしまった（つまり童話は後付け）。ところで改めてこの巻のラインナップを眺めると、これはマズいのではないのかと思い始めた。先の日記でも触れたがどの話もあんまりな感じだったからだ。これではT画伯のファンに闇討ちに合いかねない。対策を兼ねて、書き下ろしはシリーズ全編通しても、最もロマンチックな物語になってしまった。主人公はT画伯が描かない中年男性（not バレリーナ）。出会った少女の忘れ物に切ない想いが取り憑いたのか、取り憑かれたのか。ロマンチックがロマンチックを呼び、長い年月を経て、深い闇を抱えたラストとなるのは言うまでもない。

三月某日の数日後の数日後←今ココ

いよいよ来週から出版記念原画展が開催される。しかも書籍は展示会場先行発売だ。初日の画廊前ではT画伯の熱心なファンが徹夜で陣取り、始発電車の運行と共にあれよあれよと言う間に長蛇の列、配布される整理券を巡って阿鼻叫喚の血で血を洗う争いが……ンなわけない。しかしそろそろT画伯とも別れの時が近づいているのは確かだ。本当に素晴らしい時間を共有させてくれたT画伯には感謝しかない。それなのに、嗚呼それなのに。罪深い私は次の画家・T²画伯（イニシャル同じでややこしい）との蜜月を初めてしまっている。現時点で氏の絵はすでに数枚出来上がり、それがまたこちらの予想の遙か斜め上を行く極限のお耽美……という訳で、この話はまた次回。余程のことがない限り半年後にお目に掛かろう。日々暗闇から諸兄の購買実績や宣伝協力の動向を監視しているので、私の恨みを買わないよう宜しく頼む。

※本日記は事実にそこそこ基づいたフィクションです。
あまり真に受けないようお願い申し上げます。

病と日本人
——古代の信仰から「針聞書」まで

◎文＝浅尾典彦

生きている限り「病気」という恐怖は付きまとう。「病気」は常に健康と隣り合わせにいる。今回は「病」から日本の文化や思考を紐解いてみよう。

「病」の成り立ち

「病」という漢字は、中国の会意兼形声文字で「疒」と「丙」が組み合わされて生まれた。「疒」はやまいだれ（病垂）で、「爿」ショウというベッドの上で高熱で発汗している人が横たわっているのをタテに描いた病気を示す甲骨文字。「張り出し広がる」の意味を持つ脚の張り出た台「丙」とで成立つまりは、ベッドで寝る人の病気が重くなる様子だ。また「病」と「疾」は違い、古代人は人々が寝たきりで起き上がれない重いものは「病」、怪我等比較的軽症なものを「疾」と呼んだ。

古代の信仰

昔の日本人は「病気」を恐れ、悪さをする何か別のものが体の中に入ると考えた。ウイルス感染などによる疾病もあるのであながち間違いではない。人にとりついて病気をひき起こさせるという魔物「病魔」が居るのだと。

古代人にとって「病」の多くは鬼の仕業であった。平安時代の医学書『医心方《いしんぼう》』に病気は「鬼」が原因だと記されている。疫鬼《えきき》という「鬼」のせいだ。ゆえに、無病息災の為には神仏に祈願し、お守りやお札をもらい、霊水を使うみそぎや滝行、榊によるはらいなどは浄化の治療として考えられた。節分の豆まきなど個人でも邪気退治の行事を行い、柊の小枝と焼いた鰯の頭を刺して柊鰯《ひいらぎいわし》を作り門口に挿して節分に魔除けとして使った。「イワシの頭も信心」というやつである。

怨霊思想

奈良時代から平安時代になると、「病」の原因は恨みの念や怨霊の仕業とも考えた。いわゆる「怨霊思想」である。

菅原道真《すがわらのみちざね》は"学問の神様"として知られる一方で、怨霊としても知られる。たぐいまれなる才能により右大臣にまで登りつめるが、藤原氏などの彼を嫌う有力貴族の謀略により九州は筑前国の大宰府に左遷されてのち、延喜3（903）年、享年59歳で死去した。ところが道真没後5年。首謀者の一人藤原菅《すが》根《ね》が54才で亡くなり、ついで左遷の張本人である藤原時平は加持祈祷もむなしく死亡、さらにその子孫たちも次々と死に、923年には、醍醐天皇の皇太子の命まで奪われる。

これらはすべて菅原道真の怨霊が元凶と考えられた。

1008年（寛弘五年）、紫式部によって書かれた『源氏物語』の「葵」巻から取材して創られた『葵上《あおいのうえ》』は世阿弥の改作で、能楽の四番目物。怨霊物の演目として知られる。六条《ろくじょう》御息所《みやすどころ》が光源氏の正妻である葵上を嫉妬し、生霊《いきすだま》となって葵上の枕元に出現、恨みにより病気に陥れ苦しめる。葵上の病臥を、小《こ》袖《そで》を一枚床に置いてその態と見立てる。そして、般若面の生霊が傍らに立つという表現で人間の潜在意識の恐ろしさを見事に描いた。二次創作で美輪明宏が演出・美術・主演した『葵上』（三島由紀夫の『近代能楽集』より）も、迫力ある舞台だった。

祟り、呪い、恨みなどによって病魔に襲われたり、憑依されたりされた重症患者は、神仏に頼る。陰陽師や僧侶よる加持祈祷（東洋のエクソシスト）など神事が主な治療方法で、日本では医者はまだ人を治す中心にはいなかった。

「病」のキャラクター化

鬼や鵺《ぬえ》、妖怪など、「病」の原因は物の怪のせいだと考えられ、その姿が創造されていった。

平安時代末期、京都御所の清涼殿に黒煙と共に毎夜鵺が現れ鳴き声が響いた。

鵺は『平家物語』に出てくる、猿の顔、狸の胴体、虎の手足を持ち、尾は蛇のハイブリッドな怪物だ。干支の神獣の掛け合わせがスタートだが『源平盛衰記』では背が虎で足が狸、尾は狐の組み合わせである。その出現に二条天皇は大いに恐れ、ついには病となり薬や祈祷も効果はなかった。弓の達人だった源頼政は、その怪物、鵺退治を命じられた。

震々《ぶるぶる》は人に冷気を感じさせる妖怪。これが人間の襟元に取り憑くと、恐怖を感じた人間の首筋がぞっとするという。悪寒なのだ。「臆病神」「ぞぞ神」ともいう。

ひょうすべは、民間伝承の頃は河童の亜流的な立場であったが、「ひょうすべ笑うのにつられて自分も笑うと死んでしまう」「ひょうすべを見た者は原因不明の熱病になり、またその病は周囲の者にも伝染する」という、人間に伝染病を流行させる物の怪へと進化していった。

虎狼狸《ころうり》は、絵巻などに登場する妖怪で、虎、狼、狸が合体した容姿。これに憑りつかれると「ころり」と死んでしまう。江戸時代に流行った「ころり」はコレラで、眼にみえない伝染病を視覚的に認識するためその姿が生まれたとされる。

その他にも、人を病気にする病神《びょうしん》や、〃おこり〃と呼ばれたマラリア熱の病を起こす瘧鬼《ぎゃくき》という物の怪もいる。

★明治時代の錦絵新聞に描かれた虎狼狸獣

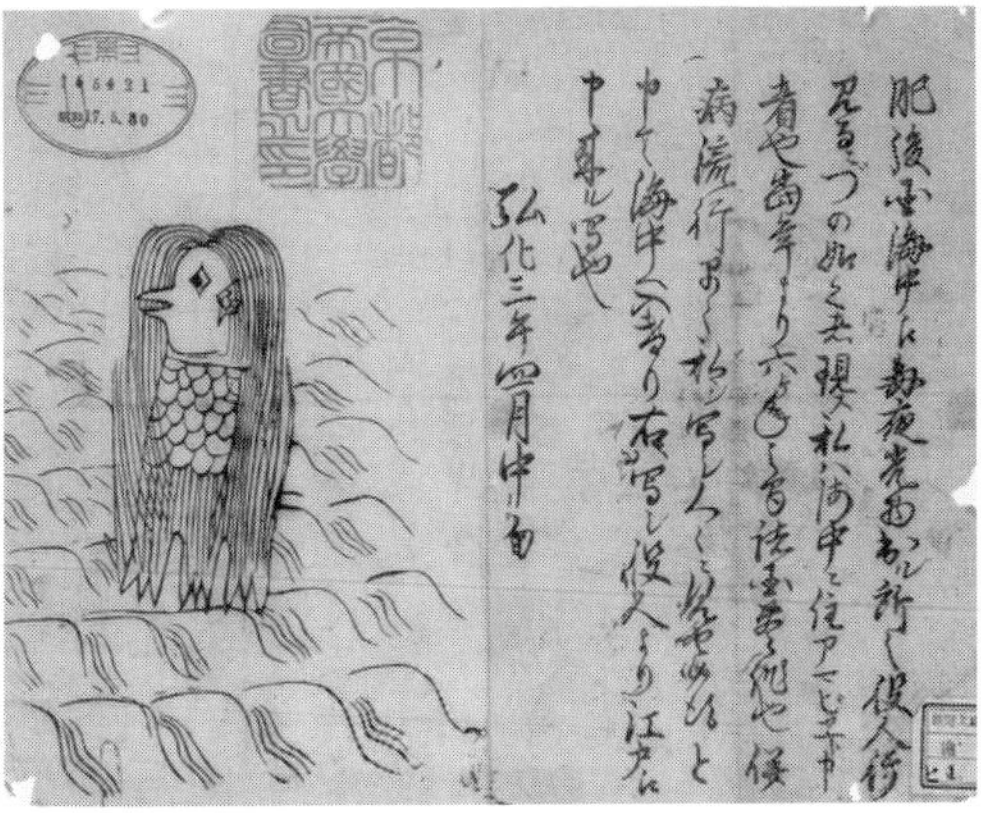

★アマビエの出現を伝える弘化3年の瓦版

おまけは、アマビエ。弘化3（1846）年、肥後国（現・熊本県）の海中から現れた妖怪で、全身が鱗に覆われており人魚に近いが、口がくちばし状に尖り、三本足であった。そして「もし疫病が流行することがあれば、私の姿を描いた絵を人々に早々に見せよ」と目撃者にお告げをして海中へと消えたという。また文政時代に肥前に現れた神社姫や姫魚もコレラの流行を予言し同じ伝染病対策を語った。こんない奴なら歓迎だ。

腹の虫

室町時代になると、腹痛、熱、下痢、ひきつけ、婦人病、腰痛など全ての「病」は体に悪い虫のせいだと考えるようになった。身体に虫のようなおかしなものが入り、住んで、悪さをすることで病気が発生する。

今でも、「虫の居所が悪い」「腹の虫が収まらない」「虫が好かん」「虫の知らせ」などの慣用句はよく使う。小腹がすいて音が鳴ると「腹中の虫が鳴いている」と言い、食べるおやつを「虫養い」と呼んだりもする。吐き気がするほど不快でたまらない「むしずがはしる」は「虫唾（虫酸）が走る」と書き、吐き気で逆流した酸っぱい胃液を腹の虫の出す「よだれ（虫唾）」や「酸性の液体（虫酸）」と考えた。日本人の腹には虫がいるのだ。

三尸虫

これは、古代中国の『庚申信仰《こうしん》』が日本に伝わり進化したものだ。道教の教えでは、人が産まれた時から体内に「三尸虫《さんしちゅう》」(三虫とも)という虫が宿っていると考えた。常に体内から宿主を監視しており、「庚申」の日(六十日に一度)に寝ている間に体外から抜け出して天に昇り、その人の罪状を神に報告して、人の寿命を縮めさせたり、病気にして死に至らしめると云われた。対策は徹夜をすることらしい。仙人になるためには体内から追い出す事が必要だった。何故ならその影響で宿主が死ぬと「三尸虫」は「鬼」に変わるからである。

初期に書かれた『抱朴子』では「尸虫」だけだったが、唐代や宋代に道士姿の上尸、狛犬のような中尸、牛頭に一本足が生えた下尸の「三尸虫」になっていった。

これが平安時代に日本に伝わった。日本では三尸虫封じの為の神仏「青面金剛」が生まれ、「罪を見ざる、聞かざる、言わざる」の三猿は、その使いとされた。水木しげるのマンガ『ゲゲゲの鬼太郎』で、ねずみ男は〝腹に住むスパイで悪事を地獄の閻魔大王に密告しにいく「三虫」〟と講釈して脅して人間にニセ薬を売りつけるという話がある。

「病」の治療法が陰陽師の加持祈祷だった日本において、この「腹の虫」の概念の輸入は医者に出番を与えるいい機会となった。室町時代に「病」と「虫」の関係が生まれ、南北朝時代には「病」はすべて「腹の虫」の仕業となっていった。医者は身体の五臓六腑に宿る「虫」退治の専門家となってゆく。

腹の虫大図鑑

戦国時代の永禄11(1568)年、大坂は摂州・上郡(現・大阪府茨木市)の茨木二介《いばらきにすけ》、筆名「元行《げんぎょう》」によって、日本最古の鍼灸の本『針聞書《はりききがき》』が出版された。この第3巻には病気の原因と考えられた「腹の虫」の説明がイラスト付きで63種も分類されている。まさに「腹の虫」ビジュアル大図鑑だ。いくつか紹介してみよう。

1・蟯虫《ぎょうちゅう》……「三尸虫」の日本版。悪さは中国と同じ。庚申の日に男女の交わりがあるとこの幼虫を宿すそうだ。手足と長い舌を持つ。

2・腰抜《こしぬけ》の虫……ぎっくり腰を起こす虫。オニヤンマのように突如飛んで入り腰に巻き付き尻尾で突き刺す。腰痛と吐き気で動けなくなるらしい。

3・脾臓《ひぞう》の虫……脾臓に棲み肝臓や筋肉に影響する。熱中症にと眩暈。身体が赤く爪があり、千鳥足の虫。

4・ソリの肝虫《かんむし》……噛み付いて背中がそる「ソリ」という病気にする。凶悪虫。腹が白く背が青いギョロ目。

5・肺虫《はいむし》……ご飯を横取りする虫。勝手に飛び去ると人魂に変わり、憑かれた人は死ぬ。蝶々のような羽を持つ。赤い頭で三股の口。

6・大病の血積《けっしゃく》……大病の後生まれ全身やつれさせる。心臓に頭を突っ込み血を吸う。頭が平たく胃袋で泳ぐ。

7・悪中《あくちゅう》……食べたご飯を横取りする虫。6本の爪で脾臓に掴まり尖った口でエキスをすする。やせの大食い」になる。

8・気積《きしゃく》……胃袋に棲み油物が大好物。三股の口と赤い胴尻尾は黒。精力絶倫となる。

9・大酒《おおざけ》の虫……大酒飲みになる虫。名前は「泥」で泥酔の語源。巾着のような形で酔うと赤くなる。

10・馬癇《うまかん》……心臓に棲む早馬のような虫。強い光や火事で暴れだします。てんかん症状を起こす。別名「心の聚《しんじゅ》」。

11・鬼胎《きたい》……イライラの虫。盃くらいの血の塊が大きくなり中心に牛のような顔が出来る。脇腹から子宮に向かって移動し女性はヒステリーになる。

12・悩みの虫……心を悩ませ落ち込ませる虫。酸っぱいものが欲しくなる。胴は白いバネのような蛇体。

『針聞書』はまた、針灸や漢方薬によるその治療法も記され、江戸時代まで医師の間で実際に教科書として使われていたそうだ。

『針聞書』は、九州国立博物館が所蔵している。

この元行が、最近注目されている戦国武将、明智光秀に鍼を伝授し、そこから信長への野望を知るという新作落語「光秀の鍼」が桂福丸によって創作され、今年2月に元行の地元となる茨木市でお披露目された。

結び

ウイルスなど外から体内に入るものを「虫」と解釈するかは別だが、現実に「生命エネルギー」のレベルが落ちる、つまり身体が弱るとウイルスなどが病原性細菌に感染しやすくなったり、けがをしても回復するのに時間がかかったりする。アレルギー体質や花粉症のように、異物が身体に入って過剰反応してしまうのは「抗原抗体反応」と言う身体の反応なのだが、やはり体調のレベルによっても発症の程度は変わる。

「病は気から」は事実だが、自分の身体もしっかりメンテナンスして「生命エネルギー」のレベルを落とさないようにすることが大切だろう。

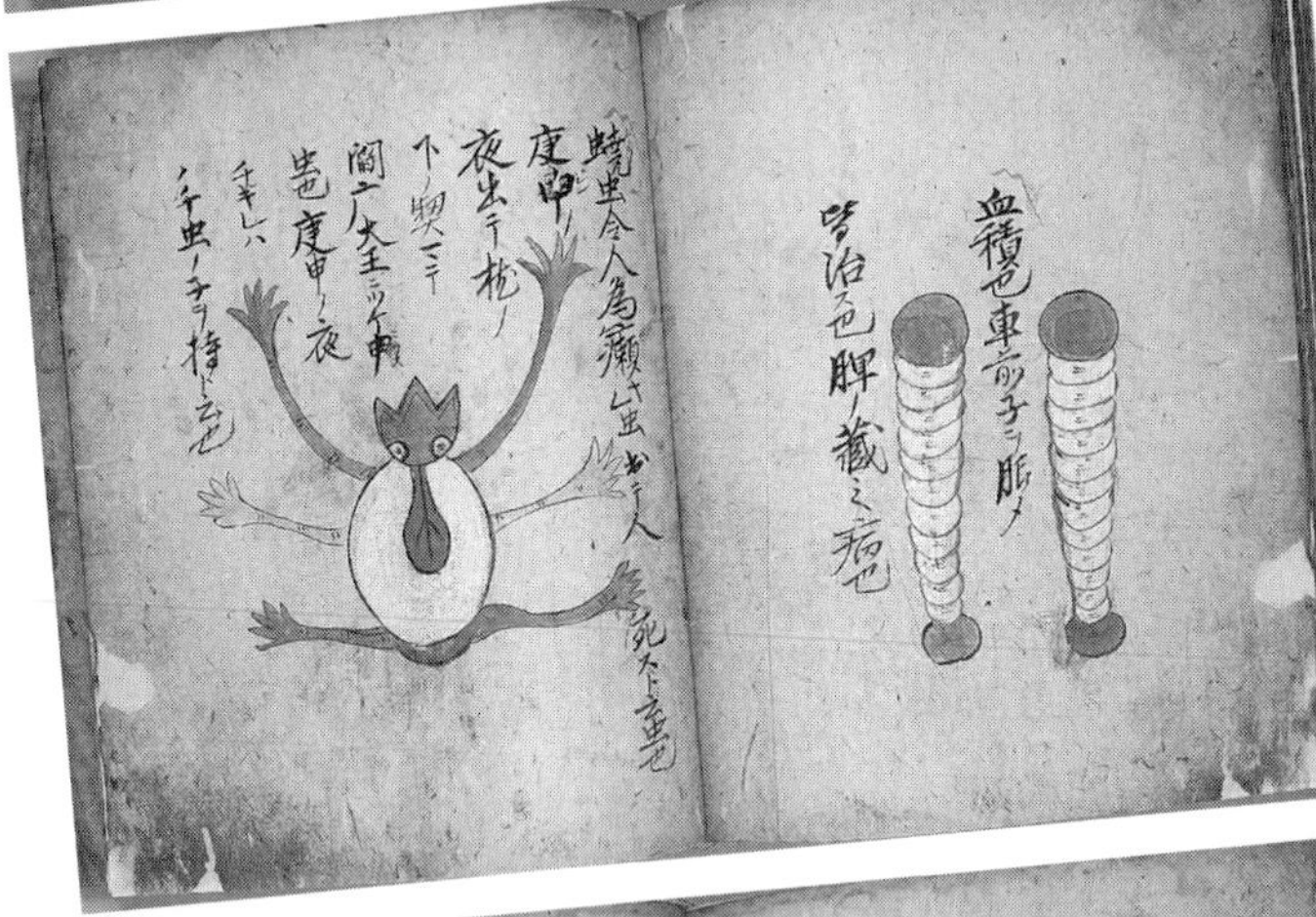

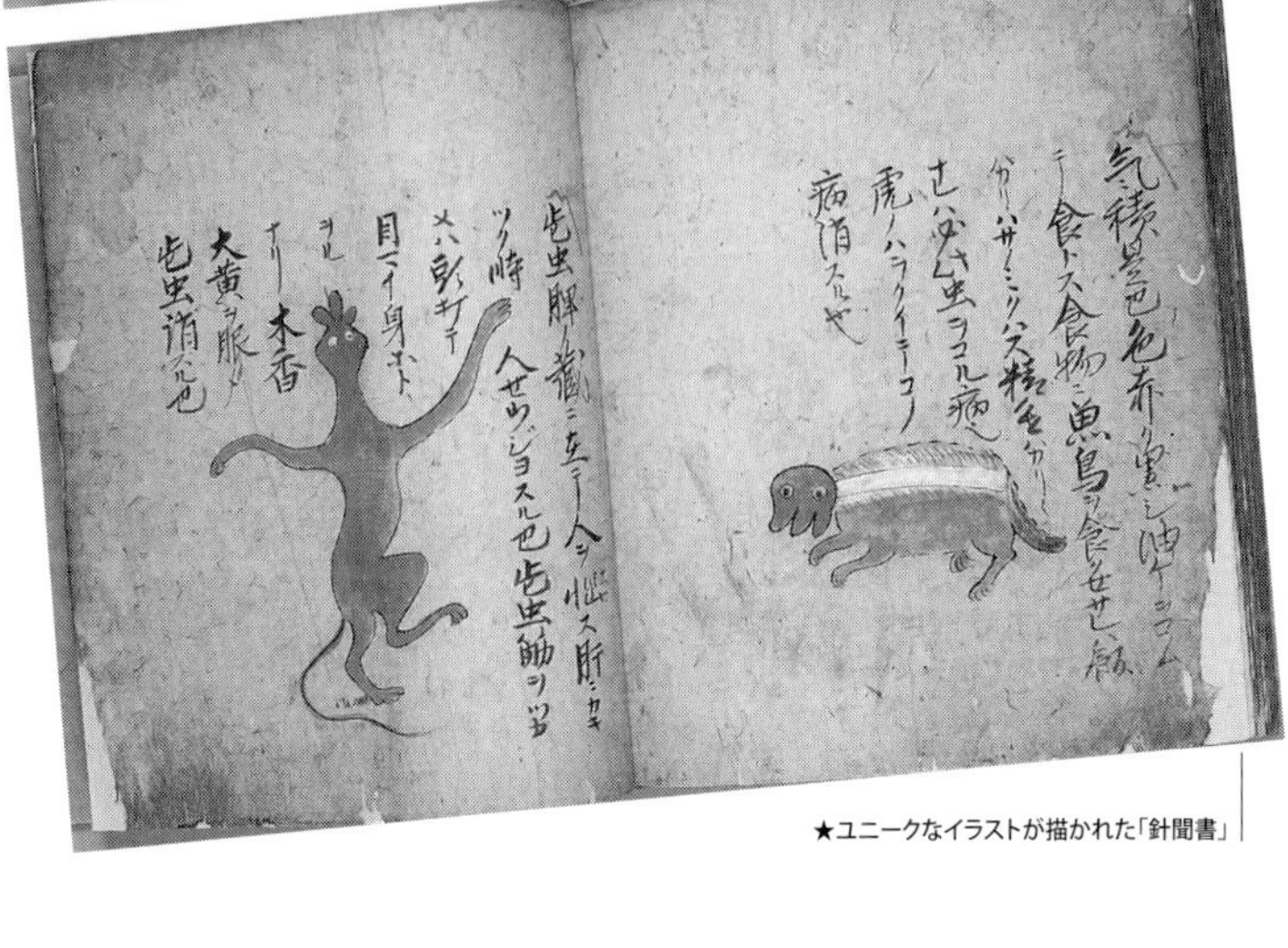

★ユニークなイラストが描かれた「針聞書」

〈写と真実……6〉

Memento mori

◉写真・文＝タイナカジュンペイ

「死に囚われた」

何故死ぬのか、
何故生きなければならないのか
死んだらどうなる？

唐突に、自らの余命を知らされたり、
病魔がこの身を巣食っていると思い知ったりして、
自らの死が現実になり始めて、はっきりと分かった

死は必ず、必ず訪れるのだ

死なんか考えて来なかった日常が尊く遠い
明日死なないと思えて過ごしてきた過去の日々が懐かしい
10年後どうなっているか、どうなっていたいかの展望は暗黒
目の前の数年をちゃんと生きていられるか、明日死なないでいられるか、
もっとも大切で、そのためにいくらでも時間を費やす
もしくは強烈に封じ込めて、自らを御する
忘却は皆無だが、何としても生きなければならない

何故？（ふりだしに戻る）

ただそうしていく中で
明らかなる自分の変質があった

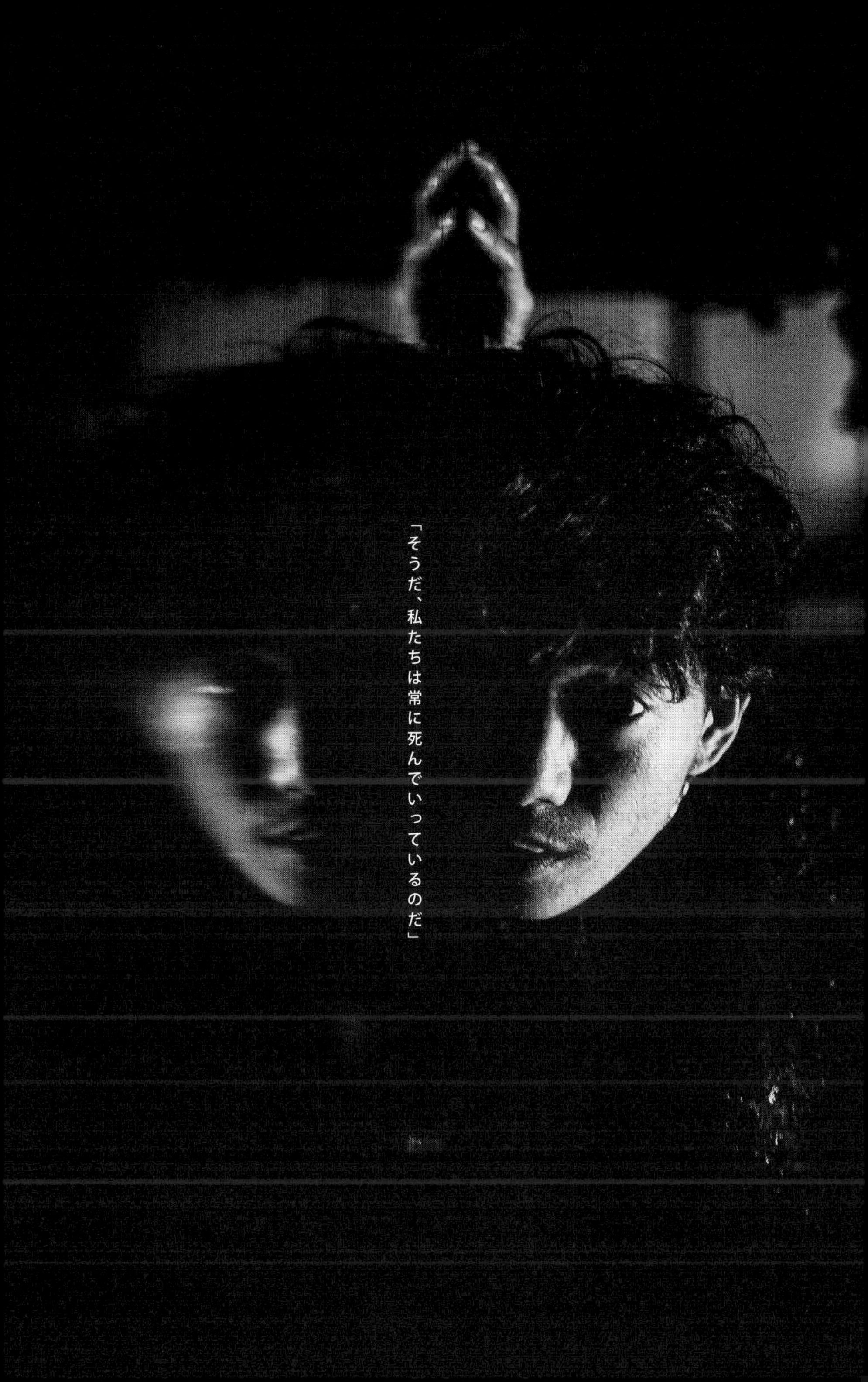

「そうだ、私たちは常に死んでいっているのだ」

セレブリティのウイルスを自身に注射するマニア

ブランドン・クローネンバーグ監督
「アンチヴァイラル」
◎絵と文＝さえ

セレブリティたちが罹ったウイルスを採取し、購入したマニアに投与する近未来。注射技師のシドはウイルスを闇市場で売りさばきながら、自身にも心酔するセレブリティ、ハンナのウイルスを投与していた。だがある日、ハンナから採取した未知のウイルスを自身に投与してから幻覚に襲われ始め……。

セレブリティたちに憧れて同じものを持ったり、メイクを真似たり……そんな延長線上にあるウイルスの投与。さらには彼らの細胞を培養して作った食用の白い肉（とっても不味そう…！）を食べたりと、ある種のカニバリズム描写まである。

歪んだ人物の写真で表されるウイルスや、痛々しくも美しい白い肌と赤黒い血の対比、好きな人にはたまらない絵ばかり！

さすがはデビッド・クローネンバーグの息子であるブランドン・クローネンバーグ監督の作品。是非ともご鑑賞あれ！

『当世病気道楽』に学ぶ病との距離感

——追悼・別役実

◎文＝高槻真樹

別役実が死んだ。享年八二。長く闘病生活を続けていたが、病床でも「楢山節考」をベースにした新作の構想を練っていたという。「マッチ売りの少女」など不条理演劇の名手として知られる劇作家だが、『虫づくし』（ハヤカワ文庫NF）をはじめとする奇想エッセイシリーズも、忘れがたい。そこで今回は特集のテーマに合わせ、シリーズの一冊『当世病気道楽』（ちくま文庫）を取り上げてみたい。奇想エッセイストとしての、別役の業績を偲ぶ機会になれば幸いである。

生真面目な毒

別役のこの系列の著作は本当に膨大な分量に及び、下手をすると本業の戯曲や劇作論より多いかもしれない。それだけ根強い支持があるということなのだが、知る人ぞ知るマイナーな存在にとどまっているのもまた確かである。あまりにも生真面目に、毒気たっぷりの冗談を語るので、読者はどこまで本気か分からず、不安に陥ってしまうからだ。

病気をテーマとする本書は、特に不謹慎と受け取られかねないリスクが伴う。項目のひとつに「同性愛」が含まれているのは、現代ではもはや炎上必至にも見えるが、実際に読んでみると、「実は同性愛を病とみなしたがる異性愛こそが病かもしれない」という指摘が含まれており、その先見性と風刺の鋭さに感嘆せざるを得ない。

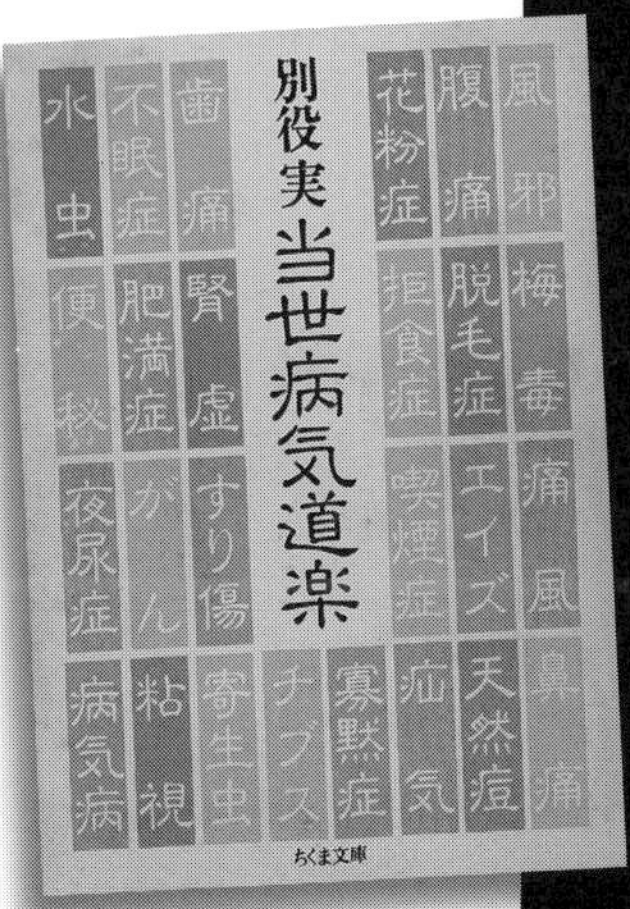

★別役実「当世病気道楽」（ちくま文庫）

不治の病としての結核やコレラに恐れおののいた時代は去ったが、病気の数は増える一方で医者は変わらず繁盛している。むしろ我々は細分化された「悪意」をもてあましているのではないか。ならばいっそ『病気』を好きになること、『病気』を愛するようになること、これこそが新しい時代の『病気』に対する考え方なのではないだろうか」と、別役は大胆にも主張する。

一種のブラックユーモアすら漂う論理に、戸惑う読者も多いだろう。だが、これは案外一理あるのではないだろうか。訳の分からない、正体不明の存在だからこそ、私たちは新しい病を恐れパニックに陥る。ならばまずは相手に興味を持ち、理解しようとしてみることだ。これは古くて新しい永遠の課題であり、今もなお難しい。

正しく怖れるために愛でる

最近一部で話題を呼んだ、アメリカの新鋭作家・トマス・ピアースの初短編集『小型哺乳類館』（早川書

★トマス ピアース「小型哺乳類館」（早川書房）

房）に、「追ってご連絡差し上げます」という作品がある。たまたま未知のウイルスの第一感染者となり命を落とした、弟の遺体を引き取ろうとする兄の物語である。誰も悪意の人物はおらず誠実に対応してくれているのに、たらい回しと不毛な手続きに忙殺され、さっぱりうまくいかない。事態はみるみる大事になり、遺体は遠ざかるばかり。最後はヘリコプターに乗ってはるか上空から、厳封状態で運ばれる遺体にかろうじて別れを告げる、というありさまになってしまう。

どうしてこんなことに——もはや天を仰ぐしかない。ある意味で、降って沸いたパンデミックを前に、距離感を狂わされる私たちの困惑をよく表した小説と言えるだろう。

現実世界でも、繰り返されるパンデミックのたびに「正しい距離感で怖れよう」と専門家のメッセージが発せられる。パニックにもならず無警戒にも陥らず。冷静な中庸こそが大切である。だが、実のところこれほど難しいこともない。未知の存在を相手に、どうやって正しい距離感をつかめばいいのだろうか。

こんな時こそ、斜に構えた別役エッセイの奇抜な発想が、思いがけないヒントとなる。

「虫づくし」から「当世悪魔の辞典」へ

もちろん「病を楽しもう」という逆説的な主張は、真面目に実行しようとすれば時に命懸けとなってしまう。だが表層的な逆説に惑わされ、「けしからん」と反論しようとして読み返してみればたちまち、何重にも張り巡らされた罠にはまっていることに気付く。反論しようとする行為自体が、物事を一面的にしか見ていない証拠であることを思い知らされるのだ。物事は常に見た目通りとは限らない。これは、別役が不条理演劇の世界から学んだ智恵だろう。

★別役実「虫づくし」（ハヤカワ文庫NF）

★別役実「当世悪魔の辞典」（朝日文芸文庫）

もちろん、それは最初から完成されていたわけではなかった。第一作品集『虫づくし』においては、「郵便局の地下に住んでいた男の手記を翻訳した」という、若干わざとらしいナンセンスな序文が付されているし、N博士だのD地方だのと言い訳めいた仮名表記が、せっかくの奇想を損ねていた。読者に「事実かもしれない」と誤解させることへのためらいが、まだそこには見られる。

だがシリーズを重ねるにつれて、別役の図太さは増していき、より巧妙に読者を手玉に取るようになっていく。別役が腹をくくる後押しとなったのが、逆説の先人というべきアメリカの作家・アンブローズ・ビアスだろう。パロディ辞書の古典『悪魔の辞典』（角川文庫）は別役に大きな影響を与え、オマージュ版『当世悪魔の辞典』（朝日文庫）を書く契機となった。

だが、両者を読み比べてみると、別役がむしろ反面教師的にビアス版を受容していることがよくわかる。高みから攻撃対象を見下して嘲るビアスのスタイルは、今やすっかり時代遅れになり、ぴんとこないものになり果ててしまった。「疫病」の項目を見てみよう。

「古代において、よく知られている免疫王パロの故事のように、支配者に思い知らせるためになされた罪なき人民に対する一般的な罰(後略)」(猪狩博訳)

これに対し別役は、上に立つのではなく枠の外に出てしまう。通常の価値観から一歩引いて、読者を気持ちよく笑わせるというよりは、どこか不安にさせるような表現を目指す。

別役は自身の『当世悪魔の辞典』で、「病気」の項目をどう書いているだろうか。

「医者にお金を払ってみたくなる気分のこと。人間にとって、本来あり得ない気分と思われがちであるが、実はそうではない。こうした気分に落ち込まないために、人は常日頃規則正しい生活をし、食物に気をつけ、時には適度の運動までしなければならないのである」

ざっと読んでみて「自分はちゃんと理解できているだろうか?」と心細くなりつつも、どことなくおかしげな論理についつい頬が緩む。これは何なのか、自然と思考が促される。

病を「感じ取る」ために

それでは、『当世病気道楽』に戻り、各項目を見ていこう。ここには完成された別役哲学のスタイルがある。

つまり、病について、細菌やウイルスについて理解したいと思うなら、罹患してみるしかないということだ。その一点においてのみ、私たちは対象を知覚することができる。「病を愛する」という、一見不謹慎に見える行為は、新たな発見への一歩となるかもしれない。

「花粉症」は、スギたちのあずかり知らぬ結果として起きた失敗ではない。スギ花粉は実は、何かを期待して私たちの鼻の穴に飛び込んでくるのではないか、と別役は、大胆すぎる推理をしてみせる。くしゃみ・鼻水・鼻づまりは我々が「馴れていない」だけだというのだ。我々がよく訓練を重ねれば、スギ花粉によって「性的快感を得ることが可能になるかもしれない」と。

「梅毒」に関する考察はさらに過激で、長い時間をかけて人間の内部と外部を別の存在に作り替えてしまうものだと定義づける。一般の医学書では、身体が崩れ精神を犯す「高等な人間的特性」の喪失をもたらす災厄としている。その一方で、シューマンや大川周明など発症後に「天才的な業績」を残した人々の逸話も残されており、無責任な憧れを示す向きすらある。だが病の進行はそこで止まらず、精神は壊れていく。別役は言う。

「天分はその症状の進行に従って更にとめどもなく発揮されるのであるが、その一点を超えると、自然過程にある我々一般人の理解を超えてしまう」

つまり梅毒罹患者の病状が進行すると、その業績を理解できるのは同じ梅毒患者だけになる。それが外側からは、「人間的特性」の喪失のように見えるに過ぎない、というのだ。こうなると、もはや梅毒は病ではない。異者との邂逅による変容と新時代の幕開け。諸星大二郎のコミック「生物都市」を思い出してしまった。

他にも「宇宙人が、我々の喉頭部を受信機とみなして」話しかけてきているのだと主張する「しゃっくり」や、生態系を破壊する危険な異物を発生させてしまう現象として定義づけられた「出産」、さらには視線の先にあるものに物理的に張り付いて影響を及ぼしてしまう「粘視」なる未知の病など、奇抜な発想の数々に圧倒される。

だがそれは、奇をてらっただけのホラ話ではない。私たちに価値観の転換を促し、病に対するより深い理解をもたらすものとなるだろう。病には病の都合があり、人間の都合など知ったことではない。だが病の都合に思いをはせるとき、病との適切な付き合い方もおのずと見えてくる。むやみと相手を打ち倒そうとする行為は、際限のない軍拡競争をもたらすだけだ。異質なものと共存していくための知恵として、別役が遺してくれた「ひとまず愛してみる」という提案は、決して悪いものではない。病を理解するための足掛かりとして、罹患という現象に注目してみようと促しているのである。実は案外、本当に「学術書」なのかもしれない。

パンデミック、政治経済の混乱、天変地異が襲う

★新型コロナウイルスの影響で、カミュの『ペスト』が売れるようになった。疫病をテーマにした文学作品が、アクチュアルな問題提起をする時代となり、通常以上に胸に迫る読書体験を提供する。

メアリ・シェリー

最後のひとり

森道子・島津展子・新野緑訳、英宝社、3000円

『フランケンシュタイン』の著者メアリ・シェリーによる本書『最後のひとり』もその一つ。

　この物語では二〇七三年にイギリスで共和制が確立している。実際あまり科学技術が発展している様子ではなく、SF的未来小説として想像力を飛翔させたものとは言い難い。だが、この世界にパンデミックが起こり、政治経済の混乱や天変地異、果ては主人公ヴァーニーを残した人類滅亡という終末論的世界を描き出す。

　作者は疫病発生以前の主人公の周辺人物の描写にも力を入れている。理想主義に燃えるエイドリアンは作者の夫パーシー・ビッシュ・シェリー、ギリシアのために戦うレイモンドはバイロン卿を彷彿とさせる。作者は本書出版四年前に前者を亡くし、二年前に後者を亡くしていた。その個人的な孤独感が大規模な終末論的世界観と合体して本書を成しているところもあろう。（市川純）

REVIEW

英雄物語の定型を裏切って突きつける疫病の恐怖

ブライアン・クレイグ
いまわしき死の使い　吟遊詩人オルフィーオの物語（2）
岡聖子訳、現代教養文庫、660円

★疫病と病毒への恐怖が世を満たし、最愛の者すらが飲み込まれようとするとき、人は来たる邪悪に耐えるよりも、むしろ、迎合するようになる。子どもが病気で死ぬのが当たり前の状況で心を満たすのは、「私の子ではなく、よその子どもの命を奪ってください」といった祈りなのだ。

世俗の権力が、被害を一顧だにしないことが当たり前のなか、その声に耳を傾け、必要な力を与えてくれる存在がいるとしたら、誘惑に屈せずにいられるだろうか？　こうした問いが、本作の基調をなしている。黒死病のような、やむなき死をもたらす現実のままならなさへの憤りを、自らを汚染させる穢れへと転化させるか、それとも、無力ながらも現実に立ち向かう糧へと変えるのか……というギリギリの選択が、手を替え品を替え、読者へ突きつけられるというわけだ。

中核の物語はこう始まる。近世の東欧を模したボーダー・プリンスという辺境地域の警備兵であったハーミス・デッツは、ミュータントらの急襲を受けて弟を殺される。九死に一生を得たハーミスは、襲撃者を指揮していたを倒すが、そのことにより、悪疫を振り撒く混沌の神ナーグルのグレーター・ディーモン、イェスタレスとの「縁」が生まれてしまう。奇しくも、北方の蛮族ザニが首都キプリスへ総攻撃をかけようとしていて……。

ハーミスはあばた面の三三歳で、凡庸な君主に仕える兵士。英雄に理想を抱くには、おぞましい経験を重ねすぎている。ヒロインの見習い魔術師アヴェリルも、白熱光を生む魔法一つしか使えないうえ、容姿端麗とは程遠く、自分が女であることに憎悪に近い感情を抱いている。シニカルな地の文も相俟って、本作は英雄物語の定型をどこまでも裏切る。単なる悪趣味、というわけではない。ファンタジーゲーム『ウォーハンマー』の世界観を踏襲しながら、冒頭と末尾に『千夜一夜物語』を擬した解説を埋め込むことで、本書は二重の枠物語になっているのだが、それがもたらす距離感によって、世界の残酷さやハーミスの葛藤の意義を——それとは意識せずとも——読者は批評的に受け止めることが可能になるからだ。作者がSF評論家ブライアン・ステーブルフォードの筆名だと知らずとも、東欧の土俗性と英米文学の理知性を併せ持った『ペインティッド・バード』のイェールジ・コジンスキーにも似たスタイルを、本作に読み取ることは難しくない。

ディーモンのイェスタレスは「汚れなき者」を意味する仮名を持ち、幻影で美しい女の姿を保ちながら、なんと金貨に病原菌を付着させて、切羽詰まった避難民たちに病疫を流布させる。人間の善意、性欲、資本主義的欲望を逆手に取った手口の巧妙さ、あるいは個人の怨恨を既存の社会全体の怒りへと昇華させる『蒼ざめた馬』のロープシンにも似た彼女の主張には、忘れ難い強烈なインパクトがある。世界文学的な視座から再評価されるべき傑作だ。（岡和田晃）

これはまさに、いま世界で進行しつつあることそのもの

エドガー・アラン・ポオ

赤死病の仮面

松村達雄訳、東京創元社『ポオ小説全集3』所収、700円

★この文章を書いている現在、世界ではインフルエンザや新型コロナウイルスが猛威をふるっている。アメリカではインフルエンザ感染による死者が一万二千人を超え、中国における新型肺炎の死者数は一千人を超えた。この数字は二〇二〇年二月一〇日時点でのものだが、有効な打開策が見つかっていない以上、今後も増加し続けることは間違いない。はたしてこの文章が読まれるとき、世界はもとの姿のままでいられているのか。

とはいえここまで被害が拡大したのには――ウイルス自身の感染力もあるとはいえ――世界中に広がる医療格差の問題も間違いなくある。アメリカでまずインフルエンザの予防接種を受けることのできないホームレスの総数は、五七万人以上にのぼる。経済的な事情からインフルエンザ特効薬を入手することのできない貧困層の割合は、おそらくそれ以上だろう。だが気をつけてほしい。地上をすっかり覆い尽くしたあとには、疫病は断絶された富裕層向けの豪華客船クルーズ（「ダイヤモンド・プリンセス号」）の船内にさえ、容赦なく侵入してくるのだから……。

「赤死病の仮面」は、ポーが一八四二年に発表した、邦訳でもわずか一〇頁ほどの短編作品だ。架空の病である「赤死病」の蔓延によって大多数の民の命が奪われていくなか、残った臣下や友人らとともに城塞の奥に閉じこもり饗宴に耽っていた王が、仮面舞踏会の最中に不意に現れた奇妙な仮面の人物によって命を奪われるまでを描く。王が倒れたあとに臣下たちが謎の人物の仮面を剥ぎ取ってみるとそこに実体はなく、やがて城内に赤死病が蔓延し、全滅してしまう。

実際に読んでみて驚いた。古めかしいゴシックの意匠のもとに隠されてはいるが、これってまさに、いま世界で進行しつつあることそのものだ。「ダイヤモンド・プリンセス号」の集団感染の一件だけではない。若者らによる反格差社会デモから「上級国民」様による犯罪の隠蔽まで、すべてはこの図のなかに回収できる。すなわち世界がどうなってもいいから自分だけは逃げきろうとする老人世代と、決してそれを許そうとしない貧困層の若者たち。だが忘れないでほしい。どれだけ老人が壁を作ってその内側で安穏に暮らそうとしても、死はどこからか素早く入り込んで、平等にすべてを奪っていくのだから。

ポーの作品を手に取り、同じような感慨を抱いた作り手は、おそらくたくさんいたのだろう。ヨーロッパの象徴主義的な画家から日本の黒澤明まで、本作の翻案・オマージュに挑戦しようとした例は枚挙に暇がない（ベルイマンの映画『第七の封印』に登場する白い顔の死神も、ポーの血を受け継ぐ直系の子孫のようなものではなかったかと、筆者は見ている）。ポーを、ゴシック風に書かれた古典的な恐怖小説をこの苦しい時代に読み直す意義とは、案外こんなところにあるのかもしれない。

（梟木）

飢餓、疫病、戦争、そして死が世界を支配している

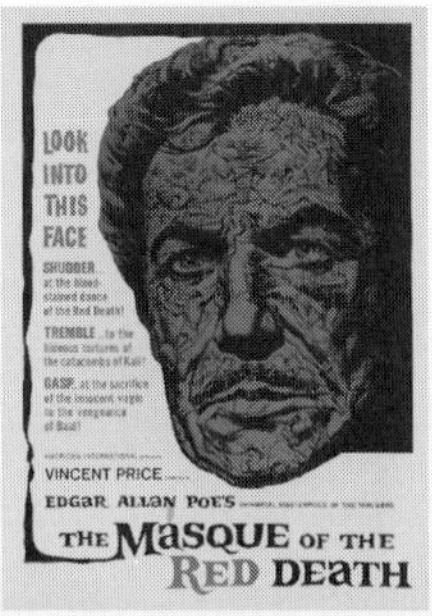

赤死病の仮面

ロジャー・コーマン監督

★「赤き死」が蔓延する国で、プロスペロー王は一部の臣下とともに僧院にこもり、門を閉ざす。猛威を振るう疫病をよそにおこなわれる仮面舞踏会。だがその夜、ついに赤き死が僧院を訪れ、静寂が支配する――。黒死病（ペスト）やコレラを念頭に置いたとおぼしき架空の病に翻弄される人々を描いたエドガー・アラン・ポーの『赤き死の仮面』は、極めて多様な読みのできる小説だ。

映画『赤死病の仮面』は一九六四年の作品。インディペンデント映画の雄、ロジャー・コーマンが立て続けにポーの小説を映画化したうちの一篇だ。コーマンはポー作品に精神分析的な解釈を採り入れて一連のシリーズを撮った。

原作でプロスペローとともに僧院に隠遁するのは「千人近い、壮健な、気軽な仲間」（谷崎精二訳）だが、映画では彼にこびへつらう愚昧な貴族連中だ。彼らを心底軽蔑するプロスペローはおそらく自分自身をも冷たく見つめており、カメラはそんな彼の心の暗がりへ迫っていく。怪奇俳優の大御所、ヴィンセント・プライスが演じるプロスペローは気品に満ち、悪の香りを漂わせ、実に魅力的だ。

性や死への思いを読み取るなど、ポーの小説を精神分析の方法論で読むことは以前から試みられている。八〇年代以降は、社会的無意識の観点からの批評が見られるようになった。ポーは南部人であり、黒人奴隷からの復讐に対する怯えを作品から見いだすことも可能なのである。

映画も同様の読み方ができる。クライマックスで赤死病にとらわれた人々が血の色に染まった手をプロスペローに伸ばす。のちに『赤い影』を撮るニコラス・ローグによるクレーンを用いた撮影はダイナミックで色彩も素晴らしい。

このシーンの「群衆（感染者）の素手による攻撃が領主をその安寧から引きずり下ろそうとする」姿は、民衆による上位者への報復という解釈をも内包する。

制作費の回収を第一に低予算のB級映画を量産したコーマンだが、政治的な主題の映画も手がけている。『赤死病の仮面』の脚本も手がけたチャールズ・ボーモントの小説をもとにした『侵入者』（一九六二）だ。差別をあおる扇動家の姦計により黒人青年が強姦の罪を着せられ、リンチに遭う。コーマンの自伝によれば、エキストラの老人が扇動家役の俳優の言葉に賛成するセリフは本心からのものだったという。そんな時代だったのだ。

群衆が襲ってくるシーンについては、のちのゾンビ映画との類似性をも指摘しておきたい。ジョージ・A・ロメロの『ナイト・オブ・ザ・リビングデッド』の公開は一九六八年のことだ。コーマンにもロメロにもことさらに政治的な意図はなかったはずだが、両者のショットが奇妙な同調を見せるのは、その意味がつまるところ「死がつかまえに来る」からだ。ベトナム戦争へのアメリカの介入は一九六三年のこと。死は人々の足下まで迫っていた。『赤死病の仮面』撮影中には、ケネディ大統領が暗殺されている。

死の怯えが人の本質をむき出しにするという寓話は、いまも古びない。プロスペローはいう。「この世の出来事を神が支配してると思うか。飢餓、疫病、戦争、そして死が世界を支配しているのだ」と。

（松本寛大）

病に苦しむ人が、病を持ち込んだ者に心酔する哀しさ

ジョージ秋山 シャカの息子

ジャンプスーパー・コミックス＝絶版／電子書籍あり

★『シャカの息子』は「週刊少年ジャンプ」連載、一九八一年の作品。主人公の高校生、止夫《とめお》には将来を誓い合った恋人、聖子《せいこ》がいた。家の事情が苦しいために高校への進学を断念した聖子は、東京に働きに出ることが決まっている。

しかし、突然村に現れた「シャカの息子」と呼ばれる男が聖子の家の借金の肩代わりをする。彼は莫大な財産を武器に陰謀をめぐらせ、村の人々の心をつかむ。どうも背後には遠大な計画があるらしい。次第にシャカの息子に惹かれていく聖子。狂おしいほどの止夫の煩悶。

ある日、高熱を発して倒れる村人が続出する。子供たちが、そしてその親が治療の甲斐もなく、次々と死んでいく。村に一人しかいない医師は、この原因が新種の恙虫《つつがむし》病であると知る。

恙虫病は、文字通りツツガムシというダニの一種がリケッチアという微生物を媒介して起こす病気で、感染すると発疹、高熱に苦しめられる。このダニの幼虫は〇・五ミリほどの大きさで、目視は困難。河川敷などで農作業をしているといつの間にか刺され、発症する。江戸時代後半より記録が見られ、ことに秋田、山形、新潟では死亡率の高い不思議な風土病として恐れられていた。山形県の荒砥《あらと》に「毛谷《けだに》大明神」、置賜《おきたま》にその分霊の「恙虫明神」が祀られていることは、悲劇の大きさを物語るものだろう。

コミックでは、村に「恙虫病にかかったものは竜神の門を百ぺんくぐればたすかる」という伝説があるとされている。意識もうろうとなりながら竜神の門に向けて行進をする村人たち。その中には聖子の姿もあった。だがこの伝説は、感染を恐れるあまり「病人を竜神の門へいかせてそこで力つきて死なせる」ために作り出された迷信であった。シャカの息子いわく、「薬もない時代の庶民の知恵」である。

この病と迷信、その裏側に潜む残酷な意図はミステリの謎解きにも通じる強烈なアイデアだが、ジョージ秋山は伏線のばらまきかたやその回収にさほど留意している様子はない。実は、この恙虫病はシャカの息子が村に持ち込んだもので、そのワクチンも手配済みだ。すべては村人の信頼を得るためである。こうした事情もまたあっさりと明かされる。

ジョージ秋山が描こうとしたのは、打ちひしがれ、苦しむ人々が救いの手を差し伸べるシャカの息子に心酔する、どうしようもない哀しさにこそあるのだろう。聖子もまた命の恩人であるシャカの息子に心を奪われ、止夫のもとを去る。思えばジョージ秋山は人の愚かさを描き続けた作家であった。

シャカの息子の正体が世界的な秘密結社のリーダーであることが明らかになったあたりからは、残念ながら物語は急に駆け足の展開になり、唐突に最終回を迎える。そもそも少年誌には無理のある題材だったのだろう。しかし、本作の前半部は傑出した出来だ。直接的な表現こそ抑えられているものの性と死の匂いが濃厚な細部の描写は冴え、寓話的な物語の輝きは現在でも古びない。

（松本寛大）

※参考文献：江原昭三編著『ダニのはなし』（技報堂出版）

謎の湿疹の蔓延を契機にした相互不信

哭声／コクソン

ナ・ホンジン監督

DVD＝1900円

★まさか本当に賞を取るとは思わなかった。

ほかでもない、韓国のポン・ジュノ監督による新作『パラサイト 半地下の家族』（二〇一九年）のことである。口コミによる評判の高さから国内外でヒットを飛ばしていた同作は第九二回アカデミー賞において「作品賞」「監督賞」「脚本賞」そして「国際長編映画賞」の四冠を達成。とりわけ韓国映画が作品賞を受賞するのははじめてのことで、この快挙にアジアの映画ファンは沸きに沸いた。

なぜ『パラサイト』は評価されたのか。まずひとつは本作が市民間における経済格差の拡大という、不穏な現代の社会像を切り取っていたこと。そしてもうひとつは、自国にとっての「恥」となるような歴史の暗部を権力者の視線に怯えることなく、容赦のない娯楽作品として提示したことだ。大手とインディーズを問わず、日本でも最近はそのような動きが現れ始めているが、どの作品も残念ながら『パラサイト』の水準には至っていない（だからといってそれを理由に「邦画」や「日本映画」全般を否定していい、というわけではない）。ここで紹介する『哭声／コクソン』（二〇一六年）もまた、韓国のナ・ホンジン監督が広くアジアにおける相互不信の歴史を見つめ直し、出口のない迷宮のようなサスペンスに仕立てた一作だ。

舞台は韓国のある小村。妻や娘とともに慎ましい生活を送っていた警察官のジョング（クァク・ドウォン）はある日、何人かの村人が動機もなく自分の家族を惨殺するという恐ろしい事件の発生を目の当たりにする。容疑者として逮捕された村人たちはいずれも錯乱しており、謎の湿疹を発症するなど不可解な共通点を抱えていた。まるで疫病のように村中に広がる不穏な噂に業を煮やした村人たちは、以前から山中に住んでいた日本人の「よそ者」（國村隼）が事件に関与していることを証拠もなく疑い始め……。

ここで「よそ者」が日本人として設定されていることに、過剰に反応する必要はないだろう。たとえ民族的なルーツが同じでも、ただ相手のことをよく知らないというだけで閉鎖的なコミュニティ内においては「よそ者」として扱われうる。警察官のジョングもそれを知っているからこそ「よそ者」を疑う村人たちの声に懐疑的な態度を示すのだが、娘の体にも容疑者たちと同じ発疹が現れたことで冷静ではいられなくなり、徐々に日本人に対する疑いの心を持ち始める。

人間とは、まったく関係のないところについ関連性を見出そうとしてしまう生き物だ。国家や宗教、あるいは民族の歴史さえ、すべてはそうした関係妄想の集大成といえる。映画におけるモンタージュもまたそのような人間の性質を利用した手法だが、ナ・ホンジン監督はそうした認識上の制約を逆手に取り、平凡なカットの組み合わせからどの事象が誰に関連しているのか確定不能な世界を作り上げてみせる。疑念がさらなる疑念を呼び、もはや誰にも止められないところまで突き進む『哭声／コクソン』。アジア映画ファンならずとも見逃してはいけない作品だ。（梟木）

まるで他人事ではない「国策」の暴力

ハンセン病
差別者のボクたちと病み棄てられた人々の記録

三宅一志・福原孝浩

寿郎社、2000円

★本書は二部構成で、第Ⅰ部は「国策」として始まった日本のハンセン病の対策事業が概説され、第Ⅱ部は、一四名＋αの当事者からの聞き取り調査。それに、各種資料が付記されている。しばしば言及されるキーパースンは文化勲章受章者の光田健輔（一八七六〜一九六四）だ。光田は患者の強制隔離・断種手術を強固に主張し続けて「国策」を主導し、ハンセン病が特効薬プロミンによって「治る病気になったので隔離が不要」という国際的な流れができてもなお、自らの姿勢を改めることがなかった。

「国策」として行われた「無癩県運動」は潜伏期が数年から数十年であるハンセン病を、ペストやコレラのような恐ろしい急性伝染病であるがごとき印象を社会に植え付けた。その結果、あまりにも差別が苛烈であるがゆえ、「隔離してもらって内心ほっとした」と漏らす（元）患者がいる一方、「隔離」を正当化し、いまだ「入居患者は闘争ばかりではなく感謝もすべきだ」と居直るマジョリティも珍しくない。実際、本書の筆頭著者である三宅一志が取材を始めた一九七〇年代後半から、徹底して患者の側に立つ姿勢に、苦情が相次いだという。

本書は二〇一三年に刊行されたが、その時点で全国一三の国立ハンセン病療養所の入所者数は一九九三人、平均年齢は八三歳。「棄民」として療養所に隔離され、人権を剥奪されてきた当事者たちに対し、国は「（元）患者たちがそのまま死に絶えるのを待つ」と宣言するに等しい仕打ちを繰り返してきた。現に、本書に「推薦の言葉」を寄せている全国ハンセン病療養所入所者協議会会長の神美知宏は二〇一四年に亡くなり、翌二〇一五年には三宅その人も没した。こうして、ハンセン病について患者の視点から語る行為そのものが、過去の遺物だと忘却される危機に見舞われているのである。

ただ、ぎりぎりの一線において、光明も見えてはいる。二〇一六年にはハンセン病患者への隔離政策を最高裁判所が公的に謝罪した。日本近代文学研究の領域においては、荒井裕樹『隔離の文学―ハンセン病療養所の自己表現史』（二〇一一）や、李珠姫「北條民雄「道化芝居」論――転向小説「癩」（島木健作）への抵抗と他者性の再構築」（二〇一六）、田中綾『非国民文学論』（二〇二〇）のように、ハンセン病を主題とした文学論も一定の地歩を得てきている。痛みを忘れず、次代へ繋ぐ意思を保持している者もいるのだ。

いま私たちは、新型コロナウイルス禍を大義名分として、補償なき自粛「要請」が、蓄えなき人々をひとしなみに「棄民」として扱うという「国策」の暴力を目の当たりにしている。その意味で、本書『ハンセン病』の患者たちの証言は、まるで他人事ではない。しかるべき歴史感覚を保持しながら、当事者と非当事者という線引きをもたらす権力のあり方へ批判的な眼差しを取り戻すことが、早急に求められている。（岡和田晃）

わたしたちもまたチッソであることを気づかせる

石牟礼道子
新装版 苦海浄土
講談社文庫、760円

★この圧倒的な記述のすべてがフィクションだったら何の問題もなかった。冒頭からすんなり没入して感涙とともにページを繰ることもできたはずだ。だが、わたしたちは気づいてしまっている。〝ミルク飲み人形〟と呼ばれた少女ゆりの境涯を哀れんで自分たちが流す涙が、見世物小屋で身体不具者に接した場合と同種のものであることを『カイジ』における高層ビル間鉄骨渡りをワイン片手に画面で眺めて興じる金満家どもと、自分たちの立ち位置が本質的にはさして変わらないということを。

だからだろうか、この大冊を前に怖じ気づき、なかなか一歩を踏み出せない自分がいた。ノンフィクションであり、私小説であり、風土記のようでもある。池澤夏樹＝個人編集の世界文学全集に、日本語作品として唯一選ばれた、戦後文学史の金字塔だ。

ところがだ、勇をふるってページをひらくと、そこにあるのはさざ波であり、雲を分けて射す陽射しであり、古井戸に枝さしかける棒であり、沖の海水で炊いた飯の胃が疼くほどの匂いである。喩うるなら万葉集のごときで、自然と四季の移ろいとともに暮らしていた古人の感性で写し取られたかのような二〇世紀半ばの南九州における漁民たちの日々の営みである。ここまでに光に満ちた光景が広がっているのは、いったいどういうわけなのか？

ここにおいて、声高な告発の書という読者の先入観は打ち砕かれる。胎児性水俣病患者で生まれてから一度も言葉を発したことのない杢太郎少年を「ひと一倍、魂の深か子でござす」と慈しむ祖父は、母親が家を捨て、父親も発病した家庭をひとりで背負う自分が死んだ後の少年の境遇を憂いたはてに「杢よい。お前がひとくちでもものがいえれば、爺やんが胸も、ちっとは晴れるって。いえんもんかのい――ひとくちでも」と絞りだす。そこにはあらゆる既存宗教がかすむほどの深い情愛と救いへの希求がある。

石牟礼道子は天草生まれで水俣の高校を卒業後代用教員を経て家庭に入った主婦であった。詩や短歌を詠む才女ではあったが、郷土を襲った奇病に三〇代で接した彼女が綴りはじめた文章には、東京の学者や作家たちが学識と理論武装を評価基準に築き上げてきたヒエラルキーを突き崩すほどの力が備わっていた。郷土の人々の方言を生かし、現地の生活者に視座を置いた独特の文章が嫋々と放つ魂の響きが、頭で考えた文章では決して到達しえない水俣の人々の苦悩の深みを掬い取り、世に伝えることを可能にしたのだ。

水俣病患者のある男性は家電や便利さに囲まれた自分の暮らしをかえりみて「チッソというのはもう一方の自分だった」という思いに到達したのだという。そう、チッソを生んだのは文明的で快適な暮らしを求めた戦後日本社会なのであり、その果実を享受しながら水俣病受難者たちに同情の涙を注ぐわたしたちに、おのれもまたチッソであることを本書は気づかせてもくれるのだ。第三部「天の魚」、第二部「神々の村」が後に刊行されて全三部となった。

（待兼音二郎）

結核や癌、エイズに込められた隠喩とその脱力化

スーザン・ソンタグ
隠喩としての病い エイズとその隠喩

富山太佳夫訳、みすず書房、3200円

★人は病を病としてのみ、ありのままに認識することが苦手なようだ。病に過剰な意味が読み取られ、差別が生まれ、デマが流布してしまう。知り合いがちょっと体調を崩したり、風邪を引いたりした際に、あいつの日頃の行いが悪いからだ、とか、罰が当たったんだ、といった病本来とは別の意味を付与されてしまうこともあるのではないだろうか。

ソンタグは病が隠喩として機能する現象を古今の文学作品や社会問題を例に取り上げて分析し、二つの著書『隠喩としての病い』『エイズとその隠喩』に著した。本書は両者を合本にした翻訳である。

まず『隠喩としての病い』であるが、ここで中心的に取り上げられる病は結核と癌である。時代と共に治療法が改まってはいるが、両者とも致命的な病として恐れられてきたものである。そして、そこに様々な隠喩が込められてきたのだが、その内容は対照的である。

結核による死はロマンティックなものとして美化される傾向がある。情熱や官能と結びつけられ、病んだ顔つきは繊細な感受性を備えたロマン主義詩人のイメージに相応しいものとされる。これはソンタグが例を挙げる西洋のロマン主義詩人に限定されるものではない。たとえば堀辰雄の『風立ちぬ』などもその例として連想を誘うだろう。このような例は探せば他にいくつもある。

癌にはこのようなロマンティックな美化が施されない。病者のイメージや病態の違いによって、異なる隠喩が付与される。結核が消費や消耗のイメージを伴うのに対して、癌には異常成長やエネルギー抑制などがイメージされるという。癌をテーマにした文芸においてはロマン主義的な理想化が入り込む余地はないように思われるが、これがSFの想像力へと繋がっているという。腫瘍という異常な細胞の侵略と戦うイメージである。

『隠喩としての病い』を発表してから約十年後に発表されたのが『エイズとその隠喩』であるが、ここで取り上げられるのは二十世紀になって新たな脅威として現れた病、エイズである。この病には侵略と汚染の二つの隠喩があるという。また、性行為にまつわる惑溺や逸脱によって生み出されるものという意味付けがなされた。ただ、ソンタグが本書を発表してから数十年経過して、現在に至ってはこの病に関する啓発活動も進み、本書に書かれているようなエイズにまつわる差別的言説はいくぶん減少したといえるだろう。これは医療の進歩と関係があり、ソンタグ自身『隠喩としての病い』執筆後の十年で癌に対する見方も変わったと認めている。効果的な治療法が確立することで、過剰に付与される隠喩を脱力化させることができるのである。

今、我々は新型コロナウイルスという新たな病原と戦っているわけだが、既に各所で報じられているように、アジア人であるだけでこのウイルスのレッテルが貼られるなど、世界中で不適切な言動が目立っている。人々が冷静さと客観性を取り戻すためにも、本書が果たす役割は大きいだろう。

（市川純）

社会での居場所を奪われるという患者の苦悩

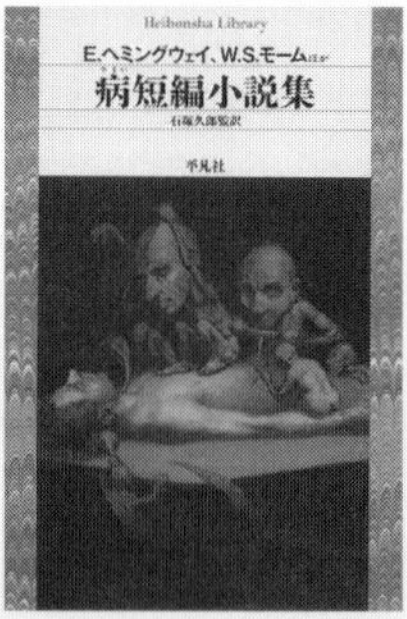

E・ヘミングウェイ、W・S・モームほか

病短編小説集

平凡社ライブラリー、1400円

★結核、梅毒、癌、ハンセン病……いずれの病魔も悲劇の源、人類の仇敵として、近代文学においても疾病ごとのサブジャンルをなすまでの題材に位置づけられてきた。どの病名にも大作家の長編小説がすぐに浮かぶが、あるようで意外となかったのが疾病群を横断的に並べたアンソロジーだ。英文学教授・石塚久郎の日本独自編纂によるこの短篇集は上記に加えて神経衰弱、不眠、鬱、心臓病、皮膚病の計九種の病気について一九世紀前半から一九七〇年代にかけての英米作家による短篇十四編を取り揃えている。

一見して奇異に思えるのが神経衰弱や不眠といった、必ずしも死に直結するわけではない病をここで同列に扱う意義であるが、女性作家シャーロット・ギルマンの「黄色い壁紙」(1892)はただの贅沢病とも片付けられかねない既婚女性の不安愁訴をありありと描いてまさしく出色。そこを足がかりに各作品を通覧すれば、社会での居場所を奪われるという、どの病気にも共通する患者の苦悩が感じ取れる。短篇アンソロジーならではの俯瞰的、横断的視座の効用といえよう。解説も非常に詳細で資料的価値も高い。(待兼音二郎)

苦悩に抗って生きる人々に勇気を与える

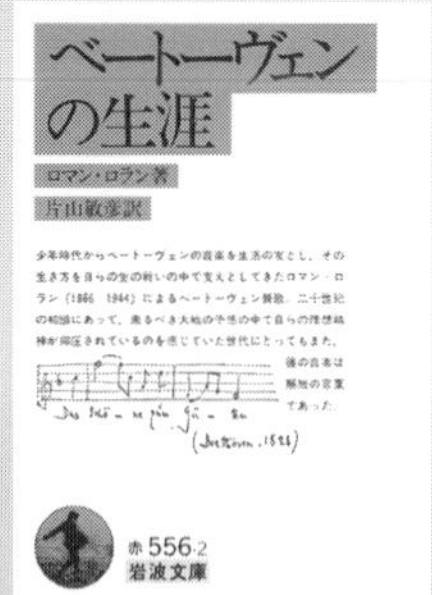

ロマン・ロラン

ベートーヴェンの生涯

片山敏彦訳、岩波文庫、660円

★病と芸術との関わりといえば、耳の病と闘った作曲家ベートーヴェンがいる。今年はその生誕二五〇周年でもあり、世界各地で記念演奏会を始め、様々なイベントが企画されている。普段クラシック音楽を聞かない方も、これを機に本書を一読し、その生涯に触れてみるのはいかがだろうか。

「悩みをつき抜けて歓喜に到れ!」の言を残したベートーヴェンは、作曲家にあって耳が聞こえなくなるという絶望的な病を抱え、のみならずその他の病にも苦しんでいた。また、それを言い出せずに社交を避けた結果の孤独、報われない恋愛、家族が抱える問題など、実に苦難続きであった。だが、挫折に終わらずこの苦難の連続と格闘し、強靭な精神力を鍛え上げ、「第九」の最後の合唱が象徴するような歓喜を目指すのである。

ロランは人生に悩める読者のためを思ってこの小さな伝記を書いている。現代のベートーヴェン研究の立場からすれば、事実関係において修正すべき点もあろうが、苦悩に抗って真剣に人生と向き合っている辛い人々に勇気を与え、励ます書として、本書を紹介したい。(市川純)

梅毒に冒された放蕩詩人はなぜ王権を擁護したのか

リバティーン

ローレンス・ダンモア監督

★二代目ロチェスター伯爵ジョン・ウィルモット（一六四七〜一六八〇）。チャールズ二世統治下の英国、すなわち王政復古時代を駆け抜けた放蕩詩人《リベルタン》である。そんなロチェスター卿の生涯をイギリスの劇作家スティーヴン・ジェフリーズが舞台化し、好評を博して映画版の脚本も手掛けた。映画でロチェスター卿を演じたのはジョニー・デップ。暗闇のなか浮かび上がり、「どうか私を好きにならないでくれ……」と語る屈折に満ちたデップの演技は、一七世紀の詩人を、あたかもカート・コバーンのようなロックスターとしてまざまざと甦らせることに成功している。

　妻エリザベス・マレット（演じるのはロザムンド・パイク）の股間を馬車の中でまさぐり、手に残る臭いを嗅いでうっとりする詩人のインモラルなイメージは――ロチェスターの詩がそうであるように――映画内で「cunt（おまんこ）」という言葉が連発されることで、強固に上書きされていく。しかし、性的イメージで宮廷を風刺する演劇「ソドム（Sodom）」がチャールズ二世の怒りを買い、以後、国王から徹底して「無視する」という仕打ちを受けて以後、庇護者を失った詩人は没落を遂げる。一線を超えてしまったのだ。

　映画のクライマックスは、死期を悟ったロチェスターが、梅毒で爛れた顔で議会に姿を表し、王政擁護の演説をぶつことで窮地に陥ったチャールズ二世を救う、といった場面である。これを、病で心身ともに弱った詩人が反骨精神を棄てて既存の権威へ身を寄せ寄せた、と読むのはあまりにも容易い。あるいは、後のロマン主義が採用した「梅毒による天才幻想」のプロトタイプを提供していると言えるかもしれない。が、ロチェスターの仕事を、当時のリベルタン詩人の文脈へ置き直してみれば、自我の受け皿としての愛が仮象にすぎないことを嘆き、性愛を媒介とすることで、仮象と実体（肉体）を結びつけようとしたのだと解釈できる。それを映画は、病に毀損された美を裏返し、再び実体を与えるものとして、いわば王権を道連れにしようとしたと、叛逆の文脈を拡大させる形で描いたのではないか。

　ロチェスターをモデルにして書かれたジョージ・エサリッジの戯曲「当世風伊達男（The Man of Mode）」（一六七六初演）では、王弟ジェームズ二世を彷彿させる名の公園セント・ジェームズ・パークが、男女の性的な「出会い」の場だと仄めかされ、放埒は体制批判と半ばセットになっていた（参考：梶理和子「公園・庭・オレンジ・王政復古喜劇における女性のセクシュアリティ表象」）。あるいはグレアム・グリーンは評伝『ロチェスター卿の猿』で、詩人に内なる「神」と「悪魔」の相克に苦しんだドストエフスキー的近代人の祖型を看取しているが、そこまで生真面目にならずとも、一見不可解なロチェスターの振る舞いは、それこそ『リア王』めいた王と道化《ジェスター》の「共依存」めいた関係に、新たな意味を付与するのは間違いないだろう。

（岡和田晃）

大陸じゅうに愛という病原菌をばら撒くかのような遍歴

G・ガルシア＝マルケス
コレラの時代の愛
木村榮一訳、新潮社、3000円

★ガルシア＝マルケスは、自らの作品に登場する〝数字〟に対して非常に強いこだわりをもつ作家だ。それもただの数字の正確さ、というだけではない。彼の作品ではしばしば、途方もないスケールの量や時間の長さが数字として観測される。『百年の孤独』に登場する大佐は「十四回の暗殺と七十三回の伏兵攻撃、それに一回の銃殺刑」の危機に見舞われたし、同作の舞台であるマコンドには「四年十一ヶ月と二日」雨が降り続けた。こうした数字がもつであろう効果についてマルケスは「たとえば、象が空を飛んでいると言っても、ひとは信じてくれないだろう。しかし、四二五七頭の象が飛んでいると言えば、信じてもらえるかも知れない」と発言している（「想像力のダイナミズム」）。さすがは元ジャーナリスト、といったところか。

　それでは、こんな数字はどうか。まずひとつは「一四万人」。そしてもうひとつは「五十一年と九ヶ月と四日」。まあ、さすがにこれで答えられる人は少ないだろうから、すぐに種明かしに移ってしまおう。前者は一九世紀のある年において、フランス国内で発生したとされるコレラの死者数（実際にそういうデータがある）。そして後者は十九世紀末から二十世紀初頭におけるコレラの蔓延を背景としたマルケスの小説『コレラの時代の愛』のなかで、フロレンティーノ・アリーサがフェルミーナ・ダーサを待ち続けた年月だ。

　一九八七年、コロンビア。一七歳の貧しい郵便局員であったフロレンティーノ・アリーサはある日、地元の有力者の娘である一三歳のフェルミーナ・ダーサに一目惚れして、二人は恋に落ちる。フロレンティーノは母親にコレラの発症を疑わせるほどの恋の病に浮かれるが、その事実を知ったフェルミーナの父は娘を旅に連れ出し、二人の仲を引き裂いてしまう。やがてフェルミーナはコレラ撲滅の名士であるウルビーノ博士に見初められて、結婚。それでもフロレンティーノは、彼女のことを待ち続けた。五十一年と九ヶ月と四日。すべては遠い記憶のなかに存在する、自らの初恋を成就させるために……。

　半世紀以上を愛のために待ち続けたフロレンティーノの誠実を、ここで疑う必要はないだろう。フェルミーナに一目惚れした若きフロレンティーノは一リットルのオーデコロンを飲み干したり薔薇の花を食べながら彼女の手紙を読み返すなどの異常行動に憑かれるが、成長して父親の事業を引き継いでからはざっと六〇〇人（！）を超える相手と女性遍歴を重ねていく。それでも誰とも添い遂げることのなかったのはフェルミーナへの想いに貫かれていたからだが、その様子はまるで彼自身が保菌者となって、大陸じゅうに愛という病原菌をばら撒いているかのようだ。そしてそれはコレラ撲滅に尽力して家族を顧みないウルビーノ博士の愛情的な「冷たさ」と、もちろん対をなす。

　いったいこんなスケールの恋愛話を、マルケス以外の誰に書けただろう。ひとからひとへ、あるいは大陸からべつの大陸へ。マルケスの世界では、愛もまた伝染していくのだ。（梟木）

擬人化した細胞の目で描く、病気で荒廃した「肉体都市」

★筒井康隆が若い頃に書いたショートショートに、その名もずばり「癌」という作品がある。医者から末期がんを宣告された男が悪魔と取引をし、全身がん細胞人間になりながらも生きながらえるという、いかにも筒井らしい作風の持ち味を生かしたスラップスティック・コメディ。ただ

しそこには病気を「治療し、根絶する」のではなく病と取引することでまったく新しい生命を得るという独特の病理観が打ち出されてもおり、興味ぶかい。

　これとはまたちがった角度から「病気」というテーマへのアプローチを試みたのが、一九九一年の短編「最後の伝令」だ。主人公の「おれ」は、なんと人間の体内にあるという擬人化された情報細胞。肉体の宿主は末期的な肝硬変を患っており、今まさに存亡の危機にあるのだが、大脳司令部を含めたほとんどの器官はそのことに気づいてさえいない。優秀な情報伝達員として、いち早くその事実を知らされた「おれ」は、

筒井康隆
最後の伝令

新潮社（文庫）＝絶版／電子書籍あり

延髄末端にある〝十二番街〟めざして立体化された臓器の都市を巡るのだが……。

　ミクロな視点による体内世界ツアーといえば、私たちはすぐにリチャード・フライシャー監督によるファンタジーSF映画の名作『ミクロの決死圏』（六六年）を挙げることができる。最近では二〇一八年に『はたらく細胞』という作品がアニメ化されたから、そちらを思い出すひともあろう。ただし本作において、宿主（小説の中で『存在』とよばれる）の肉体の崩壊はすでに決定づけられており、そこが先行もしくは類似する作品群と印象をちがうものにしている。情報細胞である「おれ」の役目はその最期の瞬間まで『存在』の容態を記録しつづけることであり、冒頭に紹介した「癌」と同じように、ここでもやはり病気の「治療」は問題にされていない。逆に病気の進行に寄り添うことで、作者は驚くべき荒廃した「肉体都市」のヴィジョンを読者の前に提示してみせる。

　それではそのヴィジョンとはいかなるものか。残念ながらここに詳しく紹介する余裕はないのだが、そこに『存在』の（ひょっとしたら作者じしんの）故郷にあるという海岸の風景が紛れ込んでいることは見逃してはならないだろう。はたしてそれは「おれ」が『存在』の記憶を通して見ている風景なのか、それともじつは死を前にした『存在』が「おれ」となって見ている幻想なのか。肉体にとって最後の伝令者となった「おれ」の旅は必然、死出の気配を濃厚に帯びる。

　筒井康隆は不健康な作家だ。かつて〝てんかん〟を扱った小説の表現が一部で差別的であるとして糾弾されたように、作家としての筒井はあくまで文明、または文明に属する人間の「不健康な」部分を見つめ、作品を書き続けている。

　しかし完璧に健康な人間など、ほんとうにいるのか。もしいたとしたら、それはまさしく筒井が短編に書いた「疑似人間」（『にぎやかな未来』所収）のような存在ではないのか。「癌」や「最後の伝令」といった病気を直接のテーマに扱う作品からは、そのような読者への問いかけが浮かび上がってくる。（梟木）

我ら皆、内臓がくさりきったみにくい存在だ

★体調が悪くて病院へ行くと、内臓がぐっちゃぐちゃだと言われる。みんなくさってしまっているから、いったんぜんぶ取って、新しい臓器をいれようと。ところが、臓器ぜんぶ取ったあとで気づく。臓器の在庫がない。

フツーそういうの確認してから手術はじめるだろうと思うが。そんな細かいとこどうでもいいような、夢のようなナンセンスの連続である。ちょうど心拍が弱まっている心臓を取り出して、「間一髪だったね、これついてたら死んでたよ」ってスサマジイ。もちろん人工心肺がとか、そういうことではまったくないです。

柳家喬太郎 綿医者

DVD「柳家喬太郎 寄席根多独演会 寿限無／綿医者／孫、帰る」所収、2857円

新しい臓器が入荷するまで、代わりに綿をつめられる。中身は綿だから立ち上がってみて、「なんか、からだが軽くなりました」。奇想天外でSFチックな、椎名誠「胃袋を買いに」感ある話だ。この噺は、柳家喬太郎が発掘した古典の演目らしい。やり手もキョン師匠くらい。

お腹に綿が詰められた男は、そのまま家に帰される。飲み食いも自由とのことで、友達と大酒飲んで、タバコもスパスパ吸ってると、タバコの火が胸に入り、からだのなかの綿が燃え。水のんでようやくおちついて、心配した友人の「どうした」の声に、「胸が焼けたんだ」。

じつにバカバカしい落語だ。それゆえに、人間の身体のはかなさ、ものがなしさがあらわれている。私らの中身なんかしょせん、綿で代えれるようなものだ、僕らも中身はからっぽなんだと諭してくれるようでもある。友成純一「内臓幻想」の、「人間の身体というものは、何と汚いものなのだろう。洋服なんぞを着るのは、人体＝糞便製造機にすぎないという本性を隠すためにちがいない」というくだりを思い出す。そして同書にはこうもある。スプラッタとは、「肉体が薄汚い牢獄にすぎないことを暴露する手段なのだ」。

柳家喬太郎の「綿医者」はスプラッタ落語だ、という見かたをしてみたい。バカバカしく笑えて、肉体を切り刻むシーンもどこかカラッとしているが、われわれの身体のみにくさをしっかりと描いている。立派な人間のふりをしていても、内臓はくさりきっており、それは綿で代替可能なのである。そんなものは燃やしたほうがいい。

ウルトラQの出囃子で上がって、落語に入る前にキョン師匠は、肛門科で下部内視鏡を施行されたときのエピソードを語る。あれはたいへんだという話のなかで、「何人のかたがうなずいていらっしゃいますが」と客席をまきこむ。内視鏡治療をうけるときの、滑稽なすがたをありのまま描いて共感の笑いが起こる。その共感は、我ら皆みにくい存在だ、こんなぶざまな格好をしてまでも生き永らえようとしてきた存在だ、ということへの共感である。こんな過激な演目を、柳家喬太郎はフツーの寄席の流れでぶち込んでくる。そしてくさった客席は、それを歓迎して受け止める。寄席は江戸の昔から、中身も外見もくさった連中が引き寄せられてくる場所だ。

（日原雄一）

日頃感じていた「生き難さ」は病気のせいだったのか？

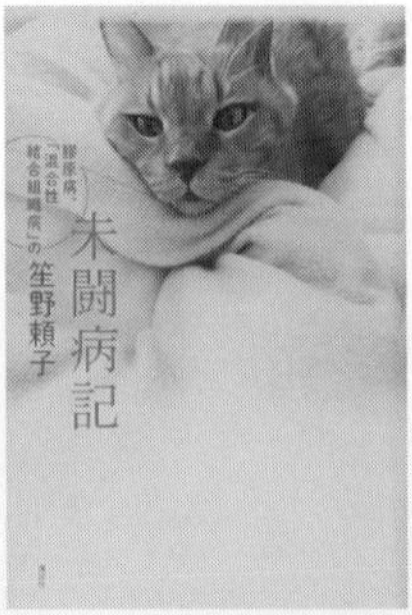

笙野頼子
未闘病記
〜膠原病、「混合性結合組織病」の

講談社、1800円

★笙野頼子は「もの病み」の幻想に憑かれた作家だ。デビュー十年目にして初の単著となった『なにもしてない』の頃から一貫して、彼女は自らの身体の不良や精神的な不調を自作のなかで訴え、幻想のヴィジョンに昇華しつづけてきた。一九九一年の中編『なにもしてない』では手指の「接触性湿疹」と診断された女性作家が「体の疲れとも心の疲れとも決められな」い体調不良に悩まされ、ついには「普段の三倍程にも膨れた手の指の皮膚は完全に乾き」「指先は全部六角形」というほとんど悪夢のような状況にいたる。もちろんそこには、九〇年代の日本社会においてひとりの女性として都会で生きていくことの不安や「生き難さ」も投影されていただろう。

そんな笙野が二〇一四年の段階で単行本に纏めて発表していたのが『未闘病記〜膠原病、「混合性結合組織病」の』だ。二〇一二年から始まる「猫荒神」三部作や作家としての立場からTPP条約反対を唱えた『植民人喰い条約 ひょうすべの国』(二〇一六年)に挟まれ、目立たなくなっている作品だが、本作において作者はある意味「作家生命、最大の危機」に陥っており、それについて正面から書いている。なんと難病に罹っていたというのだ。それも「随分前から」ずっと。その病気の名は「混、合、性、結、合、組、織、病」、別名「膠原病」——。

膠原病とはなにか。それは「十万人に何人かの、予想困難な特定疾患」。ただし「一種類の病を指して言う言葉ではな」く「自己免疫疾患で、結合組織の病」という共通点があり、そんな何十種類かをまとめて「膠原病と呼んでいるらしい」。圧倒的に女性に多い病気ではあるものの患者によって症例はさまざまで、発見から半世紀以上が経過した現在においても未だ完全な病態の解明には至っていない。

なぜ膠原病が「作家生命、最大の危機」なのか。まずひとつは、この病気による症状の進行が純粋に今後の創作活動の妨げとなる可能性があるから。そしてもうひとつは、彼女が日頃から感じて表現してきた「生き難さ」がこの病気の名のもとに回収されてしまう可能性が浮上してきたからだ。そこで笙野は自らのヒストリーを『なにもしてない』の頃まで遡り、自作に書き表された症状が膠原病由来のものであったかどうか丹念な検証を重ねていく。すべては症例としての「生き難さ」を「個人的体験」として取り戻す、ために。

『未闘病記』とは面白いタイトルだ。これが単純な「膠原病闘病記」の本ではないという作者からの注であると同時に、自分はこの病気と「闘わ」ないし「闘ってこな」かった、という事実の表明でもある。彼女が闘うべきはあくまで「私」を病気にしようとする、個人の外側に立つものたち。巻末に記されたあとがき「去年は満開の桜を静かに見ていた」からは、そのような作者の決意がひしひしと伝わってくる。(梟木)

病気の記憶には、かならずこういった愉しい部分がある

吉行淳之介
淳之介養生訓
中公文庫、762円

★貝原益軒の「養生訓」をひもとくと、こまることばかり書いてある。「人慾をほしいままに楽しむな」、「運動して健康を増進しておくこと」、「心を平らかにし、言を少くせよ」と、どれも私にはむずかしい。とくに困るのは、「睡眠時間を短くせよ」「ねぶりをすくなくすれば、無病になるは、元気めぐりやすきが故なり」と言われても、私は一日八時間はねないと死んじゃう人だ。無病を求めて死ぬよりか、病とゆっくり添い寝したい。

松田道雄は「養生訓」について、「幸福な老人の健康論である」と書いた。私はアヤシイ老人になりたい。岸部一徳とか藤村俊二とか、狐狸庵山人や吉行淳之介みたく。「淳之介養生訓」なら、もっとだめなひとにやさしそうだ——と思って開くと果たしてそうだった。

「養生法というものについてあたりを見まわしてみると、世の中はさまざまである。禁酒禁煙を断行している人がいるかと思うと、酒もタバコも嗜むばかりでなく、そのほか健康に悪いといわれているもろもろのこともどんどんやる、という人もいる。もしも病気になったときには何か一つをやめれば、その分だけ健康によいわけだ」。

わたしはこっち派でいきたいね。いざそのときに、一つ一つやめてけるのかはさておき。

吉行淳之介は持病として、喘息とアトピー性皮膚炎があった。ほかに結核で入院したり、白内障、白色嫌厭症も。「健康状態の悪い時に、病気のことを思い出して書くのは、うっとうしい」と、書いてはいるものの、そうした文章がとても面白くて。

結核で入院中に、芥川賞受賞を知る。看護師さんから「三文文士」なんてからかわれていたのだけれど、そのニュースがあってから、「三文文士なんて言ってゴメンね」とあやまられた。退院後も吉行氏のことなんで、「淋病は何回かやっている。その度に、P先生のところに駆けつける」。こんなかんじだから、STD・性感染症で今さら恥じらいもしないが、「あるとき、例のように顕微鏡から眼を離した先生が、こともなげに言った。／『心配ありませんよ、これは大腸菌です』／私は内心甚だしく赤面した。その数日前に、私は男妾と寝ていたからである」。

吉行氏が月刊誌の企画で、占い師に質問したときの話。「昨年から、躯をこわし寝込んでいますが、健康に戻るのはいつごろでしょうか」。返ってきた答えはこうだ。「健康状態は一進一退で相当に長引くと観る」。……。

吉行氏いわく。「どうやら、病気がちの者は、病気というマイナスから何とかしてプラスの部分を引き出してこようとする気持があるようだ。病気の記憶には、かならずこういった愉しい部分がある」。

わがことをふりかえるに。確かに愉しい記憶もある。もちろん、それを大きくうわまわる困った記憶ばかりなので、その部分はよりいっそう貴重でかがやいている。私は病がどうにか癒えたあと、彼氏くんも同じ病だったと知りわらったことがある。もちろんSTDではないですが。（日原雄一）

共同体から切り離された個人の「病み」化を映す

凪待ち

白石和彌監督

DVD＝3900円

★二〇二〇年一月。鳴り物入りで発表された第四十三回日本アカデミー賞の受賞作品リストに、残念ながら本作の名前はなかった。同じ年に開催された毎日映画コンクールやヨコハマ映画祭に続いて、これで国内の主要な長編映画賞すべてを逃したかたちになる。二〇一八年の賞レースを総なめにした『万引き家族』のさらにその「先」までを描いた『凪待ち』は——白石和彌監督の確かな演出力や、主演である香取慎吾のアイドルイメージを脱却した自然な「ろくでなし」演技にも関わらず——完全に「黙殺」された。

作品の主要なロケ地であり舞台となったのは、未だ震災の爪痕深く残る宮城県の石巻。毎日を目的もなく無為に過ごしていた郁男（香取慎吾）は、競輪のギャンブルから足を洗い、恋人の故郷である石巻に行く決心をする。そこには恋人である亜弓のほかに、彼女の父親で漁師の勝美、そして亜弓の前の恋人との間の娘である美波がいた。すでに就職が決まっていた地元の印刷会社での仕事も順調に進み、まずは安堵する郁男。ところが娘の教育方針を巡って亜弓と対立したある晩、彼女は防波堤にある工事現場で、何者かによって殺害されてしまう……。

恋人を殺され、その罪を理不尽に（「地元の人間でない」というだけの理由で）着せられた郁男は、ここでいよいよ「ろくでなし男」から覚醒し、悲劇のヒーローとして生まれ変わるのか。答えは「否」。白石監督は決して郁男を探偵役に「事件の解明」へと物語を走らせることなく、後悔と自責の念に塗れた彼がノミ屋の違法賭博に溺れていくさまをただただ映し続ける。

ギャンブル依存症もまた、現代では精神疾患のひとつに分類される立派な〝心の病〟。衝動に身を任せ、すべてを使い尽くそうと——もしくは取り戻そうと——賭け事に身を投じる郁男の（そしてそれを演じる香取慎吾の）青ざめた表情は、まるで病人のようだ。恋人の死の責任をギャンブルによる自己破壊によって贖おうとする郁男の行いは、ドストエフスキーの小説『賭博者』に出てくるルーレット狂いのアレクセイにも似て、ほとんど殉教者であるかのような切実さを帯びる。

郁男にとっての幸運は、そのような状態になっても彼を信じようとする人々が周囲にいたことだ。当初は母親の死に関わったことで辛く当たっていた美波も、また娘を先に亡くし途方に暮れていた勝美でさえ、郁男のことを決して見捨てることなく、支えようとし続ける。自分のせいで恋人を失った（と考えている）中年男の抱える深い「喪失」の痛みと、同じ傷をもつもの同士による緩やかな共同体の「再生」。震災の傷跡から何度でも立ち直ろうとする被災地石巻への祈りも、そこには重ねられている。

「自己責任」という言葉が蔓延し、それが共同体から切り離された個人の「病み」化を加速させていることに気づかないふりをしている現在の日本社会。オリジナルストーリーの脚本で本作のようなフィクションが作られたことの意味は、かぎりなく大きい。

（梟木）

REVIEW

世間のつらさ、自分のつらさにもがく自身の姿を晒す

永田カビ

現実逃避してたらボロボロになった話

イースト・プレス、925円

★現実逃避なら誰しもする。もちろん私もしょっちゅうしてる。それではいけない、とわかっちゃいるけどやめられないスーダラ節の人生である。

僕を正気でいさせないで（©「風と木の詩」）、という精神状態だったという。ADHD治療薬のストラテラをのんだら「絵の手数を増やそうとしてもどうしたら良いかわからなくなった」、「アイデアが何も浮かばなくなった」。そして「2018年元旦未明 初もうでの帰り」、飲み屋に「ふらりと一人で立ち寄り一杯ひっかけたら、それをきっかけに飲み歩くようになってしまった」。それも毎日。一年の計は元旦にあり、なんて言葉を思い出す。店でなく家で飲むようになると、「部屋には焼酎を常備し、主にカルピスで割って飲んでいた」。朝から晩まで、「常に酔っていた」。それはからだを壊すだろうと、ひとごとだから思うのだ。自分はそれに近いこと、それよりひどいことしちゃいないのかと問われれば、ゴメンナサイとあやまりたい。

そしてその年の十月七日、昼に起きて以降、「腹がめちゃくちゃ痛い」。病院で検査して診断は、「アルコール性急性膵炎」。で即日入院。水をのむのもつらいし、腹痛で夜も眠れない。

それでも、「痛み止めが効いて、今は痛くないです」なんてほんわか笑顔なときもある。そんなときに若い医者から、「膵炎ね ひどくなると 首の太い血管から管入れてそこから薬入れて腸に直接栄養入れないといけなくなる」、「自分ではもう栄養消化吸収できなくなるから 食べても吐き続ける事になる」、「気を付けんとそうなるから」ってめちゃめちゃこわいこと言われる。どうにか退院が決まったあとも、「薬は一生飲まなあかん」、「アルコールはもう絶対あかん」……。

父親に言われた。「このこともまた描くんか」。「描かへんよ」。これまでのエッセイマンガで、「親を泣かせてしまった」カビ氏は、「エッセイはもう二度と描かない」と決め、フィクションのネームに向かってた。でも。

佐々木ののかさんの「五体満足なのに、不自由な身体」を読んで、『作品として自分を開示する事』最高やな…」、「最高にかっこいい」と気づき、「急性膵炎になった呑兵衛マンガ家がその事をマンガに描くことで少し前に進む話」として本作を描き始めた。描いてくれてよかった。

この揺れ、不安定さこそが、永田カビの魅力であったりもするんだけど、それが「入院」という大事により、さらに色濃く見える作品だった。世間のつらさ、自分のつらさにずっともがいている姿を見せてくれる永田カビの既刊三冊は、おなじくもがいている私らに、共感と笑いと感動と、簡単には言いえぬもろもろを与えてくれていて、今回もスゴク面白かった。そして考えさせられた。自分はこんなに、現実逃避していいのかと。って言うかいま現在も、本来やらなきゃいけない作業を脇にこれ書いてる現実逃避の真っ最中で。

（日原雄一）

真珠とペン軸、あるいは変幻するサラマンドラ
——澁澤龍彦と病

◎文＝渡邊利道

生きて動いている澁澤龍彦の映像を一度だけ見たことがある。土方巽の葬儀で挨拶する場面で、黒眼鏡をかけ、ややうつむき加減の猫背が高くかすれた声とともにスッと伸び、「あまりにも急で、それがいかにも土方らしい」と言った、何度もつっかえるようだったその声の調子に、親友を失った悲しみと同時に病魔の影を見ることは容易かった。

　もちろんそれはその後の経緯を知っているからで、それから八ヶ月あまり後の一九八六年九月に、かねてから訴えていた喉の痛みが下咽頭癌のためであると判明。二度の手術を経ても病状は好転せず、翌八月五日に死去した。享年五十九。

　病の最中にあって書きつがれた長編小説『高丘親王航海記』は、その内容から作者の心理を忖度する読解がなされることが多い。高丘親王は、薬子の変で皇太子を廃された平城天皇の第三皇子で、出家して空海の弟子となり、老年にいたって求法のため入唐、さらに天竺をめざしたが南洋で死去した実在の人物である。小説は広州から羅越までの実際には記録が残っていない旅を描くもので、作者の創作ノートにはイタロ・カルヴィーノの『見えない都市』やルネ・ドーマルの『類推の山』の書名が見える、自由に想像の翼をひろげた博物誌的な幻想小説である。

★澁澤龍彦「高丘親王航海記」（文春文庫）

　小説の後半では、親王が真珠を呑みこんで声を失い病に苦しむ場面が描かれ、そのとき作者は気管切開のために声を失っていた。親王が真珠を呑む場面には、作者が幼年期に父親のカフスボタンを呑みこんだ実際のエピソードが投影されているというが、澁澤は自分の癌を真珠に見立て、あの死をもたらす石像を颯爽と宴席に迎え入れる放蕩児にも因んで「呑珠庵」と号した。物語では美しい真珠は親王に死をもたらすもので、もし死を避けようとするならば真珠は手に入らない、として親王は従容と死を受け入れる。この展開が死を意識したものであると考えるのは自然な読解だろう。しかし死を覚悟していたのではあっても死を受け入れていたわけではないらしいことは、病床で澁澤が次回作として『玉虫物語』という構想を練っていたことを示す創作ノートや周囲の証言からも明らかでもあった。いうまでもなく、小説は人生の内実そのものを写すものではない。

　友人たちによれば、澁澤は病を得てから「人生は夢」という感じがいよいよ強くなってきたと語っていたらしい。その感覚が一番よく現れているのは病中で書かれた「穴ノアル肉体ノコト」というエッセイだろう。食道ごと咽頭癌を切除したために、気道の穴からつないだプラスチックのパイプで呼吸するようになったから、もはや首吊り自殺ができなくなったなどと書くユーモア

たっぷりの文章である。病気の中でも深刻にならず、自分の死に瀕した身体を、新しい玩具でも手に入れたかのように楽しげに語る態度が大きな反響を呼んだ。澁澤は以前から、ベタベタした情念的な「告白」は性に合わないので、自分の肉体を主体から切り離されたオブジェのように書くと語っており、死を前にしてもその態度はまったく揺らぐことがなかった。

　澁澤のオブジェ嗜好は、不思議にフェティシズムの香りがしない。オブジェobjetとは物体、対象、目的といった意味の言葉で、本来は認識主体である人間によって意味を与えられるものだ。フェティシズムとは性愛のなかで本来の性的対象となる身体を、それを象徴する一部分に――例えば女性の身体をハイヒールに――置換する嗜好のことで、意味が生成する文脈そのものは変わらない。一方澁澤が愛でるオブジェは、本来の文脈からすっぱり切り離された無目的性、無意味性にこそその妙味がある。そこには本義である呪物崇拝に潜む超越性への志向もない。だいたい首をしめられても息ができるから死なないというけれど、脳にいく血流が止まれば死ぬのだからまったくナンセンスな言い分なのだ。澁澤は病を契機として、身体をその本来の文脈から見事に切り離して見せたのである。

　澁澤の妹幸子によると、兄龍彦はひどく見栄っぱりで、自分の過去についてずいぶん多くの嘘を語っていたらしい。病の身体をオブジェに置換してしまうのも、そう言った「嘘」の延長線上にあるのかもしれない。

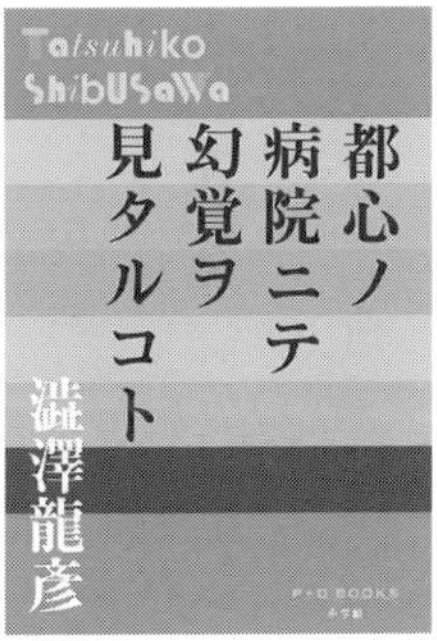

★澁澤龍彦
「都心ノ病院ニテ幻覚ヲ見タルコト」
（小学館）
※「穴ノアル肉体ノコト」を収録

　また澁澤がエッセイの中で何度もくりかえし書いた「リブレスクな人間」「気違いじみたイメージの蒐集家」「アクチュアルなことどもには関心がない」といった自己像は、多分にミスティフィカシオンを含んだ、彼が読者に見せたいと望んだ「澁澤龍彦像」でもあったのだろう。

　そしてそれは、澁澤が自分の好みにあれほど絶対の自信を持ちながら、その好みの主体である自分自身の「真実」についてはさしてこだわりがなかったらしいことも示しているように思える。エッセイにもフィクションにも、澁澤の作品にはほとんどすべて典拠というか、下敷きになった作品があることはよく知られているし、そもそもまったくそれを隠そうとしていない。古代ローマ期の文人プリニウスについて、「あきれてしまうくらい、独創的たらんとする近代の悪弊から逃れている」とぬけぬけと書く。刊行中に没することになった『新編ビブリオテカ澁澤龍彦』の内容見本では、「世間は私を変らない人間と見ているらしいが、じつは私はサラマンドラのようにたえず変っている人間なのである」と書いているのだが、このサラマンドラという卓抜な比喩は、旧版『ビブリオテカ』に石川淳が寄せた文章からさっくりいただいたものなのである。

　さて、澁澤が自身の病を投影して書いたと思われるもう一つの小説が、著者二十七歳の作品「エピクロスの肋骨」だ。当時澁澤は肺病を病んで父を喪い、校正の職でどうにか糊口を凌いでいた。物語はサナトリウムからペン一本で脱出した詩人のコマスケが、次々と起こる出来事と事物に翻弄されるメルヘン風の一編だが、そこで作者は孤独は病気に似ているという。病菌に犯された肺の空洞が、靴下を裏返しにするように内部から外部へひろがりコマスケを包み込む。病巣のように、アダムの肋骨のように孤独は実体化し、無人の車両に猫が現れる。猫は少女に変身し、幸福にしてあげると囁いて、詩人のペンを奪い彼を刺し殺す。すると不思議なことに二人の姿は消えてそこには巨大なペン軸が刺さった木琴があるばかり……。このペン軸が親王の喉に詰まった真珠と同価であることは間違いないだろう。まるで螺旋を描くように遺作が最初期の作品に結びつく。変幻するサラマンドラにふさわしいイメージではないだろうか。

闇に憑かれた作家 ガブリエル・ヴィットコップ

――屍体愛好者リュシアン・Nのエロスとタナトス

◉文＝馬場紀衣

ガブリエル・ヴィットコップ（1920年～2002年）は、死に魅了され、死に憑かれた物騒な作家であり、わたしのもっとも愛する作家のひとりでもある。ガブリエルの作品を読んでいると、わたしは否応なしに道徳と狂気が背中あわせになった愉悦状態に誘いこまれてしまう。

残念ながら、このフランス人の作家は日本ではあまり知られていない。わたしが紹介できることと言えば、ガブリエルは8歳で最初の原稿を執筆し、この作品を買い取ったのが父親だったと言うこと。母親とは幼少期に死別していること。父親が自由思想の持ち主であったために、学校へ行かせてもらえず、書斎で読書をして過ごしたことくらいだ。ガブリエルは相当な読書家だったらしく、20歳で「すべてを読破した」と語っている。

わたしはこれまで2冊ほどガブリエルの名前が記された本に出合っている。まずはその内容を手短に語ってみよう。

ひとつはフランソワ・リヴィエールとの共著『グラン・ギニョル―恐怖の劇場』（未来社）の邦訳本である。グラン＝ギニョル――フランス人ならたいてい知っている、この気味悪い大衆劇場では、狂犬に噛まれて死ぬ灯台守とか、神経衰弱になった妻に硫酸をかけられて失明した亭主が言葉優しく「これがお前の金髪だった」とか「これがお前のやわらかい肩だ」とか口にしながら、最後には妻の首を握り、タラタラと硫酸をその顔にたらす……なんて頽廃感覚をまき散らした演劇が上演され、ともすると吸血鬼ドラキュラやフランケンシュタインなどのイギリス・モダン・ホラーを思い起こさせるが、世紀末のパリに生まれたこの劇場はどちらかと言うと、大正末期から昭和初期にかけての日本の猟奇的小説（江戸川乱歩など）のほうに近いかもしれない。執筆の分担は第2章から第5章までがガブリエルで、その他はリヴィエールの手によるものだが、著者紹介は掲載されなかったので本書から彼女の人となりを知るのは難しいだろう。彼女は子ども、宗教、道徳、自由、両性愛、家族を忌み嫌い、インドと啓蒙の世紀をこよなく愛した。18世紀の作家と哲学者と画家を好み、とりわけサドに心酔した著作には、サド作品を髣髴とさせる描写に溢れている。そこにはサドではなく「サド的」な嗜好と、狂気ではなく「狂気的」な偏愛が見出される。

ガブリエルは処女作『ネクロフィリア』でリュシアン・Nという名の屍体愛好者を生みだした。物語は日記の形式をとっている。リュシアンは夜な夜な墓場から屍体を掘り出してきては、形状が崩れるまで自らの欲望を満たす。病的なリュシアンの行為はおぞましいと言えば、たしかにその通りであるが、軽石のように軽い骨や、口ひげを生やした女の性器、スウェーデン人の双子の屍体の損壊していく様子といった強烈な描写には、ナルシスが泉のほとりでバラの蕾に心奪われているときのような、屍体への素直で甘いまなざしが向けられており、一般の人間恋愛的な関係に見られる危険や恥や悪口はみじんもなく、むしろ高貴で純粋な愛が漂っている。リュシアンのそれはオブジェへの偏愛ではなく、死者への加虐趣味でもない。ましてや彼は狂人でもない。読者は〈性〉の気質と〈生〉の傾向に結びついた表象を、夢みるリュシアンの物語にふんだんに発見するであろうと思う。これこそ本質的な愛情というべきであろう。しかしその愛情は、多くの人が病んだ愛情だと糾弾するものでもある。

題名のネクロフィリアとは、「死、死体」を意味する"nekros（ギリシャ語）"の接頭語と、「所属」"philos"から派生した"～phile"「愛すること、愛されること」で構成された語であり「死を愛する者、屍体愛好者」の意味をもつ。「愛すること」の語源が「所属」にあるとすれば、屍体とはいったい誰のものなのだろう。キリスト教が人間の身体を神の所有物とみなしたところで、活動中の身体の権利を所有者（私）から奪うことは不可能だ。しかし、死が〈私〉と肉体を分かち、他者の手に渡った時点で、この特異な物体は、かつての所有者のあずかり知らぬ儀式へ移動し、神聖化されることになる。

生きながらにして死に憧れ、墓場から連れ出した屍体と逢瀬を重ねるリュシアンには、死に触れながらも決して死と一体化することができない悲しみがある。父から受け継いだ骨董店を営み、夜の世界に生きる彼（リュシアンの名前はラテン語の「光り（lux）」に由来し、闇夜で行為に及ぶ彼との二項対立の象徴である）の周りには死のイメージが唐草模様のようにひろがっている。死者はリュシアンによって放たれたものでいっぱいになり、それでいて彼は死者にむさぼり喰われているのは自分ではないかと錯覚する。安心したいという欲求は人間の倫理の源で、したがって基本的なものである。安心（安全であること）は生の象徴であり、不安（安全でないという意識）は死の象徴なのだ。フランスの批評家R・カイヨワは、人間の恐怖心はわれわれの想像力の娘であって、多様であり、固定したものではなく、たえず変化してやまないものだと言ったが、しかし恐怖心とは曖昧なものだ。動物は自らの死を見越したりはしない。動物たちの恐怖とは、ただひとつ、貪り食われてしまうのではないかという恐怖なのだ。

マルク・オレゾンは、人間とは「恐怖心を抱く存在」であると結論づけているが、たしかに恐怖心はわたしたちの全生涯についてまわる。同じ意味で〈死〉もまた生涯ついてまわるのである。

屍体はまるで幸福の島に住んでいるように現実世界から隔離され（実際に墓場に埋められているのだが）、夢見る人のように、物言わず、税金も払わず、自己のうちに深く沈潜している。彼らの意識は死によって完全に統御されているから、通常の情動的思考の代わりに、幻想的思考の持主となる。つまり、リュシアンに幸運をもたらす屍体たちは、安心感をまき散らす存在なのだ。

「人体は自ら発条を巻く機械であり、永久運動の生きた見本である。人体は時計、しかも巨大な時計であり、非常な技巧と数奇を凝らして作られているので、秒を刻む役目をつとめている歯車が止まることがあっても、分を刻む役目の歯車は、相変わらず廻りつづけているのである」と書いた『人間機械論』のラ・メトリは正しかった。愛する相手が膨張し、崩れ、形を失ってゆくタイムリミットにもがき苦しむリュシアンとは、人間存在の矛盾そのものなのかもしれない。

★（上）フランソワ・リヴィエール&ガブリエル・ヴィトコップ
「グラン＝ギニョル―恐怖の劇場」（未来社）
（下）ガブリエル ヴィットコップ「ネクロフィリア」（国書刊行会）

『ベニスに死す』
——疫病にとりつかれる精神と汚染されない美意識

◉文＝釣崎清隆

今日は令和二年三月二十七日。東京では三日連続で四十人以上の新型コロナウィルス感染者が発生し、小池都知事の「感染爆発の重大局面」との発表に、昨日は都内のスーパーマーケットの食料品棚が空になる事態が起こった。ところが、そんなパニックも一時的なもので今日は比較的に落ち着いている。春分の日からの自粛解禁ムードは桜の開花で否応なく煽られたが、この都知事会見にいたって都民はマスメディアやSNS上で展開されたパニックを煽る有害な雑音に惑わされる事態を最小限に抑え、冷静に元の自粛態勢へ取って返すことになった。

私はこのような危機における我が国の庶民の振る舞いが、ある意味で達観した大詩人のそれのように見えることがある。

九年前のあの時も歴史的運命から逃亡し、ゆえに今回またしても見苦しい保身行動を繰り返してしまう声高な「表現者」たちが続出しているが、それを相手にせず、現実を見つめて冷静に対峙するたんたんとした市井の人々の美しさを目撃したのだった。

私はあの時の福島で見たまぼろしを思い出す。

福島第一原発の建屋が次々と爆発する中、我々はスーパーマーケットの長蛇の列に並んで食糧を調達した後、ガソリンスタンドから延々と続く給油の車列に落ち着いた。

被爆対策のため外出は最小限に抑えられ、列をなす車内、ガソリンスタンド店内外以外にはほとんど人影がなかった。ひとりの客が自分の車から出てガソリンスタンド店内のトイレを利用し、急いで車列へ戻ったため、開けっ放しになってしまった店のドアを、店員が「ちっ」と舌打ちしながら閉め、苛立たし気にマスクの位置を正していた。別にかの客をとがめだてする気はない。静かな早春の午後である。

★「ベニスに死す」（左も）

その穏やかな規律の中で、私の眼前の車窓をまぼろしのように横切ったのは、陽光を背にして満面の笑みで踊り走る少年たちだった。その肩には略奪したと思しきビールケースが担われていた。私は、ぴちぴちと若々しい退廃の美を見た思いだった。カオスの美にも調和が必要である。

私はこのところ繰り返し『ベニスに死す』を観て過ごしている。言わずと知れたルキノ・ヴィスコンティが晩年の一九七一年に監督した最高傑作である。

文豪トーマス・マン原作のこの作品は、老音楽家が旅行先のベニスで遭遇した美少年に恋をし、彼の後ろ姿を追ってコレラが蔓延する街をさまよい、感染死する物語だ。少年同士が浜辺で揉み合うラストがぴちぴちと美しい。

非常事態にあっては芸術家たる者、その現実的運命とともにあるべきだ。芸術家は無力であるが、その運命を噛みしめ、あますところなく引き受けるべきだ。歴史的運命を直視することがその責務であり、宿命なのである。

ロマン・ポランスキーの二〇〇二年作品『戦場のピアニスト』もしかり。主人公のピアニストは過酷な時代に翻弄されるにまかせて抵抗することも足跡を残すこともない。

芸術家は残酷な運命にただ震えている存在なのである。それでも境涯から逃亡せず、たんたんと悲嘆する存在なのである。現実の矛盾に美を見出し、それに殉じることを定められた存在なのである。

芸術家が疫病や戦争の悲劇に抵抗することはできない。しかしことさら恐怖に憑依されることなく、ただ現実を受け止め、悲嘆の詩を吟ずるべきだ、私はそう思う。現代人が神の視線を装って過去を断罪するような思いあがった態度はもってのほかだ。必ずや未来から復讐されるに決まっている。

戦争カメラマンが決して〝アクションヒーロー〟であるはずがないし、あってはならないのである。

しかしながら、たとえ大芸術家であっても、晩年にいたってどんどん説教ヒューマニズムに浮わついていく老害作家も少なからず存在するのは確かである。たとえば黒澤明やケン・ローチ。政治によって凡庸へと汚染された病症といえる。

それに対してヴィスコンティは個人的には共産主義に傾倒しつつも、己の出自由来の貴族趣味、古き良き美の喪失を憂う。

小津安二郎もしかり。失われていく価値を限りなく慈しみ、黙々と哀愁をたたえる。二人とも時代に対してはしたなく不平不満をぶちまけたり、泣き喚いたり、怒号を上げることはない。

時代の破壊が「善意」によって粛々と執行されることを知っているからだ。時代の現実を当事者として直視しているからだ。それでも己の美意識までもを汚染にまかせることを拒否したのである。

★写真：釣崎清隆
3.11の被災地

ここで私は、「善」と「美」が基本的に異なる価値であることを銘記しなければならない。美意識が善意を嫌悪する局面はしばしば起こるという現実を付け加えなければならない。またこれが芸術家の基本精神であるべきだ。

『山猫』が誇り高く、『東京物語』が高貴なのは、作家自身の絶対的な美意識の反映であるとともに、時代の併走者としての強固な作家性の表出にほかならない。

我々表現者は、巨匠さえもが陥ってしまう「凡庸《メディオクリティ》」の罠にはよほど気を付けなければならない。表現者たる者がプロパガンダに煽られて鑑識眼を曇らせ、歪められた現実に右往左往する振る舞い、それにとらわれて誤謬を繰り返す思考、世界を矮小化する陳腐な進歩主義への妄信、これをこそ凡庸というのだ。

真っ白なキャンバスほど醜いものはない、美の価値観を根底から覆す危険をはらんでいる。この認識が肝要なのだと、私は思う。

疫病にとりつかれる精神性は芸術家が最も忌避すべきところ。事実より理論が、科学より思想が優先する世界はいまだ治癒されない。世界は壮大な愚行をどうせ止められない。放射線も新型ウィルスも、表現者にとっては背負うべき厳粛な宿命であり、決して汚染されぬ我々の美意識にとってはむしろ糧にほかならない。時空を超えて侮辱されることだけは断固拒否する魂の所以である。

「The cancers at the end of time」

◉文＝本橋牛乳

人工水晶体「HOYA XY1AT6」

今年のはじめ、白内障の手術を受けた。昨年末、眼科に行き、診察してもらった結果、白内障であり、手術が必要とのことだった。とはいえ、スケジュールは2カ月先。それまで空いていないということで、手術は1月末から2月の初めとなった。

診察を受ける前から、白内障だということは、予想していた。4年前に眼鏡をつくったときに、左目の視力が0・6以上は上がらなかった。やがて、左目は物が二重に見えるようになってくる。片目で二重に見えるというのは、これはもう目がおかしいとしかいえない。調べると、白内障の典型的な症状の1つ。

まあ、右目はそこまでひどくはなかったし、視力が変わってしまうので、片目だけ手術するという選択肢はない。それでも、右目もだんだんぼやけるようになってきた。「トーキングヘッズ叢書」の細かい文字は、けっこう読むのがつらかった。

実は眼鏡のレンズは傷がつきにくいようにコーティングされている。でも、時間がたつとコーティングがはがれてきて、レンズに傷が目立つようになってくる。その上、近視も進んでいる。普通にしていても、物がぼやけるので、眼鏡をつくりかえることになる。ということで、4年前につくった眼鏡も傷が目立ってきた。最近は再び演劇を観に行くことが多くなってきたのだけど、実は出演者の顔があまりよく見えなかったりする。

ということで、昨年末に、まず眼鏡を新調した。とはいえ、やはり白内障の手術は避けられなくなってきたので、わずか2か月ちょっとのための眼鏡ということになる。眼鏡もまた、それほど合わなくなってきていた。

11月末、夕方近く、近所の眼科に行った。そこで、視力だけではなく、眼球の硬さなどさまざまな検査をした上で、診断は白内障。両眼とも手術、ということになる。正直、緑内障など他の病気ではなくて良かったと思った。緑内障は治らないし、別の病気による眼底出血のようなものもなかったし。

とはいえ、年明けには、より精密な検査、そして手術前の説明会に参加した上で、2月初旬に、片目ずつ手術をすることになる。ぼくの目を執刀する医師は、もっとも近い日でスケジュールが空いている医師ということだ。手術は早い方がいい、とは思う。でも、スケジュールが空いている医師って、いいのか？　まあ、数多く手術している医師だし、大丈夫だろう、と思うことにした。

手術にあたって、かかりつけ医にも問題ないことを示す手紙が必要ということだ。そうなのだ、ぼくは高血圧のため、毎月、かかりつけ医に通って、薬をもらっているのだ。

かかりつけの医師は、けっこう変な人で、ぼくが行くと、診察はあまりせず、ほぼ雑談。患者は高齢者が多く、話しても理解してくれる人がいないので、ぼくに対しては、なるべく平日に来て、雑談の相手をしてくれ、という。その上で、診察料をとられているので、何が何だか。でも、雑談のネタは、そのうちどこかで使うから、いいや。

さて、この医師は、手紙を見ると、「手術はいつ？」って訊く。「2月ですよ」っていうと、「2か月も先かあ。眼科の医者だよなあ」と。循環器系はそうじゃないらしい。

「2か月もしたら、体中の細胞が全部入れ替わっているのになあ」ということだ。

もっとも、心臓の細胞は入れ替わっていないはずなのだが。

それはそれとして、眼科に提出する手紙は受け取った。

12月20日、再び眼科。前回よりも精密な検査を実施。視力検査では、左目だとCのような記号が2個も見えるので、なかなか困る。

ここで、手術にあたっての方針を決めることになる。

手術というのは、角膜を3ミリメートルほど切り、そこから濁った水晶体の細胞を除去した上で、人口水晶体というかレンズを入れるというもの。

方針としては、第一に健康保険が適用できる単一焦点のレンズにするか、高度医療となる三重焦点レンズにするか、ということ。お金持ちではないので、ここは健康保険適用で。

次に、視力をどうするのか。遠くが見えるようにするのか、近くが見えるようにするのか。ここもまあ、一般的な、手元が見えるくらいで、左をやや遠く、右をやや近くと、微妙に差をつける、ということに。まあ、選ぶまでもなく、そういうことでどうですか、と言われて、判断することもなく、という感じ。まあ、眼鏡なしでパソコンが打てるからいいか、と。いや、眼鏡なしで景色を美しく見たい、という気持ちもあった。どっちがいいのか、ということなんだけど、正直、どっちも選びたい。そういうわけにはいかないので、迷う時間すらないままに、医師のおすすめで。

あとは、乱視を調整するレンズを入れるので、角度の調整もするからね、とのこと。

そして、手術の日程、左目が1月27日、右目が2月4日と決まった。あたりまえだけど、両方一度にはやらない。まあ、やるケースもあるんだけど。

そして明けて1月20日に手術の説明会。前日から禁酒。手術後1週間は飲めない。あとは、入浴や洗顔、仕事、運動、自転車などに関する注意など。そして、1週間後の手術に備えることになる。

★吉行淳之介「人工水晶体」
（講談社文庫）

白内障の手術といえば、吉行淳之介のエッセイ「人工水晶体」がある。出た当時、何だかＳＦっぽいタイトルだよな、とは思った。灰色の抽象的なカバーも素敵だ。まあ、サイボーグといえばそうだよな、と。まだ白内障の手術に健康保険が適用されていなかった時期だ。

吉行は50代で視覚がぼやけるようになる。とはいえ、そうそうすぐに治療するわけではない。人工水晶体のことも知るが、情報は少なく、対応している医療機関も少ない。そういった中、白内障は更に悪化、吉行は逡巡し、信頼できる、と自分が思う医者を見つけ、手術に踏み切る。周囲にも、手術を受けた人がいて、参考にする。

手術は無事に成功し、視力が回復する。1・5くらいになったのかな。

素人なりに医療をめぐる情報が織り込まれていて、当時としては、白内障治療の参考になったのかもしれない。そうした知見と、逡巡する内面が描かれていて、優れたエッセイということで、講談社エッセイ賞も受賞している。

さすがに、現在は、白内障の手術そのものは珍しくもなんともない。いろいろな著名人が、手術について書いている。たぶん、吉行のエッセイは、今だとあまり参考にならないだろう。特に、手術後のケアはだいぶちがうし。それでも、当時はまだめずらしかったし、その時点での記録でもある。

1月27日、左目の手術をする。前々日から、雑菌を殺す目薬などをさし、手術の準備をしてきた。吉行のときと異なり、麻酔は注射ではなく、点眼で行う。

雑菌による感染を防ぐため、頭と靴にカバーをかけ、手術室に向かう。手術室の感じは、歯医者に近い。リクライニングの椅子に座り、背もたれを倒し、目の手術を行う。顔には、目の部分だけあいたシーツがかけられ、さらに目を開けたまま、セロファンのようなものが目にあてられる。そうして手術がスタートする。

プロセスは、先に書いた通りだけれど、実際、なかなか面白い体験ではあった。緑の光をずっと見ているように指示されるのだけど、目をあけたまま見続けるのは楽じゃない。しかも、途中で何度か、殺菌のためのオゾン水が目にかけられる。ぼやけた緑の光があり、たぶん、水晶体の細胞を吸引する機械からは、英語による女性の声。なんかもう、SF映画である。途中、レンズを入れるのがわかる。というのも、緑の光の像が、多少くっきりするので。

手術中の画像を見たら、「アンダルシアの犬」かよ、って思うだろうな。いや、冒頭のシーンしか見たことないんだけど。

途中、医者は「順調に進んでいますよ」って声をかけてくれる。

無事に終了し、目は眼帯で覆われて、手術は無事に終了。

手術後に、カードを渡される。目に入れたレンズの製造番号やスペックなどが記載されたもの。これによると、左目に入っているのは、ＨＯＹＡのＸＹ１ＡＴ６というモデルだ。

本当は、手術後は自宅で安静にしていなきゃいけないのだけど、そうもいってはいられないので、会社に向かう。もちろん、同僚からは「どうしたんですか?」って訊かれる。よっぽど、「中二病をこじらせた」って言おうと思った。

翌日には、眼科での検査があり、眼帯もとれ、両目で見られるようにはなる。でも、これ、いちおう、というレベル。左右で視力が違いすぎるのだ。

手術後は、しばらく、目を保護するための眼鏡が必要なのだが、ここは、いままでの眼鏡をかけておく。利き目は右目なので、まあ問題ないけど、遠近感はない。仕事に行く前に、ＪＩＮＳに寄り、安い眼鏡をつくってもらう。というのも、左目の視力は、手元は見えるものの、遠くはぼやけるので、遠くが見える眼鏡をつくっておきたかった。

とはいえ、手術後しばらくは視力が安定しないらしいので、高い眼鏡をつくるつもりもない。右目も左目にあわせたレンズにしておく。そうしないと、右目の手術後には使えない。

新しい眼鏡をかけると、左目だけがよく見える。ついでに、パソコン用の眼鏡はダイソーで購入。

それにしても、2日は洗髪も洗顔もできないし、4日は入浴もできないので困る。自転車を乗るのもはばかられるほど、遠近感がない。

手術後、しばらくは、抗生物質の目薬と抗炎症の目薬を使用することになる。

2月4日、右目の手術を行う。やることは、左目のときと同じ。

今回も、手術後は職場に向かう。それだけではなく、午後にはインタビュー。眼帯をしたままインタビューというのもどうかとは思うが、手術の日程が決まる前にインタビューの日程が決まっていたので、これはしかたない。先方の広報部には、すでに眼帯していることは話してあったし。

帰ってから、2か月前に買った眼鏡も、その前まで使っていた眼鏡も、さらにその前の眼鏡もまとめて処分する。さすがに、もう使うことはないから。

翌日、手術後の検査のあと、ひさしぶりに立体視できる状態に。新しい眼鏡は、安物だけど、とりあえず、遠くを見るのには具合がいい。右目もちょうどいい。というか、調整される視力を予測して眼鏡をつくっておくっていうのも、何か変だよね。矯正視力は1・8。世界をこんなにくっきりと見るのは久しぶりだ。それと、強い近視の眼鏡ではないので、物が大きく見える。コンタクトレンズをしていたときも、物が大きく見えたっけ。

吉行はエッセイで、視力の調節ができないことについては、語っていなかった。そもそも、老眼がそういうものだとしたら、特別なことではないと感じたのかもしれない。

けれども、それでも以前であれば、視力の調節はできていた。それが、失われてしまったということだ。

人工水晶体は、失われた能力を完全に取り戻すことはできていない。いや、三重焦点レンズにすればちがったのだろうか。

人工水晶体を機械だと言うつもりはないけれども、多少なりともサイボーグ的ではある。でも、それはサイボーグが能力を向上させるだけではなく、何かを犠牲にすることで成り立つ、そのように想定されるものなのかもしれない。

「病」を引き受ける

『人口水晶体』には、吉行が70年代に医学系情報誌に書いた「養生訓」が併録されている。吉行がいかに、病気と付き合ってきたのかが書かれている。軽妙といえばそうなのかもしれないが、今の作家が書いたらNGなんじゃないか、ということも多い。

吉行には、娼婦を求めて赤線地帯を歩く趣味があったが、廃止になったために歩かなくなり、かえって不健康になった、といった記述には、笑っていいものなのかどうか。

セックスのときにコンドームを使わないので、しばしば淋病にかかり、梅毒の感染を恐れつつも予防しないのは、どうか、とは思うのだが、作家仲間で互いに梅毒の心配を語りあってどうする、というところもある。淋病にかかったかもしれない、と医者に行き、「大腸菌しかいないよ」と検査結果を告げられ、「そういや夕べは男娼と寝たんだっけ」とか、まぬけですらある。

もっとも、吉行が背負った病気は、淋病だけではない。喘息には常に悩まされ、結核にもかかっている。喘息については、死にそうな思いをしながらもつきあってきた。もっとも、喘息のおかげで、兵役は4日ですんでいるので、何が幸いするかわからないが。

結核では、片肺を切除している。入院中に、「驟雨」で芥川賞の受賞の報告を受けている。また、吉行は「鳥獣虫魚」において、結核の手術で肋骨の一部を失った女性を登場させている。その胸が出す音は悲しい。

その吉行は、後に、白内障を背負う。

背負うと書いたけれども、吉行にとっては、喘息も淋病も白内障も、自分自身の一部なのではないか。そうした文脈において、養生訓を書いている。治療するのではなく、つきあうという。ただし、結核の場合は、治療するしかないのだが、その傷跡もまた、吉行は引き受けている。

結核は、かつては多くの命を奪う病であり、そこから生還した作家も少なくない。吉行と同じ世代であれば、遠藤周作もまた片肺を切除している。その一方で、「海と毒薬」においては、結核の手術の失敗で女性が亡くなるエピソードが挿入されている。

安岡章太郎は結核性の脊椎カリエスを経験している。その経験が、短編「サアカスの馬」につながったとも言われている。

結核によって亡くなった作家も少なくない。例えば「風立ちぬ」の作者の堀辰雄。さらにさかのぼると、俳人の正岡子規も結核で亡くなっている。

正岡は、病床にあって、「墨汁一滴」などを描き続けた。そこでは俳句を論じ、老母や出戻りの妹の律にわがままを言い放題で、病気に対して呪詛を並べていく。

近く、死ぬことを前提に、新聞の連載を続ける正岡にとって、本人にとってどれほど不本意であれ、結核と自分が不可分になってしまっていく。

結核と癌が、それぞれ隠喩として使われてきた、その歴史について、スーザン・ソンタグは『隠喩としての病』で、さまざまな角度から書いている。とはいえ、彼女にとって、病は引き受けられないものだったのだろう。

息子のデイビッド・リーフが書いた『死の海を泳いで』では、白血病という診断を受けてから死ぬまでの9か月間、ソンタグがいかにして生き延びようとしてきたかが示されている。ソンタグは40歳ぐらいに、乳癌を経験している。そこでは、温存療法を選択せず、乳房とその周囲の組織の全摘出を選択している。生きるために、徹底した判断だった。リーフはそのように書く。必ずしも、ソンタグの選択が正しいとは限らないにせよ。癌の治療法はその後、進歩しているにせよ。

ソンタグにとって、病は隠喩ではなく、取り除くべきものであり、打ち勝つべきものだった。引き受けるものではなく、病は病でしかない。だから、隠喩としての病を批判していた、と思う。あまり覚えていないのだけど。

病は戦争の隠喩などではない。そうは思う。

ソンタグは『エイズとその隠喩』において、そのエイズが終末的なものの隠喩として扱われることを批判した。

けれども、2020年3月末現在、「隠喩としての新型コロナウイルス」ということを考えてしまう人は多いだろう。コロナウイルスそのものは、一般的な風邪のウイルスの一種だ。ただ、新型のウイルスの場合、多くの人は免疫がなく、高齢者や持病がある人は重篤化する。それゆえに、感染の拡大の防止策が積極的にとられる。

けれども、日本社会そのものが、持病を抱えていたゆえに、社会は重篤化している。たとえば、とっくに崩壊していた雇用制度。全国一斉休校によって困ることは、学習ではなく生活の方だった。福祉制度もつながっている。給食がなくなると、まともに食事をとれない子供がいる、ということだ。そして、学校そのものも不合理なシステム下において疲弊している。救いは、日本の医療制度が、医師の献身的な働きもあって、優れた制度となっていることだろう。

政府そのものが、社会の持病をつくり、あるいは放置してきたにもかかわらず、現在の為政者は、新型コロナウイルスとの戦いを、境界線を守る戦争のようにとらえ、緊急事態宣言を準備しようとしている。竹やりでB29を撃墜しようとしているようなメンタリティは何も変わっていない。そんな例えをしてしまうほど、戦争のようになっている。

それでも日本は、結果として、欧米ほどの感染拡大にはいたっていない。

この原稿を書いている間にも、欧米において、社会が壊れていく姿が示されている。

老いと病は、同じではないが、重なるところもある。例えば、白内障は老いがもたらす病である。あるいは、高血圧症も同様だ。

生活習慣病というのは、ある部分は生活習慣だが、別の側面として遺伝があり、老いがある。ぼくの高血圧は、おそらく遺伝もある。20代の頃から、決して低くはなかった。けれども、年齢とともに血圧が高くなっていったことも事実だ。

高齢になるにしたがって、癌にかかる確率も高くなる。

高齢者が比較的かかりやすい病気に、肺炎がある。例えば、風邪をひいたときに、こじらせること、すなわち免疫が弱くなってきたところで、風邪のウイルスではなく細菌が肺炎をもたらす。そうでなくても、誤嚥性肺炎を起こしやすい。嚥下能力が低下し、食べ物が肺に入ってしまい、そこから雑菌が繁殖することで起こる。

老いは生きていれば訪れるものだ。多少なりとも、努力で遅らせることはできるかもしれない。今の70代は昔の60代くらいだと言われる。確かに、ED治療薬を求める70代は少なくないというくらいだ。それでも、老いはやってくる。

毎日運動し、食生活に気を付けていれば、白内障が防げる、とは思わない。サングラスは多少なりとも効果があるとしても。それでも老いは訪れる。そうでなくて、アスリートは引退しないだろう。50代目前の男性アイドルは、左腕が上がらないという。いわゆる五十肩なのだが、実はぼく自身も同じだ。とりわけ、寝ていると痛む。ここ三カ月くらい、肩の痛みに悩まされている。

老いを拒絶するのではなく、老いを認めていることを、アーシュラ・K・ル＝グインは最後のエッセイ集『暇なんかないわ　大切なことを考えるのに忙しくて』で述べている。自分は老人である、と。気の持ちようで若くなれる、ということはないという。80歳を過ぎることがどういうことなのか。自分の身体を維持するためにたくさんの時間を使わなくてはいけないという。

結局のところ、老いは病ではないので、引き受けざるを得ないのだろうと思う。確かに、ミック・ジャガーもポール・マッカートニーもいまだに現役で、ステージに立つ。さすがに、ジーン・シモンズは、70歳になって重いブーツは無理だと考え、KISSのコンサートは終わりにするというけれども。

★アーシュラ・K・ル＝グイン「暇なんかないわ 大切なことを考えるのに忙しくて」（河出書房新社）※同書での名前の表記はアーシュラ・K・ル＝グウィン

昔ほど声が出なくなったとしても、クリエイターとして、現役でいるということは意味があるのだろう。ル＝グインも引退はしなかった。

とはいえ、病という文脈ではどうなのだろうか。骨形成不全症を患っていたミシェル・ペトルチアーニは、病を受け入れていたのだろうか。ペダルに足が届かないという身体でなお、ピアノを演奏する。強いアタックができなくても、それを補うほどの流れるような演奏。病ということを抜きに、ピアノの音は語れないのではないか、とは思う。それでも、病ゆえに、わずか36歳でこの世を去っていくというのはどうかとも思う。そんな死の予感はまるでさせないような演奏なのに。

「ぼくの命を救ってくれなかった友へ」を書いたエルヴェ・ギベールは、エイズを引き受けなかったのだと思う。自らの病気とともに、そこから救われないまま、周囲の人間が描写される。そこからエイズがもたらされたとして。

では、そこまで直接的に命にかかわることのない病気であれば引き受けられるのだろうか。北杜夫にとっての躁うつ病は、アイデンティティの一部となっていたかもしれない。

病には、引き受けられるものもあれば、引き受けられないものもあり、引き受けざるを得ないものもある。

先天性疾患は、受け入れざるを得ないのかもしれない。自分の遺伝子の中に書きこまれているものを、自分ではないと言うことは、簡単ではないだろう。とはいえ、それはそれで、あるべき自分ではないことが一般的だろうし、そこでは受け入れられないものともなる。

新型コロナウイルスによる感染症は受け入れられないものだろう。それでも、そのウイルスがもたらす免疫は、自分の中に置いておきたいものだ。感染し、治癒した自分がそこにいる。ぼくの友人で医学部（いや、教養部に異動になっていたかもしれない）の教員をしているのがいるが、彼に言わせると、さっさと感染して、免疫を持ちたいという。

ウイルスには、宿主の遺伝子の中に入り込んだまま、一緒に増殖していくものもいる。それはしばしば、何の害ももたらすことなく、静かに、宿主と一緒に増殖していく。あるいは、宿主の細胞を癌化させ、急激に増えていくこともある。それは、自分の身体が、自分ではなくなってしまうというようなものなのだろうか。

癌はまた、悪性新生物とよばれる存在でもある。

「The cancers at the end of time」

ル＝グインの『暇なんかないわ　大切なことを考えるのに忙しくて』を読んでいて、途中で2冊の本が紹介されていた。フィクションとノンフィクション、でも、いずれもストーリーテリングがすばらしいという。1冊はキャスリン・ストケットの『ヘルプ』。こちらはさておいて、もう1冊が、レベッカ・スクルートの『不死細胞ヒーラ—ヘンリエッタ・ラックスの永遠なる人生』。ノンフィクションである。

ぼくとHeLa細胞の出会いは、40年近く前にさかのぼる。当時、生物学科の学生だったぼくは、慈恵医科大学の教授による集中講義を受けた。そこで出てきたのが、HeLa細胞である。

子宮頸癌の細胞を分離し、培養したもので、女性の頭文字をとって、HeLa細胞とよばれている。それがどのような名前の女性なのか、匿名性を保つための頭文字だ。現在は、ヘンリエッタ・ラックスという女性であることは明らかにされている。

人間の細胞は、一般的に増殖がコントロールされており、一定の回数だけ分裂したあとは、自然に死ぬことになる。こうしたしくみによって、身体の健康な細胞は一定のはたらきを保つことができる。例えば、そのコントロールができなくなり、白血球細胞が増加し続けたものが、血液の癌である白血病である。コントロールできずに増殖する細胞は、腫瘍という形になる。

ところで、こうしたしくみがあるから、健康な細胞をとりだして培養することはほぼ不可能だ。最初は少し増殖したとしても、すぐに死滅する。テロメアという、細胞分裂の回数を決めるしくみがあるからだ。

しかし、このしくみが壊れた癌細胞の場合、培養できる可能性がある。実際には、培養できないことの方が多いのだが。そうした中にあって、初めて安定して培養することに成功したのが、HeLa細胞なのだ。その細胞の持ち主だった女性はすでに亡くなっているにもかかわらず、彼女由来の細胞は世界各地の研究室で培養されつづけており、永遠に生きているということにもなる。その量は、『不死細胞ヒーラ』によると5000万トンともいわれるとされている。今でも増殖中だ。

集中講義で一番印象的だった話はというと、培養のための容器の話。試験管とかフラスコとかではなく、サントリーレッドの空きビンがちょうどいいということだった。これに培地を入れ、HeLa細胞を培養する。そのために、どれだけサントリーレッドを飲んだのか、という話だ。

それはさておき、生物学科であれば、シャーレを使って細菌を培養する実験くらいはやっている。では、同じように培養できるHeLa細胞は、独立した生物なのだろうか。すくなくとも、研究室で培養されている細菌や酵母などと変わらない生を持つ生物ではある。

『不死細胞ヒーラ』の中では、実際にこうした議論があり、学名まで提案されたということだった。

ところでHeLa細胞は、基本的にはヘンリエッタ・ラックスの遺伝子のコピーを一通り持っているのではないだろうか。

先ほどの医学部の友人は、自分の研究室にもHeLa細胞があるとした上で、『パラサイト・イブ』のように、元の女性が再現できるという想像をしていた。葉月里緒奈だっけ。ただ、現実には、HeLa細胞はすでに癌化しているため、クローンをつくることはできないだろう。それでも、たくましく細胞が分化することなく増殖するのであれば、ぼくはグレッグ・ベアの『ブラッドミュージック』のような世界の可能性を創造してしまう。

あるいは、田中芳樹のデビュー作、というより李家豊の「緑の草原に…」では、過去の地球にタイムトラベルし、ばらばらになった主人公たちの細胞が生命の起源になるのだけれども。ＨｅＬａ細胞なら可能かもしれない。過去ではなく、時の終わりにまで生き残り、次の始まりになる、そんな想像すらしてしまう。

悪性新生物として、歯止めなく増殖する癌細胞について、地球におけるヒトをあてはめる、という見方がある。平凡ではあるが、確かに似ている。

一般的に、生物の増殖は、環境に制約されている。例えば、池の中の魚が無限に増殖することはない。池の大きさが制約条件になっている。あるいは、餌の量、酸素の量、などなど。

アフリカで誕生したヒトは、地質学的な時間でいえば、またたくまに、世界中に広がり、どのような環境でも増殖した。衣服や住居、食糧の多様性、こうした高い適応力によって、地球のほぼ隅から隅まで、進出することが可能だった。ほっとけば、いくらでも環境を破壊しつくしていく生物である。

しかも、自分自身をコントロールできない。

これは比喩ではない。

気候変動問題を考えるだけで、十分に気が滅入る。どうも、あまりいい未来が示せない。

いや、別の問題でも、同じ気分になるだろうな。貨幣だって、コントロールできないものの１つだ。それが極めて魅力的な財だということすら、冷静に考えると、不思議でしかない。

ヒトはエコシステムの、さらにはより大きなバイオスフェアにおける病なのだろうか。

ここで、もう一度、老いと病にもどろう。

白内障も五十肩も、老いといえば老いだ。自然に、癌になりやすくなる。病ではなく、免疫が衰える、ということだろう。感染症にもかかりやすくなす。新型コロナウイルスを例とするまでもない。

生物として壊れる過程が老いなのだろうか。エルヴェ・ギベールは「召使と私」において、主人公の私はエイズの患者ではなく、老人だった。病は急速に人を老化させていくようにも感じられる。

けれども、病の多くは老いとは関係ない。年齢に関係なく、風邪をひく。

遺伝病の場合は、病がすでに自分自身の中にあったということになる。癌には遺伝性のものもある。乳腺癌のように遺伝子が見つかっている癌もある。

これは比喩ではない。

時間を計る者がいなければ、時間はそこにはない。

ヒトは、地質学的な時間のスケールで急激に増殖し、急激に死滅するのだろうか。いや、老いるのだろうか。そうした老いに対し、病としての新型コロナウイルスは、ヒトを死滅させないにせよ、その脆弱さを明らかにしていく。

そうした病を、それでも自分たちの一部として引き受けることになるのだろうか。

ぼくたちはしばしば、老いを引き受けざるを得ないし、同時に老いに逆らおうともする。

病は、引き受けられないものが多いとして、なお、時に自分のアイデンティティの一部となってしまう。ギベールの命を奪ったエイズは、現在では治療こそ難しいものの、多くの薬剤が開発され、付き合って生きていける病となっている。それゆえ、もはや隠喩とはなりえない。

新型コロナウイルスの感染は、最悪のケースだったとしても、多くの人が免疫を獲得し、たくさんの犠牲者を出した上に収束することになる。世界が破滅するわけではないが、世界はその経済の、政治の、社会構造の脆弱さを自覚しながら残ることになる。人の犠牲の上に成立する世界というものは、それは、人が積み重ねた倫理の上では、とうてい受け入れられないものだ。

ただ、それでもなお、人は時の果てにいたる道の、その滑落しやすい縁を歩いているのかもしれない。その姿として、引き受けてしまう病もあるだろう。

movie

カノウナ・メ
——可能な限り、この眼で探求いたします

加納星也

第39回 ふたりのシーズニング・フェイズIII

■恋のパンデミック

——とうとう、この時がやって来た
愛が高まったら今度はきっとうまくいく
あなたを気持ち良くさせてあげる。この両手で
それで、陽の当たる約束の地へ連れてってあげる
そして、みんなに見せびらかすんだ
恋の季節がやって来たっていう事を——

その時は不意に来た。テレビ局のモニターには、惑星の荒い画像が確認できる。首都はすでに、彼らに占拠されているらしい。その中継ステーションには、世界各国の状況が秒単位で上がっていく。どうしたというのだろうか、冒頭からテンションはアガリ、ずっと絶頂に達している。いつもは視聴率を気にしているのだが、今回はその数字さえ目に入らないらしい。自分の関心は彼女にしかない。通常時なら当たり前だが、この非常時ではなおさらだ。

自分の仕事はいつも非常時だ。この地上にある日常の風景をいつも俯瞰しているこの稼業は、常に現実味がない。しかし、これは現実なのだろうか? 惑星が発した光によって、彼らは増殖を続けているらしい。これは、ヘリの上から見ると一目瞭然だ。とにかく、急ごう彼女のもとへ。この悪夢に満ちた地上の現状から、手をさしのべ、とにかく、ここから今すぐ約束の地に向かうことが重要だ。

人生にはいろいろな障害がつきものだ。一本道ではないことは当たり前だ。だから地を離れたこのルートは、こうした人生の岐路というものを軽く超越できる。これは、特権というものだ。思いを巡らせながら、自分は間一髪、彼女を救い上げることができた。それと何人かのクルーと共に、自分は約束の地に飛ばなければならない。

約束の地とは、全く予想できない場所のことを示す。この文明大国の象徴と言えば、今も昔も大きなショッピングセンター。とりあえず、燃料のこともあり、その屋上にノアの箱舟をランディングすることにした。

やがて、この約束の地にも、彼らは押し寄せてくるだろう。いや、彼らはすでに、そこにいた。彼らの習性として、彼らがまだ人間であったころの習慣を、いまも真面目に遂行しているのだ。これが彼らの日常というもの。それを諭すのは無駄というもの。彼らは死ぬまで、その生活習慣をやめないだろう。いや、彼らは既に死んでいるから、その言葉は当てはまらない。

蘇りとは、二度目の生のことである。一度目の生は陰性のものであったとしても、二度目の生は喜びに満ちた陽性のものかもしれない。その証拠に彼らは仲間を撃っても撃っても、何の動揺も感じない。彼らは、喜びの二度目の生をただ謳歌し、食料品をあさり、様々な高級な品々に囲まれ、血の匂いとなれば、一挙に集結し肉を食らい、仲間を増やしていく。

その撃退法はただ一つ、頭を吹き飛ばすこと。ただ、一つそれだけだ。こちらは銃と銃弾を豊富に入手し、秘密の小部屋に引篭り、計画的に彼らが増殖する階下に降り、襲撃をかけ、生活に必要な物を入手して、すぐさま安全な場所に戻ること。それを繰り返すこと、それが自分たちの日常だ。

やがて、この弾も尽き、ここから撤退することになるだろう、それは文字通り、天のみぞ知ると、いうことだ。やがて、自分たちは飛び立つことになろう、この屋上から。プロペラを回し、まだ見えぬ、次の不時着地を目指して。それが、とりあえず「約束の地」であればこそ、愛だと宣言する価値があるように思える。

■愛のクラスター

——ところで、君の名は何だっけ
大事なことは、パパは誰?

それで、できるの？ むろん、自分はたっぷり
パパがだめなら、教えてあげる
いつでも大丈夫だから
君が生きるため必要なもの見せてあげる――

記憶というものは、実にやっかいなものだ。その名前を聞けば、懐かしい思い出とともに、もう一つの苦悩がおしよせてくる。とりあえず、自分は回復している。こうした苦悩の日々はもはや過去のものになっている。それは、国家にお墨付きをもらっているから大丈夫だ。自分はこれから、かつて過ごした自分の日常に戻っていく。苦悩を共にした友人も一緒に、一般社会に戻る時がきた。

自分たちは「回復者」と呼ばれた。かつて凶暴な行為で社会を混乱に貶め、晴れてこの社会に復帰した。しかも、自分はこの回復者の治療をする施設に職を得て、毎日過ごすことになる。しかも、自分を暖かく家で見守ってくれるのは、義理の姉。

彼女の視線はありがたい。世間では、回復者は元感染者として、厳しい眼を向けられる。つねに国家による監視の目がつきまとう。一緒に復帰した友人は、元弁護士であるが、今は回復者同盟のリーダーとして眼をつけられ、事あるごとに警察の尋問にあう。

彼女はジャーナリストであり、こうした差別を許さない。世間の冷たい視線をことごとく跳ね返してくれる。そう、悪いのはウイルスだ。自分がこうした過去のトラウマに苦悩するのは、すべて彼らが悪いからだ。

過去の記憶がフラッシュバックし、パニック状態になることもある。しかしそれは、自分が人間でなかった時の記憶が、現在の人間に復帰した自分を攻撃するからだ。現在とは未来につながる生の営みである、ゾンビであった過去の贖罪の意識は、人間を苦悩で貶める。これを解消するには毎日の記憶の積み重ねが何より重要だ。

やがて、同盟のリーダーである友人はカリスマ性を際立たせ、その血のように燃える視線を、この社会の変革に向けるだろう。その時、かつてゾンビだった自分は、どこまで自分の人間性を保てるのだろうか？ 時は、意外なほど早くやってきた。それは、この秩序が戻った世界を再び分断し、カオスへと足早に導くことになる。

自分の人間としての回復の地へ。それは当然の帰結であろう。治療が終わった自分には、まだまだ治療中の世界が目の前に立ちはばかる。そこから未来を目指し、行かなければならない。孤立をおそれず、友人や知人たちの死を超えて。今、生きるのに何が必要だったのか？ 今は秘密ではない真実を告げ、自分は愛の地へと向かう。

■夢のオーバーシュート

――ゆっくり囁いてくれ、君が求めるものを
本当に知りたくてたまらない
恋の季節が本当にやって来たのか、どうか？――

現実は徐々にゆがんでいった。それはこんな普通の街で、普通のことのように始まった。それは、ありふれた光景からだったような気がする。人生は夢だという格言があるが、夢は現実以上にリアリティを持つ。それは映画もそうだ。一見、ただの喜劇や悲劇にみえようと、頭のネジがひとつゆるんだだけで、世界の地軸はかなり傾く。

その予兆だったのは、この平和な田舎町の小さな出来事。いつもの変わり者の、いつものとるに足らない事件に過ぎなかった。なにしろこの街に警官は3人しかいないし、街の住人は全て顔見知りだ。

そんな街に突然、起こった事件とは？ 前代未聞で、現場には内臓を食いちぎられた死体が。そこからの展開は、まるでチープな漫画のよう。

自分たちの住む世界も考えてみれば、すでにネジがゆるんでいた気がする。これは夢なのか？ 現実なのか？ 映画なのか？ それを明確にするワクチンなど存在しないのではないか？

オフビートとはカウントを外した音楽のことであるが。ここに現れる人物はおろかゾンビもすべて、外れたものばかり。もはや世界の基準はオーバーヒート気味にその数値を上げていく。かつての狂熱の時代は去り、映画の平熱の時代に突入したが、超えてしまった映画愛に戻ることがない。

やがて、全てを超越したところで、すべての疑問は頂点に達し、天を仰ぐこととなるのだが、やはりシナリオにかかれたことは変えようがない。謎の言葉を遺し、ここでは、一応の解決をみようとするのだが、果たして、あなたは本当に知っているのか？ 本当にやってきたのか？ 僕は本当に知りたくてたま

らない。

■思い出のロックダウン

やはり、記憶というものは、かなり曖昧なもので、今は皆さんと同様、基本外出自粛の中でこれを書いているだが、記述されたものはかなり怪しい。というのは、観た映画の記憶は観たときの状況によって、かなり変わっていくものだから。

因みに今回取り上げた映画は、第1章〝恋のパンデミック〟は、「ゾンビ 日本初公開復元版」、第2章〝愛のクラスター〟は「キュアード」、第3章〝夢のオーバーシュート〟は、「デッド・ドント・ダイ」。それぞれの映画の上映状況も現在、変動的である。

また、執筆している地点では、ダリオ・アルジェント監修の金字塔で日本だけの特別版「ゾンビ 日本初公開復元版」のロードショーは終わったが、4月に首都圏で上映予定あり。ゾンビ・パンデミックで現代の社会問題を描くアイルランド映画「キュアード」は、現在上映中。ジム・ジャームッシュ・ファミリー総出演のホラー・コメディ「デッド・ドント・ダイ」は上映延期という状況である。今後も上映予定が変更、延期などがあり得るので、そちら内容等はネットなどでご確認を。

さて、各章の前に提示される訳詞らしきものは、1968年にリリースされたゾンビーズの「ふたりのシーズン」という往年のポップスの名曲である。日本では彼らの「I LOVE YOU」という曲を「好きさ 好きさ 好きさ」と歌ったザ・カーナビーツが有名だが。子供の頃は、そのムードで、薄々感じていたが、深い意味は全く分からなかった。しかし、約半世紀たって改めて歌詞を、かなり粗く訳してみても、かなりの濃厚接触である。

因みに本タイトルは「ふたりのシーズニング」であり、「シーズン」でない。ちょっとした「ゾンビ」3本ネタの調味料という事で。「フェーズⅢ」とは、治験のフェーズが上がり、ワクチンの実用化に向けて。また、最終章の見出しは、一刻も早く「思い出」に変わるようにという願いを込めて強引に名付けた次第。本来の爽やかなシーズンの到来と、ゾンビ映画を大らかに笑い飛ばすような状況に戻ることを期待して。

バリは映画の宝島〈特別編〉
アジアフォーカスで出会った社会派エンタな作品たち

友成純一

前号で、〈アジアフォーカス・福岡国際映画祭2019〉のレポートを寄稿させてもらった。あの原稿では、今回の映画祭のメイン・テーマとも言いうる、国家を超越しようとする映画を中心に扱った。エンタテイメント性にはいささか乏しい作品群が中心になったが、ホッと安心させてくれたりサスペンスに満ちていたり、楽しい作品にも出会っている。

いや、楽しいと言っては語弊がある。それぞれの社会の裏側を鋭く告発する問題作なのだが、その告発の姿勢が手に汗握る。そして最後には観客の喝采を誘う。社会派エンタテイメントとでも呼ぼうか。インドネシア映画が三本あり、お隣マレーシアの、インドネシア人にとっても馴染みのあるネタを扱った作品もあり、この連載コラムで、アジアフォーカス・レポートの続きを書かせて貰おう。

映画大国イランのあっと驚くサスペンス・ドラマ

まずはモスレム原理主義の国、イランの作品を二本。

「恋の街、テヘラン」の〝恋の街〟には、いささかシニカルな意味が込められている。テヘランでは皆んな恋のロマンスを求めるが、それは所詮夢でしかない——そんなブラックな話である。

映画は、三人の男女の〝恋〟を求める暮らし振りを、並行して追って行く。ボディビルの元チャンピオンだったヘサムは、映画出演のオーディションを受けてフランスの俳優と共演することとなり、それを楽しみにしている。おデブのミナは美容クリニックの受付を黙々とこなしつつ、これぞと目を付けた男性患者の電話番号を受診カードから盗み、電話を掛けて誘い出す。自分の容姿に全く自信がないので、セクシー美女のスナップ写真を送ってみたりしつつ。しかしいざ約束の場所では、嘘がバレるのが怖くて声を掛けられない。ワヒドはモスクで葬送歌を歌うアルバイトをしているのだが、婚約者に逃げられたのをきっかけに、親友のキーボード奏者に誘われて心機一転、結婚式の歌手を目指す。

★アリ・ジャベルアンサリ監督「恋の街、テヘラン」2019年／イラン、イギリス、オランダ／103分

三人の行動を追うことはそのまま、大都会テヘラン裏町の日々の暮らしを描くことでもある。映画の話がどうも当てにならないと気付いたヘサムは、ボディビル大会を目指す有望な若者に出会い、彼のトレーニングに打ち込む。ミナは、出会い系詐欺みたいなことをしている自分に嫌気が差し、〝人付き合い改善〟教室に通い始める。そこで、ありのままの自分を受け入れてくれる男性に出会い、「これこそ、わたしの探し求めていたオトコだわ」と胸をときめかせる。ワヒドは葬式の歌の習慣がなかなか抜けなくて苦労するが、キーボード奏者の手助けもあって、ようやく結婚式に相応しい歌い方が身に付いてくる。そしてついに、参列者を大ノリに乗せ、大喜びさせる歌を披露するのだが——三人が三人とも、「そうなっちゃうわけね……有りがちだよなあ」そんなお気の毒な結末を迎える。

テヘランはいかにも大都会らしく、恋にもシビアな街だった。

イラン映画「セールスマン」が、一回だけ特別上映された。今やイランを代表する監督として世界的に知られるアスガー・ファルハディ監督の新作である。

テヘランに住む国語教師のエマッドと妻のラナは、小さいながら劇団に所属しており、俳優としても活躍していた。二人は仕事と劇団の活動を両立させるのに好都合で、家賃も格安の部屋を見付けて、引越しをする。前の住人がまだ荷物を残しているのだが、そんなことは後で良いと、直ちにそこで暮らし始めるのだが……妻がシャワーを浴びている間に、男が部屋に入り込んで来た。夫が帰って来たと思って気にしないでいたら、なんと見知らぬ他人だった。気付くや彼女は殴り倒され、男は逃げてしまう。そいつが誰なのかは判らない。が、前の住人は売春婦だったらしく、頻繁に男を連れ込んでいたという。〝客〟の誰かが、住人が入れ替わったのを知らず、入って来てしまった可能性があった。

★アスガー・ファルハディ監督「セールスマン」2016年／イラン、フランス／124分
©MEMENTOFILMS PRODUCTION-ASGHAR FARHADI PRODUCTION-ARTE FRANCE CINEMA 2016

テヘランは厳格なモスレムの街である。女が一人の時に男が部屋に入るなんて、不道徳で恥ずべき行いである。まして入浴中になんて――侵入者は誰か。何が目的で、どんな風に入ったのか。男を部屋に入れてしまった妻に、落ち度なかったのか。

夫婦は当初はこの出来事を恥じて、近所や仕事仲間、劇団仲間にも隠したまま、警察と共に事件を解決しようとする。が、隠しおおせるはずがなく、次第に周囲の同情と心配、そして好奇と疑いの目を向けられるようになる。夫としては意地でも、犯人を探し出すしかなかった。

犯人は見つかるが、そこでお話は終わらない。むしろそこから盛り上がるのが、ファルハディのファルハディたる所以である。〝犯人〟はやはり、前の住人を〝情婦〟にしていたオヤジだった。彼には長年連れ添って心から彼を信頼している妻がおり、彼を尊敬して仕事を引き継いでいる息子夫婦がおり、もちろん世間体もある……が、夫は夫で、妻の入浴中に部屋に侵入された屈辱を晴らしたいし、妻の潔白を証明しないと世間に顔向けできない……思い掛けない結末が待っている。

イランならでは社会事情、人間関係を背景にした、緊迫感に満ちたサスペンス・ドラマだった。

マレーシア映画「細い目」

舞台はマレーシア第三の都市イポー。オーキッドは、香港の映画スター金城武が大好きなマレー人の少女だった。ある日、香港のアクション映画を探しに友人と市場に出掛け、屋台でDVDを売っている中華系の少年ジェイソンに出会って、恋に落ちる。中華系とマレー系では、人種も宗教も、日頃使っている言葉も異なっている。恋に落ちる以前に、友人になることすら滅多にない。

★ヤスミン・アフマド監督「細い目」2004年／マレーシア／107分

マレーシアに限らずインドネシアでもタイでも、中華系は〝外来人〟であり、〈ちっこい目〉などと呼ばれ、バカにされることが多い。中華系は中華系で、自分たちだけで固まって中国語（グループによって福建語だったり広東語だったり）で生活している。この少年も、彼女の前で格好を付けて〝ジェイソン〟と名乗って見せたが、家族や仲間内では中国名で呼び合っているし、日常会話は中国語である。

それが、共に香港アクションの大ファンだったことをきっかけに、互いに一目惚れ。幼いが故に、一途な純愛に堕ちてしまう。家族や友人たちが大反対するかと思いきや……本作では二人の純愛のピュアさに呆れつつ、実に温かく見守る。何より、オーキッドを演ずるシャリファ・アマニの天真爛漫な笑顔と演技がとてつもなく可愛い。オーキッドの両親の熱々でべたべたに甘い夫婦関係、ジェイソンの家族の中国的に賑やかながら楽しそうな暮らし振り。中国系の両親もマレー系の両親も、娘や息子の成長を前向きに見守っていて、人種と宗教の異なった結び付きを受け入れてゆく。

ジェイソンは実はチンピラのメンバーだった。余所者として排除されて来た中華系の人間としては止むを得ないことながら、マフィアに結

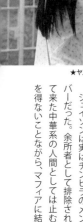

び付きがあり、兄貴分の妹を彼女にしていた。この元カノの妊娠が発覚し、それがジェイソンの子供だとされた。これを知って、オーキッドは嘆き悲しむ。そして海外への留学を決意する。

映画の後半は、この行き違いがどんな風に解決するのか、二人の愛を家族や周囲の友人たちがどう成就させようとするか――可笑しいやら、ハラハラするやら、泣かされるやら。

製作は二〇〇五年。今は亡きヤスミン・アフマド監督は、マレーシアの誰もに愛された名匠である。マレーシアではマレー系と中華系、インド系の住人が同じ街に、しかし自分たちだけのコミュニティを作って住み分けている。日常言語が異なっている上に、宗教は生活の一部なので、宗教が異なるとは一緒に生活するのも難しいことを意味する。極端な話、豚肉をタブーとするモスレムと、牛肉をタブーとするヒンドゥーと、何でも食べる中華系と、一緒に食事をすることはありえない。映画ではこの辺もコミカルに抉り出されている。

マレーシアは東南アジアでも人種と宗教の混在が最も激しい国の一つであり、例えば映画一つを取っても、マレー系か中華系かインド系かで、まるで別の国の映画に見えたりする。インドネシアにも似た状況があり、長い間、中国人を主人公に中華系家族をテーマにした作品はなかった。〈ちっこい目〉の中華系を主人公に、中華系の生活や考え方、人間関係を描くコメディアン、エルネスト・プラカサ（本連載で紹介済）などが注目されるようになったのは、ここ数年のことである。

スンバ島が舞台の「フンバ・ドリーム」

〝フンバ〟とは、〝スンバ〟のことである。インドネシア東南の外れにある島スンバを、地元の言語でフンバと呼ぶ。このサバンナ気候の島は今でも、インドネシアの僻地とされている。

主人公マルティンはスンバ島の出身なのだが、今はジャカルタで映画作りを学んでいた。卒業制作の脚本に行き詰まっていることもあり、亡き父の遺言を確かめるためにスンバに一時帰京する。用事を済ませてジャカルタにトンボ帰りするつもりが、父親の残した未現像の十六ミリ・フィルムを発見。映画青年としてはこれを放っておけず、現像に必要な薬品を地元で探すことにする。

亡き父の遺品である可愛いオートバイで、薬品を求めて島の近隣の町を巡る道中、哀しい目をした年上女性アナに出会う。彼女の夫は何年も前に行方不明になっていて、彼女は夫の消息を待ち続けていた。アナへの恋慕と好奇心、父の遺品であるフィルムへの思いが、彼を島に止まらせる。島を巡りながら人々に交わるうちに、マルティンは故郷フンバの独特の慣習、彼自身の原点を発見してゆく。

監督リリ・リザは、やはりインドネシア東部のスラウェシ島の出身で、ジャワ人ではない。本作は、彼が得意とするロードムービーと呼んで良かろう。〈スターウォーズ〉を意識した「黄金杖秘聞」を、ここスンバの風土を生かして撮り、この土地をジャワの人々に知らせるきっかけとなった。インドネシアの中心はジャワだが、ジャワの人にとってバリ島より東は、欧米よりも遠い〝外国〟である。特に東南に外れているスンバと、東端のバンダ海エリアは、彼らにとって未知の世界だ。「黄金杖秘聞」（14）をきっかけに、「マルリナの明日」（17）とか「Susah Sinyal シグナルなし」（17）などが、スンバを舞台に続々と作られている。

★リリ・リザ監督「フンバ・ドリーム」2019年／インドネシア／75分

映画を撮っている大学生マルティンに、リリは自分の若き日を重ねている。

リリ・リザはインドネシアを代表する監督の一人で、特に各国の国際映画祭の常連である。毎年のように映画を作っていて、新作はたいていアジアフォーカスで上映され、コンビを組む女性プロデューサーのミラ・レスマナと共にゲストとして訪れていた。今年はリリさんだけで、ミラさんは来なかった。そのリリさんも、三日かそこらの短期間の滞在だった。なぜなら新作「Bebas 自由」が、アジアフォーカスが終わって間もない十月三日に劇場公開になるから。二人がこのプロモーションに忙しい様子は、Facebook や Instagram からでも充分に窺われた。

アジアフォーカスと台風来襲が終わって、十月半ばに私はバリ島に戻り、ミラ＝リリの新作「自由」を見れた。韓国の大ヒット作「サニー 永遠の仲間たち」（11）のインドネシア版リメイクだった。リメイクでは、一九九六年のジャカルタと今現在とが対比されている。一九九六年といえば、インドネシアがスハルト体制下にあった末期で、リリ=ミラ・コンビが映画を習作していた時期だ。

　彼ら新世代の映画監督たちがゲリラ的に作ったオムニバス「Kuldesak クルドサック」が世間に出たのが、スハルトの打倒された九八年だった。今では新時代の到来を告げる映画と位置付けられている。楽しい歌と踊りに満ちたミュージカルとも呼びうる「自由」はそのまま、「フンバ・ドリーム」と共に、リリ=ミラが自分たちの原点を振り返った作品に思えた。

カンゲアン諸島の物語「誰かの妻」

　バリ島の真北、カリマンタンとスラウェシとジャワに挟まれ、どこからも等距離に遠い離島カンゲアン諸島の物語。地理的にはインドネシアのど真ん中ながら、孤立しており、紛れもない僻地である。

　たった一人の理解者だった母が亡くなり、心を閉ざす孤独な女子高生。彼女は「女性は、この世界の所有者である男たちの、所有物に過ぎない」という島の現実に、逆らうことができず、ただただ自分の心を押し殺して生きていた。そんな中、彼女の意思などお構いなしに、父親同士で結婚話が進められる。それを知った初恋の彼氏は、彼女との将来を諦め、村を出てマレーシアに出稼ぎに行ってしまう。

　やがて高校の卒業も許されないまま、牧場主の跡取り息子に嫁いだ彼女を待っていたのは、〝誰かの娘〟から〝誰かの妻〟として新しい従属関係に置かれることだけだった。まだ若い夫も、この結婚を押しつけられたので、ちっとも望んではないかった。彼女と一緒に生活はしているものの、夫として手を出そうとはしない。そんな生活に耐えられなくなって、夫の方が不意に家を出てしまう。

　夫が去った家で、それでも家族から〝嫁〟としての生活を強いられる彼女の元に、天真爛漫な余所者の青年が現れる。牧場をしばしば訪れる彼に、彼女は生まれて初めて、自分の意思で付き合おうと思う。姑や村の衆の目も構わず、彼女は青年に逢う。青年は島を出る際に、彼女も誘うのだが……彼女は首をきっぱり横に振り、ここに止まる意思を示す。

★ディルマワン・ハッタ監督「誰かの妻」2018年／インドネシア／99分

　初めて彼女が下した自らの決断は、僻地の閉鎖的な村を出ることでなく、そこに止まることだった——素晴らしい決断だと思う。

　人にはそれぞれ、持って生まれた場がある。その場所を自分自身の居場所にしてこそ、初めて人は自分の生き方ができる。自分の居場所を嫌って見知らぬ土地に行っても、それこそ無い物ねだりの背伸びでしかなく、右も左も判らぬ世界で自分を見失うだけだ。

　現実問題として——幼くして親の決めた結婚をして子供を生み、やがて成人年齢に達してそんな生活に耐えられなくなり、逃げ出す女性はインドネシアには少なくない。彼女の行き着く先はたいてい、大都会の売春街である。その売春街にいながら、夫や家族が彼女を迎えに来ても、彼女たちのほとんどは、もう家族の下に帰ろうとはしない……。

ジャカルタの音楽イベントを舞台にした「夜明けを待ちながら」

　その日、ジャカルタでは東南アジア最大の音楽イベントである〝DWP〟の開催を控えていた。ジャカルタでレコード店を営むバユは、友人のケビンたちからこのDWPに誘われるのだが、乗り気でない。彼女とも上手く行っていなくて、落ち込んでいた。バユは誘いを断って、自宅でゆっくり過ごすつもりだった。

　ケビンに、ケビンの元カノにDWPのチケットを渡すように、預けられた。これを受け取りにきた元カノのサラに出会い、「チケットは二枚あるわ、一緒に行かない?」と誘われ、気が変わった。サラの気さくで明るい性格に惹かれ、気分転換にDWPに出掛けてみることにした。

　ジャカルタの名物DJで、ドラッグの売人でもある男がいる。彼は元締めから取引の上がりが少ないと責められ、DWPで荒稼ぎしようと焦っていた。ケビン、アディ、リコの三人組は、DWPの前に景気付けをしようとバーを訪れ、そこで売人に出会う。アディはこの売人と付き合いがあったため、買わされそうになるのだが、友人たちとヤクはやらないと固く約束しているので、きっぱり断る。が、怒った売人がアディにこっそりドラッグを盛る。ドラッグでハイになったアディは、行く先々で女の子に絡むは、チンピラに喧嘩を売るは……次々にトラブルを巻き起こす。チンピラ・グループに絡み、ついに激怒させてしまう。何とかその場は逃げ出すが、バユから預かっていた財布を置いて来てしまった。

チンピラどもは彼らに報復すべく、DWPまで追い掛けて来る。そこに、バユとサラもやって来る。バユの財布を持っているチンピラは、バユをアディと勘違いして……

バユとサラ、アディたち悪友ども、バユの元カノ、ドラッグ売人のDJ、そしてチンピラ・グループ……様々な連中が行き当たりばったりに出会いを繰り返し、モザイクのように絡み合い、夜の狂乱大パーティーに向けて疾走する。事態はこんがらがって無茶苦茶になり、バユなど悪くもないのにチンピラにボコボコにされたりするのだが——賑やかな夜がようやく明け、朝を迎えた時には、朝の光がすべてをファンタスティックな笑い話として、何事もなかったように洗い流してくれる。終わりよければ、すべて良し。

私は知らなかったのだが、この"DWP"という大掛かりでアナーキーな野外大パーティー、特にインドネシアで開催されるそれは世界的に有名なのだそうだ。

バリ島でも、確かに若い衆はディスコとかナイトクラブとかで、集まって騒ぐのが好きだ。クタにある外国人向けのディスコやクラブは売春場所でもあり、地元の連中は行かない。地元民が集まるのはデンパサールのそれで、最も有名なのは〈アカサカ〉というディスコ。こういうところに集まり、踊って騒ぐことを"クラビング"と呼んでいるが、そもそもはこのDWPに集まることを指していたとか。

★テディ・スリアアトマジャ監督「夜明けを待ちながら」2018年／インドネシア／82分

インドネシアのテレビでは、音楽番組が実に豊富である。朝から深夜まで一日中、音楽のライブ番組がある。最新のインドネシアン・ポップもあれば、伝統的民衆音楽であるダンドゥッもあり、ハードなデスロックもある。こうしたライブ番組の中継時間は成り行きなのだが、いったん始まると二時間から三時間は続く。日中はアーティストも観衆もカジュアルだが、夜の番組はたいていオフィシャルにセクシーに正装する。

私が一時期、毎日見ていた番組に、〈イン・ボックス In Box〉というのがある。SCTVというテレビ局主催のライブ番組だ。開催場所はジャカルタやスラバヤを中心に、ジャワ島内を転々とする。時に、バリ島にも来る。何はともあれ、人の集まる都市のどこかで毎朝、平日も休日も毎朝開催され、放映される。現地時間の朝七時に始まり、十時過ぎまで。人気バンドや新人バンド、地元の有名タレントが続々と登場して歌って踊って漫才をやる。

朝の七時から十時って、日本の常識で言って、ライブ・コンサートをやる時間帯か? やったとして、誰が来るんだ?——しかし、どう見ても中学生か高校生みたいのが、テレビカメラに映る最前列に押し掛け、それに二十代や三十代の青年諸君はもちろん、中年のおっさんやおばさん、ご老体まで……数千人から数万人、毎日毎日ちゃんと集まるのである。学校とか仕事とかに、行かなくて良いのだろうか?

同じような番組が、私の知っているだけでも他のチャンネルで二つある。どれも人気があるので、しょっちゅう特番を組んで丸一日やってたり、テレビ局を上げてのイベントがあると(例えば開局何周年とか)、それこそ一日中、ライブ・コンサートだ。これらの番組を通じて私はインドネシア・ポップやダンドゥッの歌を覚え、若い衆とカラオケに行って歌いまくったものだった。

こちらのテレビ局では、ドラマでもこうした生番組でも、週に一度でなく毎日が基本である。朝は朝、夜は夜で毎日毎日、三時間に及ぶ音楽番組があるわけで、こちらの人気タレントの忙しさたるや、半端ではないだろう。テレビ番組の作りも、日本みたいに厳密に構成し演出するのでなく、すべては、放映時間すら行き当たりばったりみたいだから、それこそタレントの才能が番組を支えているのだろう。

「夜明けを待ちながら」は、ジャカルタに良くある風景を、切り取っているのではないか。

走れ、女たち！

　インド映画「シヴァランジャニとふたりの女」は、歌も踊りもないのだが、まさにボリウッド的に気合の入る社会派エンタの傑作だった。

　南インドのタミルナードゥ州。まさに昔ながらのヒンドゥー伝統の地で、歌って踊ってのインド系エンタの本場である。この土地で、一九八〇年、一九九五年、二〇〇七年という三つの時代を生きた三人の女性を、本作は描く。ヒンドゥーの伝統が根強く生きるインド南部では、女性は常に虐げられて来たと言われるが、この今現在、現代という時代に、彼女らの待遇は少しは改善されているのだろうか。

　八〇年代を生きたサラスワティは、自己中心的で一方的に妻を言いなりに扱おうとする夫と、ついに口論になった。夫に叩かれてついに怒り心頭、「叩かないで！」と一喝したところ、夫は本気で怒ってしまう。妻とただの一言も口を聞こうとせず、徹底的に無視。生活費も何も渡さない。もはや生活が成り立たないまま、サラスワティは絶縁されてしまう――見ているこちらとしては、傲慢なこのバカ亭主には腹が立つばかり。男の恥だ。こんなクソ野郎とは、売春婦に身を落としてでも別れた方がマシだと思ってしまう。

　九五年、デーヴァキとその夫の一族は中産階級で、裕福な暮らしをしている。共に教養もある。デーヴァキは、いつも日記を付けていた。親戚のバカ息子がある日、親族の集まりの席で「伯母さんは日記に、皆んなの悪口を書いてるんだよ。だから鍵を掛けた戸棚に隠してて、誰にも見せないんだよ」と、何の根拠もないのに、面白がって言い立てる。親族一同、それを真に受けた。デーヴァキに、日記を見せろと迫る。自立心が強いデーヴァキは、日記はあくまで自分のプライバシーに関わるモノで、誰にも見せルべきでないし、絶対に読まれたくないと拒んだ。夫も最初は彼女をバックアップするのだが、親戚一同に押されて次第にタジタジになり「誰の悪口も書いてないなら、見せたって良いじゃないか。見せられないってことは、やはり悪いことを書いているのか」と責め始め、ついには出任せを並べたあのクソガキに命じて戸棚を開けさせ、無理矢理に日記を奪った。屈辱に身悶えするデーヴァキを押さえ付け、「ほら、俺の妻はやっぱり、親戚の悪口なんか書いてない」と胸を張りつつ、日記の文章を声高に朗読するのだった……見ているこちらの方こそ、この恥知らずな親族一同、皆殺しにしたくなる。怒り心頭のデーヴァキは、全員の目の前で日記帳を引き千切り、焼いてしまう。

★ヴァサント・S・サーイ監督「シヴァランジャニとふたりの女」2018年／インド／123分

　そして、二〇〇七年。有望な陸上のスプリンターだったシヴァランジャニは、親の意向で見合い結婚、子供を授かった。夫がある上に身篭った女が、陸上競技などして良い訳がないと、競技からは退けられる。姑は彼女を思いやっているように見せかけつつ、実は冷ややかに、何事も〝嫁の修行〟と突き放している。夫は目の前の鞄も新聞もお茶も自分で手に取ろうとせず、遠くにいる嫁を呼び付けまくる。優秀な運動選手だった反射神経のなせる技だろうか、シヴァランジャニは常に姑を立て、夫の神経質で煩い指示に逐一応え、娘の面倒も卒なくこなす。一言の愚痴もなく、表情一つ変えず、黙々と忙しい日々を過ごす。それこそスプリンターが一心にコースを走るように、日々の生活をこなしていた。

　ある日、娘が弁当箱を忘れて学校へ出掛けてしまった。直後にそれに気付いたシヴァランジャニは、弁当箱を持って大急ぎで娘を追う。一足違いで、娘の乗ったスクール・バスは発車してしまった。シヴァランジャニは弁当箱を手に、走り出す。スピードを上げて行くバスを追う。その姿は、紛れもないかつてのスプリンター……追って、追って、追って、追って追って追って……ついにバスを止め、娘に弁当箱を手渡すことができた。子供達が彼女を拍手で迎える。娘が誇らし気に母を見上げる。シヴァランジャニの顔に、初めて笑いが浮かんだ。

　南インドで女性がここまで虐げられ、酷い目に遭っているとかいないとか、それ以前にただただ、本作に登場する男どもが、亭主どもが、思いやりのない恥知らずなバカだというだけだ――日本にだって、こういう男が、亭主がいるではいか。

　走れ、女ども！　バカ男なんぞ、蹴散らせ!!

※アジアフォーカス・福岡国際映画祭2019は、2019年9月13日～19日に、キャナルシティ博多をメイン会場に開催された。

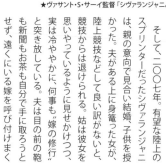

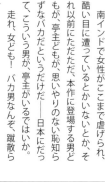

movie

よりぬき［中国語圏］映画日記

新型コロナウイルス対策万全の天燈節と日本軍慰安婦の記憶をたどる台湾の旅

——『阿媽の秘密』『葦の歌』

小林美恵子

中国の新年である春節から一五日目、今年は二月の上旬だった元宵節に久しぶりの台湾に。毎年この時期に行われる平渓天燈節（ランタン祭）に参加して、天燈を上げてきた。

　この天燈上げ、地元では落ちた天燈による火事が問題になっていると日本の新聞報道もあり、また火が消えて落ちた大量の天燈の残骸の問題もあるとかで、観光気分で行くのはちょっと気がひけたのだが、やはり一度は是非にという誘惑に負けて参加する。

　ま、火事の方は「今までに一件だけ、問題はない」という地元ガイドのことばはあまり信用できないものの、環境汚染の方は、一個五元とかで落ちた天燈を資源回収しており、地元の子どもたちの小遣い稼ぎにもなっているとの話に、ふーん。完全に納得できたわけではないけれど、誘惑に負けた身としてはこれを慰めに、それよりもちょうど始まった新型コロナウイルス禍の台湾経済への影響（九份など観光地は土曜日でも大陸からの観光客がいないためにガラガラ）を心配しつつ、また台湾のウイルス感染防御態勢に感心したりしながらの旅だった。旅では、食堂に入るときに客も例外なく手指のアルコール消毒を求められ、天燈節では入口ゲートで全員の検温も行われた。ちなみに例年一万人ほどが集まるという、この天燈節、今年の参加は六千人ほどで、これもウイルスの影響とのことだった。

　さて、今回の旅で初めて訪ねたのが、台北・迪化街に二〇一六年一二月に開館した「阿嬤家—平和と女性人権館」だ。「阿嬤（アマ＝阿媽とも）」とは「おばあちゃん」のこと。

　ここは日本軍の慰安婦とされた台湾の女性たちに関する資料や、作品などを集めた記念館である。この記念館を作ったのは、第二次大戦中台湾で慰安婦の募集が行われていたことを示す資料が、九二年に日本の防衛庁で発見されて以来、台湾での慰安婦調査、元慰安婦自身の日本政府告発のバックアップ、そして生活・医療支援やセラピー・ワークショップなどの活動をしてきた婦女救援基金會（婦援会）という組織である。

　この記念館でアマたちを描いた二本のドキュメンタリー映画を見つける。中国語のほかに英語、韓国語、日本語などの字幕や解説をつけて、各国版としてパック化して記念館の売店で頒布していたものだが、実はどちらも台湾だけでなく日本や各国の映画祭などでもすでに上映され受賞もしている。昨年の映画作品として記憶に新しい『主戦場』（一九年／監督＝ミキ・デザキ）では、若いユーチューバー（もちろん「慰安婦」を知らない世代）がいわば客観的視点で、日本軍による慰安婦問題を、その有無を含めてさまざまな立場にインタヴューすることによってあぶりだしていた。慰安婦の時代からある時を経たことによって見えてきたものを論じているという感もするものだったが、こちらは同じように時を経ているといっても、まさに生身の体験者たちが、ある時の経過の中で変わっていくもの、変わらないものを抱えつつ、いまだ慰安婦の時を生きている姿を描き出している。

★阿媽の秘密（一九九八／監督＝楊家雲）

　九二年〜九八年までの婦援会の調査によって五八名の慰安婦の生存が確認された。映画は、そのうち一三人の関係者の語りによって構成されている。慰安婦だったときは一六歳〜二五歳、台湾（関南）人も客家もタロコなど原住民族の方もいて、映画撮影当時はおおむね七〇〜八〇歳だった人たちである。彼

女たちの多くは、地元の警察官や、周旋人のような人に「いい仕事がある」「軍の炊事や洗濯をしてほしい」などと誘われ(つまり騙され)、台湾だけでなく大陸や東南アジアに送られたものもいて、行った先で慰安所に入れられ性奴隷とされたが、逃げることもできなかった、というような経験をしている。

妊娠・出産したり、流産などで体を壊し二度と子どもが産めぬ体になってしまったという人、何年かたってやっと故郷に帰ったが、貞操観念の強い村の家族や、コミュニティに差別され、はじき出された人、もう一生結婚はできないといまだに一人で暮らす人、また結婚はしたものの、夫にはとうとう死ぬまで自分の経験を話せなかったという人もいる。現在の生活もほとんどは楽ではない。どの顔にもしわが刻まれ厳しい表情で、聞いていてつらくなるような人生を語る。まさに重い、苦しい、救われないという映画で、見て決して楽しくはない。二〇年前の映像はビデオ画像をDVDに焼きつけたものなのか、色調も暗くて、今一つ鮮明とはいえないし。

この映画、実は九八年の台湾金馬奬最優秀ドキュメンタリー賞を受賞し、山形の国際ドキュメンタリー映画祭でも上映されている。見た人々に大きな印象を与えたのは確かであるが、今見ると、それは映画としての妙というより描かれた事実の重さ、登場する人々の痛ましさによるものだったのではないかという気がする。もちろん貴重な記録である。

★葦の歌(二〇一三/監督=呉秀菁)

前作から一〇年以上経ち、この映画の話が持ち上がったころ存命だったアマはわずかに一〇人。この映画はその中のおもに六人に焦点をあてるが、撮影期間中にそのうちの四人までが亡くなったという壮絶な時間との闘いだったらしい。が、この映画、前作とはうって変わった明るさと、前に向かって進もうとする強さに満ち溢れているのが驚きだった。登場するアマたちは確かに一〇年経って八〇～九〇代になっているのだが、前作に登場した人も含め一〇年前よりおしゃれだし、ことばもはっきりして元気で、中には流ちょうな日本語で日本政府に対する抗議の演説をするアマもいて、すっかり見違える。

実は婦援会は九六年から元慰安婦に対する「セラピー・ワークショップ」を行ってきた。ここではアマたちはさまざまなイベント―かつて就きたかった職業の一日体験とか、皆でウェディングドレスや学生服を着て青春を生き直すというようなものもある―に参加し、創作や発表をしたり、来日して抗議活動に参加したりなど、活発な活動をしてきている。抗議活動で自分の経験や考えをはっきりと述べる人、家族に過去を告白できた人もいれば、信仰を得て自分だけの苦しみから他者への思いやりへと視点を広げた人もいる。過去の語りも前作のように後悔や苦痛を吐露するだけでなく、怒りを向ける相手をしっかり見極め、自分の希望や要求を述べる。残り少ない人生であっても、今を意欲的に生きることによって人は解放への希求を体現化することができるのだと思わせられる力のある映画だ。

とはいえ、彼女たちが日本政府を相手取った訴訟は成功したわけではない。彼女たちの生活を支えているのは、台湾政府が賠償として出した一時金と年金なのだそうである。二〇一六年当時生き残っていたアマは三名、平均九〇歳だった。となると、日本政府があくまでも知らん顔してやり過ごしてしまうことも可能になりそうな気配だが、日本人として恥ずかしさを感じずにはいられない。―思えばこの時期、初期対策が遅れた日本としっかり防御をして市民をウイルスから守ろうとしている台湾の差と同じなのかも。

※この映画(原題『蘆葦之歌』)はかつて『蘆葦の歌』の邦題で公開されたものである。

movie

中国語圏映画ファンが選ぶ2019年〝金蟹賞〟は『象は静かに座っている』に！

小谷公伯

　2020年農歴正月である春節を迎えた1月26日、東京六本木にある中華料理店にて中国圏映画ファンが集まり、2019年〝金蟹賞〟選考会が開催された。〝金蟹賞Tokyo Golden Crab Film Award〟とは、中国現代文学研究者である藤井省三氏を審査委員長として、社会人向け講座の受講生が中心となっている選考委員（以下「委員」と称す）が、互いに旨い酒と肴を味わいながら映画批評を行うという趣旨で開催され、初回の中華料理店で食べた蟹料理から〝金蟹賞〟と命名されたのが始まりである。いわば、映画ファンが勝手に選ぶ映画賞なのである。

　選考の対象となるのは、日本国内の劇場上映および、映画祭で上映された中国語（地方方言を含む）が会話の中心となっている作品である。選考委員（投票者、以下「委員」という）の中には、海外へ出かけて現地の劇場や映画祭で見たりすることも多いのだが、前記の通り、日本国内で上映されていないとその対象にならない。一方、国内映画祭上映後、翌年以降に劇場公開の場合は二度目の対象となったり、過去に上映された作品が、特集またはリバイバル上映され、「私は初めて見て感動したので投票します」でも、不可としないのがユニークな点である。基本的に有料チケットを購入して見ているため、面白くないものや、お金をかけている割に出来の悪い作品に対して、忌憚無く発言する反面、個人賞などは、贔屓俳優へは若干甘い採点となるなど、見た人の思い入れ度が投票に反映されることもある。

2019年最も評価が高かった作品は？

　投票は、選考会前日で一旦締め切り、データ入力し仮集計される。更に当日出席者の駆け込み投票が認められているので、予測できないことも多いのだが、今回の作品賞は得票が逆転されることなく決定した。

　2019年の作品賞は、『象は静かに座っている』（大象席地而坐）が選ばれた。本作は2018年第19回東京FILMEX映画祭コンペティション部門で上映され、同年の〝金蟹賞〟選考会で、長編第一作の本作が遺作となった胡波が特別賞（新人監督賞）に選ばれている。劇場公開されて本年も対象となり、83点の得票を集めて選出された。勝手に映画賞ならではの結果となった。

　中国北部のかつて炭坑が町の中心産業だった地方都市（河北省石家荘市付近）を舞台にして物語は進行する。友人のいざこざに巻き込まれて同級生を誤って階段から突き落としてしまう少年プー。同級生の兄は街で幅をきかせている不良グループのリーダー格だが、好意を寄せる女性には冷たくされ、親からは弟だけ溺愛され突き放されていた。娘夫婦家族と同居し、老人ホーム入居への承諾を迫られる中、犬を連れて散歩している老人ジン。離婚して家事と子育てを放棄した母親と2人で暮らすプーの同級生リン。彼らの行動が交差しながら、街を出ようとするプーに3人が加わり、はるか北の満州里の動物園に一日中座ったままという、一頭の象を目指して行くまでの1日を、234分という長尺で描いている。第68回ベルリン国際映画祭国際批評家連盟賞、最優秀新人監督賞スペシャルメンションを獲得している。

　審査委員長から、「現在の経済成長踊り場時期を背景として、没落しつつある中産階級の老壮青三世代を中心とする鬱屈した時代感覚を実に巧みに描き出した映画でした。胡波監督自作の同名短編小説を大幅に改編しており、原作小説も短いながら、カミュ『異邦人』やベケット『ゴドーを待ちながら』から村上春樹『象の消滅』など世界文学の名作を取り込んだ意欲的な構成でした」との講評があり、委員から、「最後目的地まで辿り着けないまま行き暮れたはずの4人、薄暗がりの中で屈託なく蹴鞠（蹴羽根）する場面。監督はこれを撮りたかったのだなと」、「最初の数分で、〝これは4時間でも見られる〟と直感したダントツ1位。こんなに暗くて長ったらしい作品が、壮絶な戦闘シーンや華やかな海外ロケに莫大な予算を掛けた大作以上に人の心を揺さぶる、というのも小気味良かった」とのコメントが上がった。

　2位は、ジャ・ジャンクー（賈樟柯）監督作品『帰れない二人』（江湖兒女）が選ばれた。2001年北京五輪開催決定で中国が湧き活気づいている中、山西省大同で、不動産業者の地上げを手伝いながらヤクザの世界に生きるピンと恋人のチャオ。チンピラに殺されかけたピンを銃で発砲し助け、5年の刑期を終えたチャオは、三峡ダムの建設により街が無くなる古都奉節にいるピンを訪ねるが、ピンには新たな女性がいて、チャオは新疆ウイグル自治区のウルムチを目指す。そして2017年までの17年間を総移動距離7700㎞に及ぶ二人のロードムービーである。

　「チャオ・タオ（趙濤）が今までで一番綺麗に感じた。若い時からの経年変化が自然」、「開発は自然、街並みだけでなく、人

“2019年金蟹賞”各部門受賞一覧

作品賞　**『象は静かに座っている』**（大象席地而坐）
監督賞　**フー・ボー**（胡波）
　『象は静かに座っている』
　※2018年同作での特別賞（新人監督賞）に続いて、劇場公開後での選出
銅蟹賞　**『ニーナ・ウー』**（灼人秘密）**ミディ・ジー**（趙徳胤）**監督**
主演女優賞　**チャオ・タオ**（趙濤）**『帰れない二人』**（江湖兒女）
主演男優賞　**ポン・ユーチャン**（彭昱暢）**『象は静かに座っている』**
助演女優賞　**ミッシェル・ヨー**（楊紫瓊）**『イップ・マン外伝 マスターZ』**（葉問外傳：張天志）
助演男優賞　**ジャン・ウー**（章宇）**『象が静かに座っている』**
優秀イケメン賞　**金城武『The Crossing-ザ・クロッシング-PartⅠ』**（大平輪）
　『The Crossing-ザ・クロッシング-PartⅡ』（大平輪彼岸）（※1）
　※2018年『恋する最強のレシピ』に続けて二年連続選出
新人賞　**ポン・ユーチャン**（彭昱暢）**『象は静かに座っている』**
特別賞　**『新春江水暖』**（2019東京FILMEX映画上映作品）**の春江**（川）**に対して**

◉作品賞の上位五作品と票点数

第1位　**『象は静かに座っている』（大象席地而坐）83点**　劇場公開作品
第2位　**『帰れない二人』**（江湖兒女）**64点**　劇場公開作品
第3位　**『幸福路のチー』**（幸福路上）**62点**　劇場公開作品
第4位　**『芳華-Youth-』**（芳華）**45点**　劇場公開作品
　※2018年中国映画祭「電影2018」上映での第5位に続いて、2019年劇場公開で選出
第5位　**『ひとつの太陽』**（陽光普照）**44点**　第32回（2019）東京国際映画祭上映作品

の心も壊していく。職を求め、集まっては散っていく人達。時代の影響を強く受ける人達。もがく男は不自由な身でなお彷徨い続ける。満足出来るものは手に入るのか」との、コメントが委員から上がった。

３位は、台湾のアニメーション作品『幸福路のチー』（幸福路上）が選ばれた。東京アニメアワードフェスティバル２０１８で長編グランプリ、第55回金馬賞で最優秀アニメーション映画賞を受賞している。台北郊外の街に実在する幸福路を舞台に、祖母の訃報を受けアメリカから帰国した女性チー。子供時代の懐かしい思い出を振り返りながら、人生や家族の意味について思いめぐらせるようにして物語が進行する。監督のソン・シンイン（宋欣穎）は、新聞記者、写真家を経て、日本、アメリカへの留学で映画理論を学んでいる。台湾では長編アニメーションの製作体制が整っていないので、自らアニメーション・スタジオを設立して製作したという。主人公の声を俳優グイ・ルンメイ（桂綸鎂）が演じている。「台湾の現代史を描きながら、〝これは自分の物語〟と思わせる構成が見事」、「主人公と同世代の私は、椅子から立ち上がれないほどの没入感があった」とのコメントが上がった。

４位は、日中国交正常化45周年記念として開催された中国映画祭「電影２０１８」で上映され、同年〝金蟹賞〟選考会で第５位として選ばれているフォン・シャオガン（馮小剛）監督の『芳華-Youth-』（芳華）が、劇場公開されて、何と、順位一つ上げて再び選ばれた。１９７６年文革末期の時代を背景に、人民解放軍文芸工作団へ戻ってきた青年が、新入団の少女を連れてくる場面から始まる団員の青春時代、１９７９年の中越戦争の実態を描きながら、青春時代の終わりを告げ、１９９１年改革開放で経済発展し、所得格差が生まれる頃の海口で元団員同士が再開するまでを描いた、切ないラブ・ストーリーである。委員からは、「手放しで郷愁を誘っているわけでなく、それでいて同時代に生きた人の涙を誘うような描き方、あざといほどの上手さ、娯楽作品としての完成度を感じた」とのコメントがあった。

５位は、第32回東京国際映画祭で上映された『ひとつの太陽』（陽光普照）が選ばれた。優秀な兄とは対称的に、問題を起こしてばかりの弟が少年院に送られたことをきっかけに、崩壊しつつある家族へ追い掛かってくる悲劇を描く本作は、第56回金馬賞で、作品賞、監督賞ほか五部門で受賞している。

委員から、「チョン・モンホン（鍾孟宏）監督は映像派と思われがちですが（実際そうでもあるのですが）、実は人間を描く能力に長けているのではないでしょうか。特に異形の人を描かしたら相当の腕前だと思います。しかし、そこで描かれるのはモンスターではなく、根っこの部分は我々と同じ市井の人々であるという点が素晴らしい」との、コメントが発表された。

６位には、２０１９年カンヌ映画祭批評家週間のクロージング作品として上映され、第20回東京FILMEX映画祭で上映された、グー・シャオガン（顧暁願）監督の初長編作品『春江水暖』が選ばれている。杭州富陽の美しい風景を背景に、一つの家族の変遷を静かに流れる川のように描いている。「若い二人が川沿いを歩く長いワンカットのシーン、まさに清明上河図といった感じで、続編を見たいという気持ちになりました」との、コメントが委員より発表された。

７位は、２月に劇場公開された、香港のウォン・ジョン（黄進）監督作品『誰がた

めの日々』（一念無明）が選ばれた。エリック・ツァン（曾志偉）が演じる父は、トラック運転手として生活し、家に寄りつかずお金を入れてくるだけ、弟はアメリカに永住。寝たきりの母親を施設へ入れたくなく、会社も辞め一人で介護するション・ユー（余文樂）演じる青年が、母親の事故死によるショックで重い鬱病を患い一年間入院、退院後、父と二人で安アパートの狭小部屋での生活を再スタートするというストーリーである。「貧しい理由の中に肉体や精神を病んでいるとか複雑な背景があるのは、香港や日本に共通のことかも知れません。何か明るい希望を見せてエンディングという手もあったでしょうが、現実と向き合って生きて行くという結論はアリだと思いました」とのコメントが発表された。

8位は、『イップ・マン外伝マスターZ』（葉問外傳：張天志）が選ばれた。『イップ・マン継承』（葉問3）で、ドニー・ウェン（甄子丹）演じるイップ・マンと、マックス・チャン（張晉）演ずる同門のチョン・ティンチとの戦いは大きな反響を呼び、シリーズ・スピンオフ作品として製作された。イップ・マンとの詠春拳の正統争いに破れ、武術の世界から身を引いたティンチは、小さな食料品店を開きながら息子と生活していたが、街を牛耳る黒社会の一員であるキットが追いかけていた女性を救い、キットの逆恨みを買い、ついには封印していた詠春拳で戦わざるを得なくなるという物語で、委員から、「新しいことをしているわけではないのですが、きちんと造られた娯楽カンフー映画でした」との、コメントがあった。

9位には、第20回東京FILMEX映画祭で上映された『熱帯雨』が選ばれた。『イロイロ/ぬくもりの記憶』（爸媽不在家）のアンソニー・チェン（陳哲藝）監督の二作目で、トロント映画祭のプラットホーム部門でも上映されている。投票した委員から、「前作では、母子を演じたヤオ・ヤンヤン（楊雁雁）とコー・ジャールー（許家樂）が、本作ではシンガポールを舞台に、女教師と男子中学生を演じ、感情の揺れ動きを繊細に描いているという刺激的な作品でした」とのコメントがあった。

10位は、中国映画祭「電影２０１９」で上映された、ハン・ハン（韓寒）監督作品『ペガサス／飛馳人生』（飛馳人生）が選ばれた。委員長から、「小説家兼レーサーの韓寒が、5年ぶりにレーサーとして復活する中年男性を描く映画でした。視覚的には面白かったのですが、前作『いつか、また』（後会無期）と比較すると、物語的にはやや単純という印象を受けました」との、審査委員長のコメントがあった。

銅蟹（どうかにー?）賞は！

金蟹賞版ラズベリー賞といえる〝銅蟹賞〟は、ミディー・ジー（趙德胤）監督作品『ニーナ・ウー』（灼人秘密）が選ばれた。第20回東京FILMEX映画祭で上映された本作は、ウー・カーシー（吳可熙）主演で、台湾映画界を舞台に、主役のオーディションで主役の座を射止めるが、精神的に追いつめられる女優を描く心理サスペンス作品である。投票者からは、「監督は、なんでこの映画撮ったのだろう?」、「映画はさておき、監督は暫くウー・カーシーとは距離をとった方がいいんじゃないかと、しみじみ思います」等の、辛辣なコメントが上がっている。

監督賞ほか個人賞は！

まずは〝監督賞〟から、こちらも仮入力段階の得票リードが変わらず、『象は静かに座っている』の胡波が選ばれた。委員からは、「4時間座って見ていられる映画に仕上げたのは非凡。返すも監督が亡くなったのが残念」、「残念、無念」等、彼への哀悼と次の新作への期待感を持つことが出来ない残念さがコメントに表れている。

続いて、主演女優賞は、『帰れない二人』のチャオ・タオ（趙濤）が選ばれた。「ピストルをぶっ放すシーンの見得の切り方とか、かつての任侠映画のように、「よっ！姉御！」と掛け声かけたいくらいでしたが、現代日本ですから止めておきました」との、コメントがあった。主演男優賞は、『象は静かに座っている』のポン・ユーチャン（彭昱暢）が選ばれている。

助演女優賞は、ミッシェル・ヨウ（楊紫瓊）が、『イップ・マン外伝 マスターZ』での曹雁君役で、得票を伸ばし選ばれた。「黒社会の姉御として、マックス・チャンが演じる張天志と戦いになり、剣を執って見得を切る、そこがかっこいい！」との、コメントが上がっている。助演男優賞は、『象は静かに座っている』のジャン・ユー（章宇）が選ばれている。「凄い存在感ですよね。アニキぶりが良かったですが、実は『ニセ薬じゃない！』（我不是薬神）の金髪の若者、黄毛も演じています。今後の活躍が本当に期待される俳優だと思います」との、コメントが上がった。

ユニークな賞
〝優秀イケメン賞〟と〝新人賞〟

カッコイイ・イケメン俳優を発見し、紹介する委員のコメントから発展し制定され、二枚目男性俳優だけでなく、男装した女性俳優も対象となるユニークな賞である、２０１９年のイケメン賞は、『The Crossing-ザ・クロッシング-PartⅠ』、『同

2019年中国本土・香港・台湾における興行収入ベスト5　　興収額　中国本土＝人民元　香港＝香港元　台湾＝新台湾元

項目		1位	2位	3位	4位	5位	特記作品
中国本土	全公開作品	ナタ〜魔童降臨〜 (哪吒之魔童降世) 50.03億	流転の地球 (流転地球) 46.82億	アベンジャーズ:エンドゲーム (復仇者連盟4:終局之戦) 42.49億	(我和我的祖国) 31.24億	高度一万メートル、奇跡の実話 (中国機長) 29.04億	イップ・マン4:完結編 (葉問4:完結編) 11.82億
	中国作品	ナタ〜魔童降臨〜 (哪吒之魔童降世) 50.03億	流転の地球 (流転地球) 46.82億	(我和我的祖国) 31.24億	高度一万メートル、奇跡の実話 (中国機長) 29.04億	(病狂的外星人) 22.13億	
香港	全公開作品	アベンジャーズ:エンドゲーム (復仇者聯盟4:終局之戰) 2.219億	トイ・ストーリー4 (反斗奇兵4) 0.8854億	スパイダーマン:ファー・フロム・ホーム (蜘蛛侠:決戦千里) 0.8479億	キャプテン・マーベル (Marvel:隊長) 0.7604億	ジョーカー (小丑) 0.6090億	
	香港作品	(廉政風雲 煙幕) 0.3136億	(掃毒2 天地對決) 0.2481億	イップマン4:完結編 (葉問4:完結編) 0.2254億	新喜劇之王 (新喜劇之王) 0.2197億	淪落の人 (淪落人) 0.1981億	
台湾	全公開作品	アベンジャーズ:エンドゲーム (復仇者聯盟4:終局之戰) 9.1046億	ワイルドスピード:スーパーコンボ (玩命關頭:特別行動) 4.5447億	キャプテン:マーベル (驚奇隊長) 4..0439億	スパイダーマン:ファー・フロム・ホーム (蜘蛛人:離家日) 3.7983億	アナと雪の女王2 (氷雪奇縁2) 3.4322億	イップ・マン4:完結編 (葉問4:完結編) 1.8484億
	台湾作品	(返校) 2.6043億	(第九分局) 0.5684億	(五月天人生無限公司3D) 0.5417億	(寒單) 0.4929億	ひとつの太陽 (陽光普照) 0.2616億	

邦題がある場合は邦題(含映画祭上映作品)で表記し、括弧書きにて現地公開題を表記。邦題無しまたは不明の場合は現地公開題のみで表記
中国、香港、台湾での中国文公開題が異なる場合、現地公開題で表記
中国本土:中国内地電影總票房一覧や電影票房排行榜等の興行収入統計データを検索して作成
香港:香港電影業協會及香港戲院商會の下部組織である香港票房有限公司の2019年香港電影市道整體状況データから作成
台湾:国家電影中心每月5日公布距正式上映満30日之電影週末票房から集計の2019年台湾電影列表から作成

-PartⅡ』(※1)の劇場公開での医師役で出演した金城武が選ばれた。『恋する最強のレシピ』(喜歡你)での出演での昨年から、二年連続となったのは、投票する委員の思い入れ度が反映された結果のようだ。

新人賞には、『象は静かに座っている』のポン・ユーチャンが、主演男優賞に続いて選出された。委員から、「時代劇ドラマ『刺客列伝』やアイドル映画で見ていて、また、日本のアニメーション作品「兄に付ける薬はない!」のリメイク作である『快把我哥帯走 芭刺客列伝』(2018年)での、すっとぼけたコメディ・キャラを演じたのが印象的で、注目していました』との、推薦コメントが発表された。

そのほか、特別賞として、委員から、作品賞第6位だった『春江水暖』の撮影地である富春江の景色に対して推薦があり、選出されている。

2019年〝金蟹賞〟は、東京FILMEX映画祭上映後、劇場公開となった、『象は静かに座っている』を見た委員たちが高評価し、作品賞ほか五部門で選ばれている点で、まさに、『象は静かに座っている』の風が駆け抜ける選考会となった。

2019年の中国語圏映画を振り返って

さて、2019年の中国語圏映画を振り返ってみよう。別表「2019年中国本土・香港、台湾における興行収入ベスト5」を併せて参照されたい。まずは、中国本土の興行収入統計を探ってみる。春節と呼ばれる農暦正月時期の公開で、〝中国初の本格的SF大作〟のキャッチ・コピーで公開された、『流転の地球』(流浪地球)が46・82億中国人民元(以下、「元」と表記)の大ヒット作となり、順調なスタートを切っている。その後もヒット作に恵まれて、国家電影局発表の数字では、総興行収入642・66億元で、記録を更新している。日本円に換算すれば1兆円を超えているのである。併せて、国産作品の中国国内占有率64・07%、世界で最も多い6万9787幕(スクリーン)数と発表されている。

本作は、太陽の肥大化により、このまま推移すると飲み込まれるかもしれない状況を変えるために、人類は、地球そのものを移動させる壮大な計画を開始するというストーリーで、スケールの大きな映像は、ハリウッドSF作品のクオリティーに引けを取らない作品だった。なお、リウ・ツーシン(劉慈欣)の原作小説は、昨年日本でも翻訳出版されている。

主旋律映画と呼ばれ愛国心を謳うような2018年1位の『オペレーション・レッド・シー』(紅海行動)や、『ウルフ・オブ・ウォー』(戦狼)シリーズでの、海外に

進出している中国人のために、人民解放軍の精鋭等、中国人が大活躍するという設定から、中国人が活躍するものの、国際協調が盛り込まれているのが特筆すべき点であろう。

そして、一番の話題は、7月26日から公開された『ナタ〜魔童降臨〜』（哪吒之魔童降世）が、中国本土で50・03億元を上げ、アニメーション作品として、初の年間興行収入1位を記録したことであろう。中国神話に登場する少年神ナタを主人公とし、殷の紂王が悪政を続ける人界、そして仙界に分かれた世界を舞台にしたファンタジー作品である。

2位が、前記の『流転の地球』、3位にハリウッド作品『アベンジャーズ　エンドゲーム』42・49億元が入るが、4位に『我和我的祖国』（直訳：私と私の祖国）31・24億元、5位に『高度1万メートルの奇跡』（中国機長）29・04億元[※2]、6位には、『E.T.』をパロディにしたようなポスターが印象的な、ホァン・ボー（黄渤）、シェン・トン（沈騰）主演で、ニン・ハオ（寧浩）監督のクレージー・シリーズ3作目にあたる『病狂的外星人』（直訳：クレージー異星人）22・13億元がランク・インしている。猿芝居で生計を立てる男性二人が、ひょんなことから宇宙生物に出くわし、この宇宙生物を狙ってアメリカからやって来た男達と争奪戦を繰り広げるというSFコメディ作品で、原作はリウ・ツーシンの小説「郷村教師」である。

以下、7位が『ペガサス　飛馳人生』（飛馳人生）17・03億元、8位が『烈火英雄〜戦士達に贈る物語』（烈火英雄）16・76億元、9位に、デレク・ツァン（曾國祥）監督、周冬雨主演の、『少年の君』（少年的你）15・56億元[※3]が入り、10位がハリウッド作品で、ベスト10中8作品が中国作品という結果だった。外国作品の配給、上映を、国家が管理しているという状況があり、主旋律作品のように、共産党が要請して観客を動員させることがある点を、頭に置いておく必要はあるが、観客の目は少しずつ肥えて来ており、映画そのものの出来が良くなければ、自国の映画だからと言うだけでは、簡単には映画館へ足を運ばなくなって来ているのかも知れない。2018年の中国映画は、「近年の国産主旋律映画の好成績は、映画市場を意識してこれに応えた結果である」という評論のようであったとすれば、2019年は、更に映画市場を意識し、外国作品に引けを取らない作品が製作されて来るようになったということだろうか。なお、因みに、ワン・シャオシュアイ（王小帥）監督の『地久天長』[※4]が、第69回ベルリン国際映画祭で主演男優賞、主演女優賞の二冠を獲得。ディアオ・イーナン（刁亦男）監督の『南方車站的聚会』[※5]第72回カンヌ国際映画祭のコンペティション部門にノミネートされている。

一方香港では、「2019年香港電影市道整體情況」による興行収入トップ3は、『アベンジャーズ　エンドゲーム』2万2190万香港元（以下、「港元」と表記）、『トイストーリー4』8854万港元、『スパイダーマン　ファー・フロム・ホーム』8479万港元で、さらにベスト10まで探ってみても、2018年と同様に香港作品が一作品もベスト10に入っていない。

香港作品（中国本土との合作を含む）のみで探ってみると、春節期の賀歳片として公開された、アラン・マック（麥兆輝）監督作品『廉政風雲　煙幕』が3136万港元でトップの成績。香港での警察署とは別組織である、賄賂等の汚職を取り締まる組織ICACを舞台にしている犯罪捜査作品で、主演のラウ・チンワン（劉青雲）と、『つきせぬ思い』（新不了情）の共演が記憶に残るアニタ・ユン（袁詠儀）が特別出演するというキャスティングが注目された。

続いて、猛スピードの車が、地下鉄駅構内で電車に衝突するアクション・シーン撮影のためのオープン・セットが組まれ話題となった、アンディ・ラウ（劉徳華）、ルイス・クー（古天樂）主演の『掃毒2　天地對決』が2481万港元で、3位には、一昨年の『イップ・マン外伝マスターZ』と同じ日の年末12月20日公開、ドニー・イェン主演のイップ・マンシリーズ最終作『イップ・マン4　完結編』（葉問4　完結編）が2254万港元。4位に、チャウ・シンチー（周星馳）が1999年に主演、監督、脚本を手掛けた『喜劇之王』を、ワン・バオチャン（王寶強）主演にして、自らがリメイクし、賀歳片として公開された『新喜劇之王』2197万港元となる。5位がアンソニー・ウォン（黄秋生）主演のヒューマン・ドラマ『淪落の人』（淪落人）1981万港元[※6]となっている。

昨年6月発表され、一国二制度の原則を崩し兼ねない「逃亡犯条例」の改定案が発端となった大規模デモの影響を受けているのだろうか。香港地区全興行収入は、2018年マイナス1・75%、公開本数は2018年の353本から326本へと減少、香港作品（本土との合作を含む）は、同53本から46本へと減少している。

次に台湾へ目を向けてみる。国家電影中心で発表している台湾全域での興行成績の数字や、Wikipedia「2019年台湾電影列表」を参考にして探ってみた。興収第1位だったのは、ハリウッド作品『アベンジャーズ　エンドゲーム』9億1046万台湾元（以下「台元」と表記）、続いて『ワイルド・スピード スーパーコンボ』4億5447万台元、10位まで全てをハリウッド作品が占めている。

華語作品では11位に、台湾作品では昨年最大の2億6043万台元のヒット作となった、ジョン・シュー（徐漢強）監督の長編第1作『返校』（直訳：学校へ戻る）が入っている。2017年にパソコン・ゲームとして開発され、スチーム配信し、当時世界3位の売り上げランキングされたホラーゲームをもとに映画化されたもの。中国国民党政権時代で戒厳令下にあり、白色テロと呼ばれた頃（※7）の1960年代に、政府から禁じられた本を読む読書会迫害事件を描いた作品である。2019年金馬賞では12部門でノミネート、監督賞含む5部門で受賞している。ホラーというジャンルながら、〝台湾の現在の自由や民権が元から存在していたのではなく、多くの人の運動、犠牲の上に獲得したものを忘れるな〟と、いう、メッセージ性を強く感じた作品である。

14位に香港作品『イップ・マン4 完結編』1億8484万台元が入っている。台湾作品は、『返校』の興収からヒト桁下がっての30位以下だが、霊と対峙して事件の謎を解いて行くストーリーで、〝鬼月〟（※8）の門が閉まるという8月29日から公開された、ロイ・チウ（邱澤）、ウェン・チェンリン（温貞菱）主演のホラー作品『第九分局』が5684万台元、日本でも武道館でライブが行われる人気グループ・メイデイ（五月天）のライブ映画『五月天人生無限公司3D』5417万元、台湾三大元宵行事の一つである、台東での民間信仰行事〝寒單爺〟（※9）を題材にし、台東出身の黄朝亮が監督して、賀歳片として公開された、『寒單』4929万元、金蟹賞作品部門5位の『ひとつの太陽』が2616万元となっている。

2019年台湾映画界で特筆すべき点では金馬賞（※10）であろう。2018年同賞受賞式での政治的発言に反発しての中国映画界から不参加表明で、盛り上がりを欠くと予想されていたが、運営主席であるリー・アン（李安）の見識、対応と、シンガポール、マレーシアから等の優れた作品の参加で、これまでと遜色ない盛り上がりで乗り切っている。

表には加えていないが、シンガポールやマレーシアの華語作品の上映状況にも少しだけ触れておこう。実はこの地域のランキングは、ウェブで検索しても、若干曖昧なデータなところではあるが、百度一下経由での検索や、星州網でのウェブ記事検索を参考にして探ってみた。

シンガポールでの第1位は、やはり、ハリウッド作品『アベンジャーズ エンドゲーム』1955万シンガポール元（以下、「SGD」と表記）で、5位までハリウッド作品が占め、6位に12月5日の公開でありながら、『イップ・マン4 完結編』680万SGDが入っている。以下10位までハリウッド作品という状況。シンガポール作品となると、2月に公開された、ジャック・ネオ（梁智強）監督のコメディ作品『殺手撿到槍』が82・1万SGDで、100万SGDに届かず苦しい成績だった。

マレーシアでもベスト10には第1位の『アベンジャーズ エンドゲーム』8700万リンギット（以下、「MYR」と表記）ほかハリウッド作品の占有率が高いが、華語作品では6位に『イップ・マン4 完結編』が3600万MYRでヒットしている。

東アジア、東南アジアでの華人社会を中心に『イップ・マン4 完結編』が広く観客を集めたといえよう。本作は、いよいよ本年に日本での劇場公開予定である。

今年は、中国武漢が発端と言われている新型コロナウイルス感染症の蔓延で、4月に行われる予定であった香港金像賞の開催延期が発表され、カンヌ映画祭も5月の開催不可能と判断されている。中国では、春節賀歳片公開予定だった、チェン・スーチェン（陳思誠）監督の唐人街探案シリーズ第二作で出演した妻夫木聡が再度出演し、東京を舞台とした、『僕はチャイナタウンの名探偵3』（唐人街探案3）等の作品が、公開延期を余儀なくされている。

新型コロナウイルス感染症の蔓延終息を願いながら、『イップ・マン4 完結編』、『僕はチャイナタウンの名探偵3』、『新喜劇之王』等、話題作の劇場公開を楽しみにして、より多くの華語作品が日本でも見られることを期待しながら、PCのスイッチを切ることにする。

（※1）中国での原題は『大平輪』、『大平輪 彼岸』、香港、台湾では『大平輪：亂世浮生』、『大平輪：驚濤摯愛』で上映

（※2）『高度1万メートル、奇跡の実話』の邦題で2020年公開予定

（※3）2020年第15回大阪アジアン映画祭で上映され、観客賞を受賞

（※4）『在りし日の歌』の邦題で2020年公開予定

（※5）『鵞鳥湖の夜』の邦題で2020年公開予定

（※6）『惨めな人』の邦題で2019年第14回大阪アジアン映画祭にて上映、『淪落の人』の邦題にて2020年2月公開

（※7）1947年の二二八事件以降の戒厳令下に、国民党政府が、本省人と称された国民党政権前からの住民を中心に、共産党スパイとして、反体制派と見做した知識人や社会的エリートを投獄または処刑した。

（※8）台湾では農暦の7月を〝鬼月〟と称し、あの世の門堺が開き親族や無縁仏がこの世へ戻って来て、末日に門堺が閉まると言われている。

（※9）農暦の15日（元宵節）に台東にある玄武堂の武財神に扮した男子が、凄まじい爆竹を受けるという民間信仰行事

（※10）1962年に創設された台湾の映画賞。当初は中国共産党影響下でない地域の作品が対象であったが、その後、中国作品も対象となった

小谷公伯："金蟹賞"選考委員。会社勤めの傍ら海外へ出かけた際は、現地の劇場で映画を梯子見し、時には都市部で上映が終了した作品を見に、ローカルバスに乗って郊外の映画館まで出かけて、ロケ地巡りをするアジア映画迷。

中華圏小説の蠱惑的世界

王晋健康の中短編を読む

～特集雑誌「アジア文化」より～

立原透耶

中国SF四天王の王晋康については、本誌でも過去に紹介しているため、すでにお馴染みの名前になりつつあるかもしれない。四天王の中では最年長で、中国SFが政治的に禁止されていた時代も体験、また文化大革命をリアルに経験した世代として、彼の描く作品は深い洞察力が込められている。中国では「大地を描く作家」とも呼ばれており、我々の足元を見据えた、リアリズムにも繋がる作風は、読むものの心を深くうつ。

さて、この王氏の作品を一冊に特集した雑誌が近頃、中国で出版された。「アジア文化 2019/10 特集 王晋康作品について語る／王晋康SF傑作選」（アジア文化総合研究所出版会）である。これは学術系の出版社ということで、一般の書店ではほぼ入手不可能なレア本だ。

中身を順番に見ていこう。まずは著者による「自序」である。これは日本語訳されており、日本人読者に優しい心遣いだ。

王氏は自序で次のように述べている。

「本当の理由は私の心の中に科学への思いというものが深く根ざしていて、科学に対して、そして科学の指し示してくれる大自然の奥深さに対しての畏敬の念を抱いていたことによります」

「陰日向を伴った紆余曲折ある人生の中で、私は科学研究自体へと身を捧げるということができなかったので、SF小説の創作がその畏敬の念の吐き出し口になったのです」

「SF作家と純文学作家では同じ点と異なる点があります。異なる点は、後者の場合、その人間描写に置いて対象を直視し、主観的に対象を眺め、内省的であり、彼らが注目するものの多くは個人と今日です。そして前者の場合、俯瞰し、作品内部を第三者的なものとして客観的に眺め、彼らが注目する多くは同一の特徴を持つ集団全体であり時間全体です。また後者は人間性の襞にある綾を描くものですが、前者は人間性のさらに深いところにある冷たく硬質なものに注目します。後者は詳しく細かく、前者は広く深く、後者は哲人が持つ憐憫の眼差しで、前者は神が持つ冷静な眼差しで」

「ですから私は他の若いSF作家たちとは異なるのです。彼らは現在に立って未来を見る。甚しくは未来に立って未来を見ている。しかし私はずっと過去に立って未来を見ているのです。私の作品の中には、当然ですが私の生涯の経験が浸み込んでいます。　～中略～　一人の老人の身の上にはこのような非常に多くの重苦しい「過去」が落とし込まれていて、軽々しくは飛び立てないのです。ただ大地に立って星空を仰ぎ見ることだけしかできないのです」

（以上、「自序」翻訳：泊功より）

これらを読むだけで、王氏の作品の根底にある思想がどんなものなのかがはっきりと見てとることができよう。文化大革命、様々な政治的、歴史的な経験を経てきた作家ならではこその、重みと含蓄を含んだ自序である。

さて雑誌の内容を進めよう。次に日本語訳が続く。まずは日本で実施された王作品に対する感想や可能性についての座談会。これは立原が司会となり、訳者からは泊、上原、林、学者・作家から巽、茅野、津原（以上、敬称略）が参加し、忌憚なく話し合った内容である。おそらく日本語で中国SFについてこのような座談会が文字として残っているのは初めてなのではないだろうか。

その後、日本語訳小説「転生の巨人」（過去に本誌で紹介済み）、「夏娲帰還」（本邦初訳）、「天に替りて道を行う」（本邦初訳）、「失われた至宝」（本邦初訳）、「追殺」（本邦初訳）、と掲載され。その後は中国語原文が掲載。順に「水星播种」、「生命之歌」（「ミステリマガジン」掲載済み）、「養蜂人」（「SFファンジン」掲載済み）、「終級爆炸」、「七重外壳」（近日翻訳予定）、「斯芬克斯之謎」となる。

日本ではまだ翻訳の少ない氏の作品が多く読めるという点では、本誌は非常に魅力的である。また自序から考えるに、なぜこれらの作品を選んだのか、という点も気になるところだろう。

これらの作品の後に三本の論文が入り、最後には受賞歴やメディアミックス化の予定などが一覧として挙げられているという念の入りよう。

王晋康氏のこれまでを振り返るのももちろんだが、初心者の読者向けとしても非常に丁寧な作りになっており、素晴らしい一冊なのはいうまでもない。惜しむべきは日本での入手が大変困難なことで、これはかりはなんとかしてもらえぬものかと歯噛みするばかりである。

なおもし本誌掲載作品の中から一作品だけ取り上げるとしたら、個人的に好きな「生命之歌」を除けば「水星播种」しかないであろう。これは昔の作品であるにもかかわらず、今なお中国SF界の中では、「素晴らしい作品」としてまた「お手本のような作品」として愛され続けているハードSFである。ただだからと言って日本人が好きなのか、というのはまた別問題ではある。中国でのSF評価軸と日本での評価軸は時折重なり合うことはあるものの、往々にして少し異なった方向を向いているような気がしてならないからである。とはいえ壮大でかつ心をうつハードSFであるのは間違いないので、いつか機会があればぜひとも日本語で紹介したいものである。

ダンス評［2020年1月～3月］

志賀信夫

舞踏の歴史を現代に
笠井叡　笠井瑞丈　川口隆夫

二〇二〇年三月二五～二七日、神奈川芸術劇場（KAAT）で、笠井叡による「DUOの會」が開催された。大野一雄と笠井叡がかつて踊ったデュオ三本を再制作（リクリエイト）し、新作を一つ上演するものだ。

踊るのは笠井の三男、笠井瑞丈とコンテンポラリーダンスの川口隆夫。瑞丈は笠井叡の二〇〇一年の『花粉革命』を二〇一七年に踊ったことが記憶に新しい。川口隆夫は九〇年代「ATA DANCE」で登場し、ダムタイプ作品で多くの国内外の公演に出た。そして、二〇一三年、『大野一雄について』で大野一雄をコピーし、内外から引っ張りだこ。二〇一二年に土方巽の『病める舞姫』を舞踏家田辺知美とともに踊ったのがきっかけだった。その『病める舞姫』も現在『ザ・シック・ダンサー』として国内外で公演している。つまり笠井叡と大野一雄のデュオを、それぞれを踊ってきた二人が踊るものだ。

作品は一九六三年『犠儀』、一九七一年『丘の麓』と二〇〇二年『病める舞姫』。舞踏の創世記は、一九〇六（明治三九）年生まれの大野一雄、一九二八（昭和三）年の土方巽、一九四三（昭和一八）年の笠井叡と、二二歳、一五歳差という三世代が絡み合って作品がつくられていた。だが三者は同時にライバルでもあった。

笠井叡は一九六三年に出会い三年間、大野に一対一で稽古を受けた。『犠儀』は出会った年、朝日講堂（有楽町・朝日ホール）で行った笠井叡の公演だ。笠井は渡辺丈、伊差川サドと「犠儀の会」を結成しており、振付を大野に頼む予定だったが、大野とのデュオになった。今回の舞台ではジャケットにパンツの川口隆夫が踊るところに、黒いパンツ一枚の笠井瑞丈が絡んで、大野を彷彿とさせる川口、笠井叡の動きを体得した瑞丈の動きの対照が浮かび上がる。

だが『犠儀』の名前で思い出すのは、笠井が大量のヒヨコを舞台で踏み潰しながら踊ったエピソードだ。土方は「笠井はヒヨコの足をハサミで切りながら踊った」と述べている。

この美術は当時の前衛グループ「時間派」によるものだった。中沢潮が率いた時間派は、一九六二年に東京都美術館の読売アンデパンダン展でデビューした。会場に敷き詰めた白い布の上を歩くと、その中に仕込まれた塗料が染み出してくるもの。読売アンデパンダン展にはネオダダ・オルガナイザーズや九州派など多くの前衛グループが参加し、過激な作品が問題になり一九六三年に第一五回で終わったが、日本の美術史に残る。

『犠儀』前半は今回再演された大野と笠井のデュオ。後半は、五、六人の男性ダンサーが黒パンツで踊るなか、高さ一メートルの透明の棺があり、上のパイプからヒヨコが次々と落ちてきて、その中で笠井が立ち上がって踊ると、ヒヨコが舞台にあふれて観客席や楽屋に入り込む。すると観客席の通路でビニールの筒が空気で立ち上がり、観客は総立ちだったという。

男性ダンサーも踊り続けヒヨコは踏み潰され、会場側が舞台を止めて終わった。そして楽屋でスタッフの女子がアクセサリーをつくるといって、死んだヒヨコの足を切るのを見て、大野は涙を流し続けたという。これが「笠井が切った」という土方の記憶につながるのだ。

時間派は、前年の六二年五月の第一回時間派展（サトウ画廊）では多数のバックミラーや、天井と床の間にゴム紐を張って、観客参加を意図した無記名の集団制作を行った。第二回時間派展ではセンサーでガラスの向こうの羽根が動く作品『不定形における夢幻』や、床のチューブを踏むと光が動くスクリーンなど、現在のアートラボの先駆のような作品だった。活動は四年ほどだが、中沢潮はその後、イラストレーターとして少女小説の表紙などを手がけている。

『丘の麓』は一九七一年一〇月の「現代舞踊の異形」公演「肉体の超越と開示」の作品の一つ。舞踊評論家市川雅の企画だ。代々木八幡の青年座での公演は日替わりで、他に矢野英征、三浦一壮、藤井友子による一柳慧の音楽を使った『一柳のためのブルー・オーロラ』、花柳寿々紫・花柳照奈作品などがあった。

『丘の麓』はビアズリーのエロティック小説『ヴィーナスとタンホイザー』に基づいて笠井が企画した。澁澤龍彦訳の『美神の館』だ。笠井が大野に「ワーグナーで踊ってください」といい、大野は乗り気ではなかったが、笠井は大野をヴィーナスにして自身がタンホイザーを踊った。

この一九七一年の映像を部分的に投影しつつ、川口隆夫と笠井瑞丈が踊る。映像の大野は女性のように見え、しなをつくって横たわるヴィーナスと軍服を着たタンホイザーが絡む。映像の背景の西洋画は、一六世紀ドイツのアルブレヒト・アルトドルファーの『山岳風景』らしい。

川口のヴィーナスは桶から何かを撒きながら踊り、それは床に落ちるとピクピクと跳ねる。何とドジョウ。笠井によれば、大野が、花咲爺みたいに撒きながら踊りたいといったらしい。笠井はドジョウのイメージは精子だろうという。やがてヴィーナスはタンホイザーの軍服を身にまとう。エロティシズムの象徴たる美女と軍人を、女装した大野と笠井が演じる倒錯的なイメージだ。

©bozzo

三つ目の『病める舞姫』は土方巽が一九八三年に発表した著作に基づく。国際ダンスフェスティバルのＪＡＤＥ(Japan Arts Dance Event)土方巽メモリアル二〇〇二のテーマとして、スパイラルホールで上演された。大野はすでに立てず、車椅子で男性の姿、それを女装した笠井が押しながら踊る。大野は車椅子から降りたり、立とうともしたが、右手を握り前に突き出して、上にパッと開いて花を空に飛ばす動きを基本に、両手を上げて天に向かうように踊っていた。その大野の車椅子を真っ白なロングドレスの笠井が滑らかに押し踊る姿は、優美にさえ見えたものだ。笠井が真っ白なドレスの前襟を掴み、バッと胸を張るとボタンがブッツブッツと次々と飛んだことを鮮烈に覚えている。今回映像では『アランフェス協奏曲』の歌唱版で笠井が踊るソロがなんとも鮮烈だった。瑞丈と川口は当時よりも大胆に動き、ダイナミックな舞台を見せた。

最後の新作『笠井叡の大野一雄』は、二人がカラフルなシャツと紫のスパッツでファンキーな雰囲気で踊るが、次々と展開する振りの変化に魅了され、これだけの振付を行う笠井のエネルギーにも圧倒された。音楽はバッハの『マタイ受難曲』の「キリエ・エレイソン」（主よ憐れみたまえ）から始まる。笠井が冒頭、舞台前方でタイトルを述べるのだ。笠井は舞台前方にいて、作品が終わるごとに、当時の大野について語る。それを含めて一つの踊りと感じられた。今回、コロナ騒ぎで土日の公演がキャンセルされたが、再演が楽しみである。

今回は大野一雄と笠井叡のデュオの再制作だが、『病める舞姫』は土方巽の著作に基づくもので、背後に土方の姿も見え、舞踏創世記を踏まえた歴史的な上演だった。

「2・5次元」という言葉も完全に定着し、様々な作品が舞台化されている。舞台「Cutie Honey Emotional」は確かにあの永井豪の有名作品「キューティーハニー」の舞台化ではあるのだが、原作を踏襲しているのはヒロインとヒロインが通っている学校だけ、という異色な作品。つまり、キューティーハニー、如月ハニー以外は新しく創造されたキャラクターなのだ。これらのキャラクターが実に現代風で、甘いものが好きなスイーツハニーはタピ活していたり、ラブリーハニーは頻繁に鏡を見て髪をいじったり、街中でよく見かける光景を繰り広げる。そしていわゆる〝悪者〟たちが、ただの悪ではなくて可愛いところもあり、また仲間を気遣う思いやりも見せる。アクションあり、ほのぼのするところあり、感涙するところもありなエンタメ作品に仕上がった。脚本・演出は松多壱岱、原作者も観劇し絶賛したそうで、続編が期待される。

　また、これも単純な原作舞台化ではない作品、『スーパーオペラ「ガラスの仮面」より　歌劇「紅天女」』。言わずとしれた「ガラスの仮面」の劇中劇をスーパーオペラ化したもので、制作発表時から大きな話題になった。しかも原作者である美内すずえが脚本を手がけ、この舞台でしか結末が観られないという仕掛け。史実上実在した人物と虚構の人物が登場、そして神話的。人はなぜ争うのか、〝見えない心〟に動かされる〝見えるこの身〟、それは愛しかり、争いしかり、そして平和も。たぶん、この世の全てがそうかもしれない。

　壮大なアリアやコーラス、楽曲、そしてエモーショナルな言葉。登場人物たち全てが、最初に登場した時とラスト近くでは人間性が大きく変化する。〝成長〟という言葉にも置き換えられるし、〝化ける（いい意味で）〟という言葉にも置き換えられるが、それさえも超える変化。幻想的でコミックの作中劇とは思えない内容と深さで、『こういう神話があったの？』と錯覚するくらい。愛と平和と命という普遍的なテーマのもと、争いからは何も生まれることはないことを壮大なスケールで描き切った。また、阿古夜×紅天女を小林

STAGE

「コミック・アニメ・ゲーム」×ステージ評

キューティーハニー、ガラスの仮面、文豪とアルケミスト、私のホストちゃん

高　浩　美

★舞台「Cutie Honey Emotional」
撮影：平賀正明
©永井豪/ダイナミック企画・舞台「Cutie Honey Emotional」製作委員会

★歌劇「紅天女」
©公益財団法人日本オペラ振興会

★舞台「文豪とアルケミスト 異端者ノ円舞」
© DMM GAMES / 舞台「文豪とアルケミスト」製作委員会

★舞台「私のホストちゃん」
© 舞台「私のホストちゃん」製作委員会

沙羅と笠松はるが演じたが、どっちが北島マヤでどっちが姫川亜弓なのか、これは観客の見方次第、という趣向も粋だ。大掛かりな舞台ゆえに再演は難しいかもしれないが、また上演されてほしい作品だ。

人気シリーズとなっているゲーム「文豪とアルケミスト」の舞台化、今回のタイトルは舞台「文豪とアルケミスト 異端者ノ円舞《ワルツ》」で、主軸を志賀直哉と武者小路実篤の二人にして、新たな物語が展開された。実際にこの二人は友人同士、近代文学史を押さえておくとより面白い作品。

ここでは有島武郎の作品『カインの末裔』が侵蝕される。なぜ、このような作品を書いたのか、有島は「そういう人々がいることを知らせたかった」という。「ありのままを書くのもいいけど、自由な発想で」というセリフ、つまり白樺派の考え方なのである。そんな言葉は現代に生きる人々の心を今も捕らえる。〝自由な発想〟と言われても、実際はなかなか難しい。

また冒頭、暗闇の中、一人で一通の書簡を読み上げる萩原朔太郎。その書簡の内容はとある名作を書き始めた志賀直哉と武者小路実篤とのやり取りを綴ったものだ。多くのやり取りをしていたそうだが、それはこの二人の深い友情を示している。しかし、それでも言えないこともある。

この作品はあくまでもファンタジー、これらの文豪たちが実際に一度に集まることはなかったが、この舞台「文豪とアルケミスト」では一堂に集まる。そこから、様々な化学変化が起き、そんな人間関係は見所の一つ。心の内にある〝闇〟、そして表に見える〝光〟、事態は思わぬ方向に。命を削って、命をかけて紡いだ言葉、作品、そして友情。心に響くセリフ、言葉、そして彼らの行動。また「友情」という武者小路実篤の初期の作品があるが、これも今回のストーリーの鍵にもなっている。「離れていても想い続ける」、それが友情だ。見た目としてはアクションシーン満載、またアンサンブルの激しくもクリエイティヴな動き、扇子や布などを使ったアナログ的な手法は舞台ならでは。気が早いが、次は誰をフィーチャーするのか、予想を立てるのもお楽しみポイントだ。

人気モバイルゲームからテレビドラマ化を経て、2013年にスタートした舞台版「私のホストちゃん」シリーズ。大人気放送作家の鈴木おさむが総合プロデュースをした作品だが、ついにファイナル公演を迎えた。最後にふさわしくお祭り騒ぎのようなライブ、タイトルも『舞台「私のホストちゃん THE LAST LIVE」〜最後まで愛をナメんなよ!〜』、単純に楽しめる舞台で、歌って踊って口説いて、たったそれだけ! ある意味清々しい舞台であった。

CULTURE

ケロッピー前田

土取利行が探求した日本の〝原始音楽〟

新刊『縄文時代にタトゥーはあったのか』執筆期間中のバックグラウンドミュージック

3月、拙著『縄文時代にタトゥーはあったのか』（国書刊行会）が発売となった。

ご存知の通り、筆者は、タトゥーアーティストの大島托と縄文時代のタトゥー復興プロジェクト「縄文族JOMON TRIBE」を推進している。このプロジェクトは、「縄文時代にタトゥーはあったのか」といういまだに答えの出ない太古の謎に、実際に現代人の身体にタトゥーを彫り込むことで具体的に返答しようというものである。

表紙の写真が典型的な作例のひとつだが、縄文土器の文様は、タトゥーとして人間の身体に彫られていたのではないかというのが僕らの主張であり、そのことを具体的にリサーチし、タトゥー作品として仕上げ、それを写真撮影してアートギャラリーなどで展示するという一連の活動を通じて、日本から発信する新しいカルチャーを提案してきた。2016年に国内での最初の個展から大きな反響を呼び、17年にはドイツ・フランクフルトの美術大学HfGの大講堂で展覧会、同年にはマレーシアのグループ展にも参加した他、日本国内での縄文ブームともリンクして、各種のトークイベントなどでも作品を披露してきた。昨年11月には阿佐ヶ谷TAVギャラリーで国内では2度目となる個展を開催、今年3月には新宿ビームス・ジャパンにて、新刊の発売記念の展示も行なっている。ビームスとのコラボウェアは現在ネットでも販売しているので、「JOMON TRIBE」で調べてみて欲しい。

縄文タトゥーのプロジェクトが確かな手応えを持って、国内外で受け入れられたことは嬉しい限りだ。

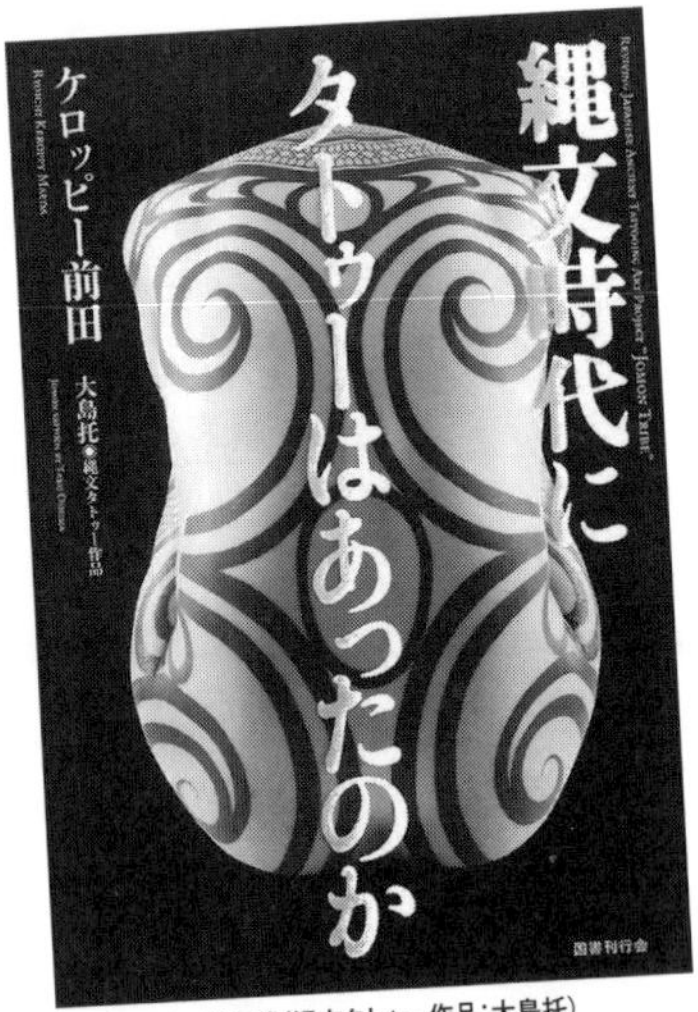

★ケロッピー前田著（縄文タトゥー作品：大島托）「縄文時代にタトゥーはあったのか」（国書刊行会）

さて、ここでは、拙著『縄文時代にタトゥーはあったのか』の裏話的な趣きで、執筆期間中のバックグラウンドミュージックとなっていた「原始音楽」を紹介しておきたい。

打楽器奏者の土取利行をご存知だろうか？

彼は、1970年代にフリージャズのドラマーとして頭角を現し、75年からピーター・ブルック劇団の音楽を担当することになり、活動拠点を海外に移す。

76年、NYで〝自由すぎるスピリチュアルドラマー〟ミルフォード・グレイヴスと出会って、世界のあらゆる打楽器や民族楽器を操り、精神と身体の動きを〝音〟に変換する最も〝プリミティヴ（原始的）〟な表現方法を獲得する。その成果は、83年「銅鐸」、84年／86年「サヌカイト」、90年「縄文鼓」、01年「壁画洞窟」という一連の古代シリーズへと結びつく。

ところで、ぼくがまだ学生だった89年、ディジュリドゥを習いに土取利行さんのもとを訪ねている。当時、オーストラリアに行った友人に頼んでディジュリドゥを入手したものの奏法がわからず、日本でその奏法を知っているといわれていたのは、土取さんだけだった。そのとき、土取さんは岐阜の郡上八幡にて、藁葺き屋根の芸能堂「立

★土取利行『縄文の音』（青土社）

光学舎」を拠点に活動しており、ちょうど縄文時代の音楽を再現するプロジェクトを推進していた。彼の著書『縄文の音』（青土社）に詳しいが、彼は縄文時代の「有孔鍔付土器」は太鼓だったのではないかと考え、縄文鼓と名付けて、その復元を行っている。

土取さんのもとに数日滞在して、ディジュリドゥの基本である循環呼吸を教わったわけだが、とにかく「最大音量」で「可能な限り長く」吹き続けることを指導された。「アボリジニを真似る」のではなく、「楽器そのものから最大限の音を引き出す」ことこそが現代人が原始的な楽器にアプローチするときの正しいやり方であるというのだ。その考えは、先に挙げたミルフォード・グレイヴスに共通するものだろう。

もう少し、ディジュリドゥについて説明するなら、それはシロアリがくり抜いたユーカリの木をそのまま楽器にしたようなもので、最も原始的な楽器のひとつといわれている。ただの筒状で音程はひとつしか出ないので、循環呼吸やタンギングなどで倍音や強弱をつけて演奏することになる。だが、それはメロディを奏でるためでなく、自然音を模倣するためのものであり、夢を再現する楽器であったりするのだ。

改めて、土取利行の古代シリーズから一枚を選出するなら、縄文時代以前、日本の旧石器時代の音楽を模索した『サヌカイト』を挙げたい。「石（サヌカイト）を叩く」という最も原始的な演奏にこそ、彼の即興演奏家としての自由な精神が最も反映されていると思うのだ。

常にカルチャーの現場を目指してきた者として、過去に土取さんとの出会いがあったことは、現在の縄文タトゥーのプロジェクトに確かな自信を与えてくれている。拙著『縄文時代にタトゥーがあったのか』もまた、縄文の文様とタトゥーの歴史から最大限の情報とアイディアを引き出すことに努力した。図版も充実しているので、ぜひとも手にとって見てもらいたい。

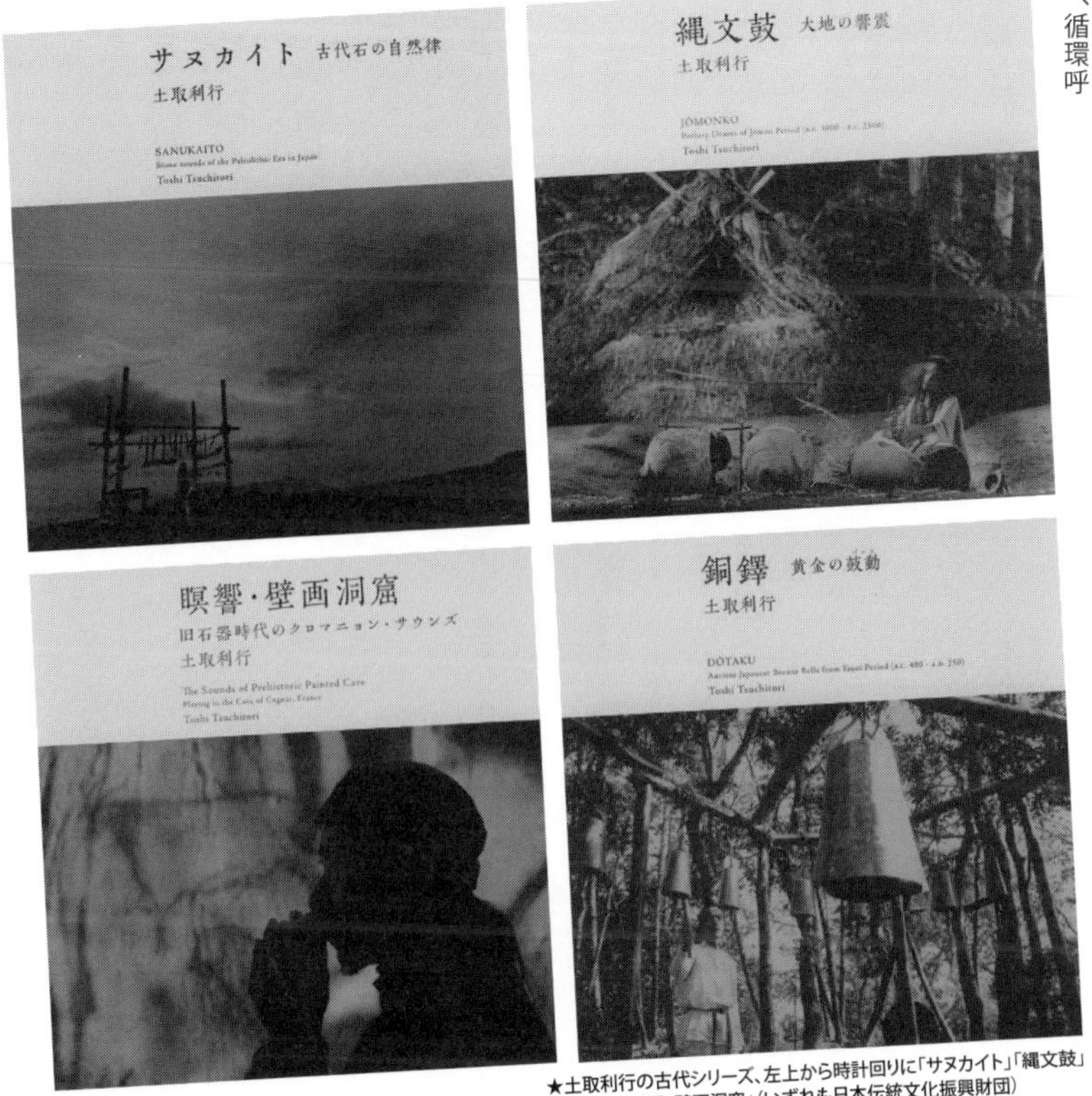

★土取利行の古代シリーズ、左上から時計回りに「サヌカイト」「縄文鼓」「銅鐸」「瞑響・壁画洞窟」（いずれも日本伝統文化振興財団）

チェーザレ・ロンブローゾの思想とその系譜〈36〉

「天才は狂気なり」という学説を唱え犯罪人類学を創始した奇矯な精神病理学者

村上裕徳

宗教的預言者で文学的「狂者」の場合

ロンブローゾは続けて言う。

ドレビエル、フィロムネステ、アーデルング（前二人は不詳。ドレビエルは、おそらくロンブローゾが、この著の冒頭の章「問題の歴史」で紹介した『狂人文学史〈一八六〇〉』の著者「ドレピエル」〈辻潤の訳に従う〉と同一人だろう。最後はドイツの著名な言語学者で、辞書や言語学の著作の他に『人類文化史試論』のあるヨハン・クリストフ・アーデルング〈一七三二～一八〇六〉のことか?）などによって収集された文学的狂者（つまり）illuminati（訳者註・色々の宗派、特に一八世紀の終わりに現れたドイツ自由思想家の群）の例をざっと見渡すと、人間の馬鹿々々しさの（のめり込む）程度というものが理解できなくなる。（そのことを）笑いもするし嘆息もするのである。例えば一八世紀中期に出現したクレイノフ（不詳）はシオン（イスラエルのエルサレム地域の歴史的地名）の王だと宣言した。（そして）彼の子孫たちもまた、その後継者であると弟子たちは言った。カラブリヤのコアヒム（イタリアのカラブリア州にある基礎自治体チェーリコに生まれた「フィオーレのヨアキム」のこと。誤植と考えられるので、以下の表記は「ヨアキム」に統一。経歴の詳細は後述）はキリスト紀元について二二〇〇年で終わりを告げると言っている。そして、その時に新たな救世主が現れて新しい福音を称《たた》えると公言した。スエデンボルグ（後述）は昼夜を問わず天体の精霊と会話したと信じていた。そして木星の住民の歩く姿や火星の住民が眼で会話する姿を見たと信じていた。この様なことは、とうてい信じられないが、現在でも、いまだに、その（スエデンボルグの）信者と弟子（たち）が残存している。一八三〇年にアービング（カトリック使徒教会の創成に貢献したスコットランドの教役者《きょうえきしゃ》〈司祭などの祭祀を司る教職者ではない〉で説教師として高名なエドワード・アービング〈一七九二～一八三四〉のこと。彼はキリスト教の制度として、使徒、預言者、伝道者、牧師、教師の五つに分かれた五教役者の復活を主張した）は霊感によって一種の「言葉」を授かった。そしてアービング宗を創始した。合衆国のジョン・ハンフリー・ノイエス（自由恋愛を主張したジョン・ハンフリー・ノイズ〈一八一一～一八八六〉のこと。後述）は預言力を授かったと信じた。そしてオネイダ（ノイズがニューヨーク州に作ったコミューンで、地名として残る。より「オナイダ」の表記が一般的なので、以下では「オナイダ」と記す）にPerfectionists（訳者註・完全宗）という一派を開いた。彼は財産（所有）と結婚（制度）とを窃盗罪と（同様に）考え、人間の定めた法律を無視した。そして最も平凡な（人間の）動作さえも神からの霊感によるものと結論付けた。

ロンブローゾが、ここで挙げた人物は無名な人々ではなく、また多くは日常的に精神病者ではなかった。その多くが、その人物を信奉する人々にとって、信仰の対象になる教祖的人物である。そのためロンブローゾが宗教的天才の滑稽な症状として収集しただけでなく、その個々の天才に対してロンブローゾに拘《こだわ》りがあり、天才相互の関係性にロンブローゾ独自の問題意識があったと考えられる。

フィオーレのヨアキム

ロンブローゾの記す「フィオーレのヨアキム」（一一三五～一二〇二）は、南イタリアのチェーリコに生まれた神秘思想家でキリスト教神学者。富裕な公証人の家に生まれ、気ままな生活を送った後、「回心」してエルサレムに聖地巡礼し、数々の遍歴の後に修道士となり、後に修道院長にもなる。しかし数年後に孤独を欲して教皇ルキウス三世に職を解かれることを願い出、許されて放浪の旅に出る。ヴェローナでは新教皇になったウルバヌス三世に謁見し、各地を回って南イタリアに帰ると、ヨアキムの周囲に聖書について教えを乞う弟子たちが集まってくる。そして一一九五年ごろに弟子たちを連れて南イタリアの都市コゼンツァ東方のシラ山に行き、修道院を建てて「フィオーレ」と呼んだ。その後は瞑想と著述に従い亡くなった。ヨアキムの著作「三位一体論」はヨアキムの死後に異端の判決を受けるが、生前には複数の教皇によって著述が認可されるだけでなく、著作もまた許されていた。そのうえヨアキムが設立したフィオーレ修道院は、ヨアキムが異端とされた五年後の一二二〇年に法王ノリウス三世によって正統的信仰を守っていると保証された。ヨアキムの著作は一六八八年に法王庁が公刊した「キリスト教聖人に関する文書」にも収録されているという。ヨアキムの思想はヨアキム主義として継承され、「三位一体論」の主張は次のようなものである。

　通常の三位一体とは、父なる神、キリストを指す神の子、精霊の三つが、三つにして一つという考えであり、それは三つの神を表すわけでなく、また神の三様式や「神が三役をしている」という「様態論」でもないとされ、正統思想のギリシャ正教においては「三つが一つであり、一つが三つということは理解を超えたこと」だが、理性だけでは知りえないもので「理解する」対象ではなく、そのまま鵜呑みに「信じる」対象としての「神秘」と解することだけが正しいとされてきた。三位一体について正統的教義はもちろん異端思想を含めて、数多くの教派や個人による膨大な数の解釈があるが、ヨアキムの三位一体論は、それ以前の正統的解釈に加え、付加事項として次の点が異なる。

　ヨアキムは人類の歴史全体を三つの時代に分け三位一体の構造に当てはめた。第一の時代は旧約聖書の「父の時代」で、祭司と預言者の時代になる。第二の時代はキリスト生誕からヨアキムの生きた時代までを指す過渡的な「子の時代」で、やがて来る未来の第三の時代である「精霊の時代」によって、人間社会の問題や矛盾は克服されると考えた。ヨアキムの考えでは第三の時代において、現在ある教会秩序や国家や社会の支配関係による地上的秩序は廃され、兄弟的連帯による修道士が支配する時代が来るとされた。つまり一種の終末論だった。ヨアキムの思想はローマ教皇国から何度か警告されたが、ヨアキムは撤回せず、歴代の教皇からの信頼があったためか異端とされたのも死後であり、弟子たちの修道院「フィオーレ」も廃されることなく、その思想も四〇〇年後にはカトリックの公認のものとなっている（完全な認可ではなく、許容としての認可であろう）。ヨアキム主義は、その後のヨーロッパの異端思想に大きく影響を与えただけでなく、宗教学者エリアーデの見解によれば、劇作家で思想家のレッシングにある汎神論（スピノザ主義）や、哲学者のシェリング、その友人のヘーゲル（二人とも一時期、スピノザに影響された）などにある「一にして全」である汎神論から影響を受けた、絶対者の三段階からなる精神史観の展開などに影響しているという。

スウェーデンボルグ

　スエデンボルグ（一六八八〜一七七二、名前表記にスヴェーデンボリの他に多用されるスウェーデンボルグがあり、以下は引用を除きスウェーデンボルグに統一）はスウェーデンの万能科学者で、なかでも精通したのは数学、物理学、天文学、宇宙科学、鉱物学、化学、冶金学、解剖学、生理学、地質学、自然史学にとどまらず、結晶学ではパイオニアだった。二六歳の時には、当時は無かったのだが、エンジンのような強力な動力さえあれば飛行可能と思われる飛行機械の設計図を描いている。スウェーデンボルグの父は、プロテスタントのルーテル教会の牧師で、最初に聖書のスウェーデン語訳を出版した人物である。その子のスウェーデンボルグは二二歳で大学卒業後に海外遊学。その後に国王から王立鉱山局の監督官を拝命。三一歳で貴族に叙せられた。一七四五年の五七歳の時、キリストに関わる霊的体験で、この世にいながら霊界を幻視できるようになった。以後は神秘的な著作を最初は匿名で、後には本名で出版した。当時の教会からは異端視され、異端宣告の寸前まで発展するが、王室の加護によって免れた。科学者から神秘主義者への転向はあったが、その後、国会議員にまでなったという。

★スウェーデンボルグ

　スウェーデンボルグの神学論では、三位一体を「三神論」と解釈して否定し、キリスト教では異端のサベリウス派に近い、父が子なるキリストとなり受難した――という解釈だった。サベリウス派は単一神論で、父なる神と子なる神は互いに独立したものでなく、どちらも単一の神の顕現する「様態の違い」であるとしていた。このため正統派の三位一体論からは「様態論」として異端視された。これはローマカトリックによる蔑称「天父受難説」としても知られ、唯一神とキリストの関係をキリストの神性を強調し、その人性を軽視することで、眼に見えながら肉体性を希薄化させた神として説明しようとしたのである。ただしスウェーデンボルグとサベリウス派の違いは、スウェーデンボルグが精霊を非人格的に解釈する点で、より人格神に近いサベリウス派の解釈と異なるという。

　スウェーデンボルグには著作が多いが、生前公開しなかった「霊界日記」には公刊をはばかられる記述が多く、使徒パウロだけでなくダビデ（新約聖書ではキリストは「ダビデの子」と解される）までも魔物の「ドラゴン」と呼び地獄に堕ちていると主張し、プロテスタントの創始者のひとりフィリップ・メラントン（一四九七〜一五六〇）も地獄に堕ちたと主張した。またロンブローゾの指摘するように、霊界には火星人のほかに金星人、土星人、月人がおり、月人は月の大気が薄いので、胸部でなく腹腔部に溜めた空気で発声する、いわゆる腹式呼吸による発声法との記述もある。

　スウェーデンボルグの思想は数々の人々に影響を与えた。カントは数々の批判をしたが、霊界は「特別な実在的宇宙」であり、それは「感性界」から区別された「英知界」である——と限定したうえで、スウェーデンボルグの思想を「崇高である」と評価した。無教会主義の指導者で、万物は神とつながり、そのために神聖であるという、言わば汎神論のエマーソンは、スウェーデンボルグを「霊的に巨大である」と評している。先に触れたシェリングは、スウェーデンボルグの霊的体験について記した思想書「クラーラ」を書くほど傾倒した。ただし、理性主義が把握できない前理性的な非合理なものを感得する力を神秘思想家が持つことを評価したが、同時に、そのような表現は哲学として限界があると考えていた。ほかにもゲーテ、ドストエフスキー、ユーゴー、ポー、ストリンドベリ、ボルヘスなどに影響を与え、特にバルザックやヘレン・ケラーはスウェーデンボルグの熱狂的な心酔者だった。日本では鈴木大拙が多数の著作を翻訳出版したほか、無教会派キリスト教徒の内村鑑三（エマーソンの信奉者）もスウェーデンボルグを読んでいる。鈴木大拙は禅思想の、とくにアメリカを中心とする海外伝道の教祖的人物（著作の多く、全集の三割ほどが、原文では英語で書かれている）だから、その思想の中にスウェーデンボルグの思想への理解が影響し、後に述べるアメリカに普及していたスウェーデンボルグ思想のスピリチュアルなものを受け入れる土壌（後述の神智学協会の他、スウェーデンボルグの思想を伝える後述の「新教会」も普及していた）の中で、禅思想もまた波及していったと考えてよいだろう。大拙はブラヴァツキー女史などが結成した神秘思想団体の神智学協会（後年には宗教色を帯びる場合があるが、本来は宗教団体ではないので何の宗教でも、大拙のような仏教僧でも受け入れる）に加入し、結婚したベアトリス・レインと共に神智学協会の学徒だった。

　ロンブローゾがスウェーデンボルグの「信者と弟子が残存している」と記すのは、次のような後継者たちだろう。

　スウェーデンボルグの異端審査は、その死後にも持ち越され、審議判定が何年もかかったため、その間に著作は禁書となっており、スウェーデンボルグの思想を伝えることも禁止されていたが、現実的にスウェーデンボルグの信奉者も多かった。そうするうちに審議は難航し立ち往生してしまう。そして事実上一七七八年に審議を停止して、禁圧は解除される。こうしてスウェーデンボルグの没後一五年を経た一七八七年に、スウェーデンボルグの思想を教義とするキリスト教宗派の新エルサレム教会（「新教会（ザ・ニューチャーチ）」とも言う）が設立され、これが現在まで続くスウェーデンボルグ系のキリスト教派の源流となる。

　この「新教会」思想はスウェーデンボルグの亡くなった英国を中心に広まり、一七八九年までに英国各地に教会が生まれ、その年に最初の「新教会」合同会議がロンドンで開かれた。そして「新教会」思想は伝道師たちによって開拓時代のアメリカに渡った。伝道師の一人がジョン・チャップマン、別名ジョニー・アップルシード（一七七四〜一八四五）で、スウェーデンボルグの著作を聖書のように片手に持ち、「新教会」の教えを説きながらオハイオ州やインディアナ州にリンゴの種を植えてまわった。その姿はコーヒー豆用の麻袋製の外套に、壊れた粥釜を帽子にした珍妙なもので、おまけに裸足で街を闊歩していたという。彼は質素で親しみやすい人柄と行為によって開拓時代の人々に愛され、死後も開拓精神を代表とする人物として伝説化し、後に「リンゴ作りのジョニー」としてディズニー映画になったばかりでなく、生誕日と忌日は「ジョニー・アップルシードの日」としてアメリカ合衆国の記念日にまでなっているという。

　こうした宗教団体としてのスウェーデンボルグ思想の伝道者の他に、フリーメイソン系が総てではないが、数々の秘教的な神秘主義の団体（一般に公開された出版社や研究会も多いが、秘密結社も多い）に、スウェーデンボルグの教義を取り入れたものが、一八世紀から断続的に数多くあるという。

ジョン・ハンフリー・ノイズ

ジョン・ハンフリー・ノイズ（一八一一〜

一八八六）はキリスト教の千年王国思想を基盤に、自由恋愛（この言葉もノイズの造語）による旧約聖書のユダヤ的共同体オナイダ・コミュニティーを一八四八年に設立した。この共同体では、すでに紀元七〇年にキリストが再臨し、それに導かれて彼らが、千年王国に入る条件である「悔い改め」を経ることで、原罪から自由な千年王国に至ることが可能となり、天国のみならず現世においても完全な存在になると信じ完全宗を開いた。そしてユートピア社会ではクリスチャンは法律と所有権を行使する国家や社会の制度から自由であるべきと考え、従来の結婚制度を否定した。そのさいノイズは聖書との整合性を求め、マタイ伝にある「復活のさい、結婚していても結婚していなくても、同様に天国の天使である」という一文を典拠とした。

　このオナイダでは私有物と財産の共同所有、複合婚、男性の性的自制（性交時の射精の禁止）、共同体構成員の相互批判（ノイズ批判も含む）が行われ、若い女性に対する年長男性による初夜権「アセンディング・フェローシップ」が認められていた。この共同体ではセックスの相手を独占する一般的な恋愛感情「スペシャル・ラブ」のような特別な執着は禁止され、男性も女性も共同体を構成する共有のものとして認識され、セックスにあたっては、その履歴が記録されていた。オナイダのメンバーは自由恋愛を信じており、メンバーの同意がある限り、どのメンバーともセックスが許された。ただし後の時代のフリー・セックスが許されていたわけではなく、次のような条件を通過した場合に認可されていた。

　オナイダでは出産を管理するために、男性の性的自制つまり保留性交（射精をしない性交）が制度として定められていた。ノイズは射精について、生命力を衰えさせ病気に至らせる、また妊娠と出産は、女性の生命力に重い負担をかける——という先入観があった。これにはノイズの妻（結婚は否定していたので、内縁の「妻」であろう）のハリエットにできた五人の子供のうち四人が死産だったことが、トラウマになったせいと考えられている。オナイダの出産の管理は、約二〇〇人（この共同体の最盛期の人数が三〇〇人ほどだから、かなりの割合になる）の男女が性欲抑制を仕込まれていたが、一八四八年から一八六八年までの二〇年間に予定しない出産が一二人あった（共同体が認めた出産以外という意味？）。こうしたことから成人した男性は、まず閉経後の女性によって性的自制を訓練し、若い女性は経験を積んだ性的自制ができる年配の男性とだけ、セックスすることが定められていた（中には性的自制ができると保証された若い男性がいたかもしれないが、それは数値で表面化しない、ごく一部だったのだろう）。もし男性が性的自制に失敗すると、公的批判にさらされるか、個人的に拒絶されることとなった。

　オナイダでは一八六八年に優生学的生殖計画が導入され、霊的にも道徳的にも正しいとされる五三人の女性と三八人の男性が、この計画に参加し、この実験では五八人の子供が育てられ、そのうち九人がノイズの子供だった。子供たちは離乳すると、それ以降は育児担当者が集団で子供を育てていた。子供たちは共同体の共有のものとされたために、親たちは子供に会うことはできたが、親子間の強いつながりを育児担当者が感じたら、別離期間が罰則として設けられていた。

　オナイダでは一九世紀の社会では珍しく女性の地位を認めていた。会議での発言権も男女平等で、職業婦人の少なかった時代（ほとんどが「下女」としての家政婦だった）にあっては、職業選択の自由は画期的だった。また男性の性的自制により、女性はセックスをしても本意でない妊娠はしなくて良いという自由と同時に、認可のあった妊娠に対しても共同体が子育てをするために育児から解放されていた。女性たちは機能的なブルマ・スタイルの服を着て、短髪姿で、共同体内のすべての作業に参加できた。家事全般の他に、事務職、販売員、職人など、自由に職種（オナイダは金属食器や絹製品などを作っており、高品質として評判だった）が選べた。またオナイダでは、女性にとっての性欲に満足を得る権利が認められ、性的絶頂に達することが奨励されていた（女性の性的自制は、セックスの時間延長に耐えうる、つまり何度も絶頂に達しても平然としていられる訓練であろう）。しかし女性が性的な申し入れを拒否する権利は、言い寄った男性の共同体内での立場に依存して制限されていた。

　この共同体は、ノイズが息子に指導権を譲ろうとした時期まで存続した。しかし息子は不可知論者（物事の本質は認識できないという、経験できないことを問題にすることを拒否する立場）だったため、父のような霊感を信じる宗教指導者には向いていなかった。創設メンバーは老人になり、病気を抱えていた。そして若い世代の共同体員は、旧来の独占的な結婚制度を望んでいた。こうした内部での反発の他に、外部からハミルトン大学のジョン・ミアーズ教授を中心とする反対運動があり、共同体に対する反対集会（聖職者四七人出席)が開かれた。ノイズは、召喚され裁判になれば法廷侮辱罪で逮捕されることが近いと知り国外へ逃亡し、二度とアメリカには戻らなかった。複合婚は外部の圧力もあって一八七八年に廃止された。共同体はすぐに分裂し、翌年の一八七九年には七〇人以上のメンバーが通常の結婚を行った。この間の一八七八年に大規模な大渦巻きが居住地を襲い、甚大な被害を与えたことも、共同体の崩壊に拍車をかけていた。一八八一年に共同体は解散したが、メンバーの一部は株式会社としてのオナイダを再編成し、銀食器メーカーの大手企業として現在も続いている。また共同体が作った最大の建造物であるオナイダ・コミュニティー・マンションは、三五室の個人部屋、九室の多人数用の部屋、九室の応接間の他に、博物館や会議室と食堂を持つ巨大なもので、現在は国指定の歴史的建造物になっている。

　ノイズの思想は共同体の解散と共に解体したが、ノイズの作ったキリスト教的共産主義による共同体は、後に数多く作られる共同体(中にはフリー・セックスの共同体も含む)のモデルとなった。

ノイズのオナイダの波及、付論としてのギトー

蛇足として付け加えれば、この共同体に過去いたものにチャールズ・ジュリウス・ギトー(一八四一〜一八八二)という人物がいて、この男は共同体を追い出されたのち、アメリカ二〇代大統領ジェームズ・ガーフィールドを一八八一年に暗殺したことで知られることである(この事件によって教団〈共同体解散と同年であるが〉が追及された形跡はない)。このギトーはフランス系ユグノー(カルヴァン派)の名家に生まれ、青年期に、当時としては高額な祖父の遺産一〇〇〇ドルを相続し、ニューヨーク大学を目指すが、学力不足で挫折。一八六〇年に父が深く関わっていたオナイダ・コミュニティーに参加して五年を過ごすが、そこを離れ、ニュージャージー州で「日刊神権政治」というオナイダ教団関連の新聞を創刊しようとするが失敗。オナイダに戻るものの、ふたたび離れ、ノイズを多分、内部告発であろう、裁判で訴えた。困った父はノイズを支援する手紙を判事に書き送り、ギトーを無責任な「気違い」扱いしたという。

　ギトーはその後、弁護士資格を取得しただけでなく神学に傾倒し、のちに会衆派教会(プロテスタントの一派)の聖職者にもなる。しかし出版した本の内容は、ノイズの著作を丸ごと剽窃した代物にすぎなかった。その後にギトーの関心は政治家に向かい「グラント対ハンコック」という一八代大統領グラントを支持する演説原稿を書き、ガーフィールドの大統領選挙の時には、それを改訂して「ガーフィールド対ハンコック」にして数百部のコピーを印刷した。この原稿は公衆の前でギトーによって演説されることは一度もなかったが、この演説原稿がガーフィールドの大統領就任に大きく貢献したと、誇大妄想狂のギトーは信じた。そして国務省やホワイトハウスに勝手に入り込み、大統領や国務長官に例の演説原稿を押し付け、当然のように自分の努力に対する報酬としてウィーンかパリの大使の職を要求した。国務長官は、あまりにギトーが付きまとうので、彼を出入り差し止めにした。こうしたことでギトーは大統領を逆恨みし、感謝の念を持たない大統領を殺すよう神が自分に指示していると勝手に信じた。そして無一文のため借金して拳銃を買い、長く付きまとってチャンスを狙い、一八八一年に大統領を暗殺したのだった。

　ギトーの裁判は彼の奇妙な振る舞いによりメディアの注目を浴び、ギトーにとって自分は神の意志を実行する道具だから無罪という主張だった。奇行の数々は、次のようなものである。暗殺後に凶器の銃を「美術館に飾って」(歴史的記念物という意味だろう)見栄えがするように、象牙の銃把の高級品を選んでいること。自分に弁護士資格があることから法定弁護人を拒否し、自分が自分を弁護すると譲らなかったこと。ニューヨーク・ヘラルドには、釈放後(自分の無罪を確信していた)の花嫁候補にするためか「可愛いクリスチャン女性」の募集広告まで出したこと。釈放後に講演旅行や大統領選挙への出馬を考えていたこと。検事はもとより、判事や証人のほか、弁護人にさえも悪罵を投げつけるだけでなく、傍聴人からランダムに一人を選び、何度か助言を求めたこと。多くの場合、陳述書を叙事詩の形式で読み上げたこと。副大統領から二一代大統領になったアーサー大統領に対し、大統領にしてやったことで給料が増えたのだから釈放してほしいという、嘆願の手紙を出したこと。大統領の死は銃弾の傷が致命傷にならず、事後の不潔な医学的処理による感染症が原因(これは死因としては本当)だから、自分は撃っただけで殺したのは医師たちであり、自分は殺人罪ではないと主張したこと(当時は衛生学が発達しておらず、銃弾を発見するために多数の医師が、金属探知機まで使って探し回り、その複数の不潔な指で、つつき回したことが感染症の原因。銃弾の残留は長期的には有害だが、最

も雑な一般的治療法で、弾をそのまま残して縫合しておれば、確実に助かっていた)。――等々、他にもたくさんある。こうした道化的態度が衆目を集め、風刺画になる一方で、ギトー自身がテロリストに二度も暗殺されそうになった。

この裁判は精神異常が検討されたアメリカ最初のものだが、暗殺時は一時の狂気であっても、日常的には医学的狂気ではないとして絞死刑の判決だった。判決の時は、まわり中に悪罵の限りを尽くしている。ギトーの処刑は事件の一年後の一八八二年に行われ、処刑を前にしてもギトーは、傍聴人や記者に微笑んで手を振り続け、最後まで注目されることだけが関心事だった。絞首台でギトーは、自作の詩「私は神の国に行く」を朗誦した。その際、当初はオーケストラ伴奏を要求していたが、それは、かなわなかった。ギトーの死後には、暗殺に対する自己弁護などを記した、公判中の獄中手記が出版された。ギトーの脳の一部は、ロンブローゾの犯罪人類学からの影響を反映してか、二つの公立博物館に瓶詰にされて展示されている。

こうした情報を、当時のロンブローゾが、どれだけ知っていたかはわからない。ただ宗教的理解は、我々日本人が想像できないほど桁違いの精度による理解だったことは確かであろう。これはユダヤ人、つまり一神教で三位一体を受け入れないユダヤ教徒のロンブローゾであっても、相違があるだけに、なおのこと厳密に理解していたと思われる。またシェリングとヘーゲルが一時こだわったスピノザの汎神論は、ユダヤ教の派閥である「超正統派」の敬虔主義による運動「ハシディズム」の、唯一の神は遍在する、または、神の存在しない場所はない――と考える傾向(万物内在神論。共に汎神論だが、スピノザ主義との違いは、ユダヤ教が万物は神の中にあり、神で出来ている、という考えに対し、後者は万物の中に神が宿るという違いがある)と近いものであり、それはロンブローゾの主張が、この著の端々で感じさせる汎神論的自然観と共通するものを感じさせる。言うまでもなく

★チェーザレ・ロンブローゾ

スピノザは、既存のユダヤ教には批判的だったがユダヤ人である。ロンブローゾにとって、共感する点が多かったに違いない。

またノイズについてロンブローゾが記すのは、『天才論』の発刊が一八八二年だが、この前年あたりまでがオナイダ共同体が存続していた時期であり、メディアでも騒がれるなか情報がイタリアまで届き、数々の意味で興味があったであろう。ユダヤ教ではキリスト教と違い「原罪」というものは無く、性欲に対しても寛容であった。そのため性的共同体は、ノイズにとっても実験だったのだが、他人事としながらもロンブローゾが、興味深い人体実験と考えていた可能性がある。それだけでなく、一八八一年のギトーによる大統領の暗殺は大事件であり、ギトーの犯罪に精神鑑定が付けられたことは、犯罪人類学者として見逃せない事件だったはずである。

その過程を記すと、最初は精神鑑定医のエドワード・チャールズ・スピッカが「先天的な脳の奇形」によるもので「今のところ、精神異常以外の何ものでもない」と考えたのに対し、弁護士のジョージ・コークヒルは、ギトーを「精神異常」と判断したのは大衆の願望(大統領を殺すような者は同じ世界を共有するものではなく「気違い」であってほしいという願い)を反映した見解だとして、次のように述べる。

> 彼は私より精神異常ではない。ギトーは何ら気が狂っていない。世間の前で格好良く、打算的な悪党で、洗練されたゴロツキの如く振る舞ったに過ぎなかった。本当は詰まらなくて、純粋で単純な人間。結局はその単純さに飽き、何か他の種類の興奮や悪評を求めて、事に及んだのである。

現在から見ても確かな洞察力による見解と言えるだろう。この両者の意見を参考に陪審員が死刑と判断したのだった。精神鑑定医の見解はロンブローゾが以前から主張していた犯罪人類学を基本としたものだが、このギトーの場合、異常者かどうかは、その診断結果はどうあれ、ロンブローゾが直接に診断にあたりたいほど興味深い研究素材であったに違いない。

こうしたわけで、ロンブローゾの本文十数行には、表面上に見える宗教家の奇行が述べられているだけではなく、秘められたロンブローゾの興味や情熱が隠されていると考えられる。

SCIENCE FICTION

佐野美津男の「橋」に空いた穴

山野浩一とその時代(11)

岡和田晃

「街の冒険者」と『ピカピカのぎろちょん』

NW-SF社の社員ではない外部寄稿者という立場でありながら、大久保そりやは「共産主義的SF論」を長期にわたって連載し続けた。それと双肩をなすのが、「NW-SF」9号（一九七四）から連載された児童文学作家・佐野美津男の小説「街の冒険者」である。その第一回の書き出しは、とても印象的なものになっている。

もはや戦後ではない、あるいは、戦後は遠くになりにけりなどという言葉が、ある程度の説得力をもって風俗や思想を牽引しはじめたとしても、ことH橋に関する限りは戦後どころか、それに先駆するところの戦争末期のみじめな痕跡をとどめたままの姿を人びとの前に晒し続けているのだった。すなわち〈終戦の日〉の三日前、まるで列車の窓から気楽な旅行者が弁当殻でお投げ捨てるかのようにして敵機上から投下された一発の爆弾のために、H橋は腹をやられた。人間をはじめとする脊椎動物でいえば腹部に相当する部分、橋の中央部に大きな穴をぽっかりと穿たれてしまったのだ。（「I 脱出願望」）

ここでは、「もはや戦後ではない」という高度経済成長宣言においても、覆い隠すことのできない終戦の傷跡がくっきりと刻印されている。「H橋」とイニシャルで呼ばれる橋は、「人間をはじめとする脊椎動物」のアナロジーで語られる。視点人物の「大野昭典」は、「アキノリ」と読むのに、場末の「平和軒食堂」の亭主からは「ショーテンさん」と、あたかも「昭和天皇」を思わせる読み方で呼ばれる。昭典は集団に馴染めない。脱出願望は「生理の一部」と貸しており、「見る夢のことごとくが、ぬける、逃げる、消えるの三つに関連するもの」だと、まるでJ・G・バラード『夢幻会社』（1979）の主人公のような疎外感を味わい続けている。

やがて、平和軒の亭主の妻の遠縁にあたるという「篠崎森之助」という男から出逢う。彼は一九四五年の二月、東京が雪一色に覆われた敏に、艦載機に爆撃をされた記憶を、昭典に語る。「雪は燃えるんですよ」と、強烈なインパクトのあるイメージを語ってみせるのだ。昭典と森之助は、「自殺しようとする者を生かすのは殺人ですか」と、実存主義的な葛藤が語られる。

その後、平和軒の亭主の妻が「マリア様の処女受胎」をしたり、あるいは「一種の秘密組織」である「関東経済同志会」が現れたりして、ますますニューウェーヴSFらしさを増していくのだが……。まるで、「地には平和を」（一九六一）の頃の小松左京の世界観と、山野浩一をシャッフルしたかのような作風になっている。それもそのはず、そもそも佐野美津男（一九三二～一九八七）は、一九三九年生まれの山野浩一より上で、一九三一年の小松左京と同世代なのだ。すでに不惑の坂を超えていた佐野美津男は、なぜ「NW-SF」に参画することになったのか。

何よりもまず、佐野美津男は児童文学作家として知られてきた。代表作は、一九六八年にあかね書房から出版された『ピカピカのぎろちょん』だろう。本作は「アタイ」という少女の一人称で描かれるが、少女の視点から何気ない日常を描いているようであるものの、描かれる光景には不穏な空気が張り詰めており、どうやら街には戒厳令が敷かれているらしい。子どもの視点なので、真相は一切不明なのであるが、子どもは手製のギロチンを造り、大人たちの「処刑」を模倣する。こうした日常の変容を最初に示すのが、橋（歩道橋）に空いた穴、なのである。

「いま、この橋はわたれませんよ。この橋をわたってはいけないことになっています。」

　おまわりさんは、アタイの前にまわって、大きく両手をひろげ、とおせんぼをしたのです。アタイはすぐに、これは、おまわりさんの〈じょうだん〉だな――とおもいました。

「わかったわよ、おまわりさん、まん中通ればいいんでしょ。そんなのかんたんよ。」

　アタイはそういって、黒いレインコートのそでの下くぐりぬけようとしました。赤いかさをかたむけて。

　だけど、やっぱり、だめでした。おまわりさんは、アタイのかさをおさえてはなしません。「だめなんだよ、きみ。この歩道橋はいま通れないんだ。まん中に大きな穴があいてしまったのさ。」

「穴だって!?」

　見ると、歩道橋の上にも、黒いレインコートをきた人が、四、五人はいました。ふつうの服装をした刑事さんらしい人もいました。

「どうして、穴なんかあいたのさ、」

アタイはふしぎにおもったので、おまわりさんにききました。

「それをいま、しらべているのさ。だから、わたれないんだよ。」

（『ピカピカのぎろちょん』）


　いかにも子どもが好きな『一休さん』式のトンチが通用せず、警官や刑事が、アタイの行く手を阻む。短いシーンながらも、子どもの世界を取り巻くロゴス・コードと、大人のそれの落差が端的に表現されているが、こと「街の冒険者」との照応には驚かされるばかりだ。『ピカピカのぎろちょん』は名作として語り継がれ、二〇〇五年にはブッキング（復刊ドットコム）から再刊し、二〇一四年には同社から普及版が刊行された。

　復刊時の解説において、この本に子ども時代に出会ったと述べる赤木かん子は、「一九六〇～七〇年代という時代には彼（引用者注・佐野美津男）だけでなく児童文学にシュールを持ち込んだまっとうな書き手は何人もいました」としたうえで、佐野美津男と大海赫《あかし》を「シュールのキング」だと位置づけているが、にもかかわらず、「圧倒的に女性が多い（児童図書館員にも教師にも読者である文庫の主催者にも）児童文学の世界ではシュールは分が悪く、支持されなかったんですよ～。こどもたちだけが（不思議なことにこちらには女の子も半分いるの）その迫力とエネルギーに魅せられ、何十年間も忘れずにいたんです」とも証言している。

　実際に女性の児童文学関係者が「シュール」を支持しなかったかどうかはともかく、リアルタイムで『ピカピカのぎろちょん』に触れた子どもが、強烈なインパクトを受けたことは間違いない。例えば、一九六一年生まれの宮野由梨香は、小学二年生のときに『ピカピカのぎろちょん』を読んだ経験を、鮮明に記憶しているという。
　つまり佐野の新しさは、非日常を表す「穴」を象徴的に描くことによって、日常との境界を曖昧にすることであった。「現代教育科学」（明治図書出版）の一九六九年九月号で、佐野は「児童文学を志向」する者の立場から、日常の市民生活と教育の関係について次のように述べていたのである。

　直截にいって、教育の果たす役割は知識や体験の一般化・普遍化であるだろう。その過程あるいは結果によってもたらされるところの、生きることへの自信とは、けっして積極的なものではない。せいぜいが、これで乗合バスに遅れずにすんだという安堵程度のことだろう。（……）個々人の生きざまなど考慮することなく、おなじ教科書を使いおなじ給食を食らい、同じ教師から教わったのだから平等のはずだというきめつけによって、教育は終始し、子どもたちは市民生活行きの乗合バスに押し込められる。（「特殊と原像」）

　この号は被差別部落の子どもたちについての教育についての意見を集成しており、その流れで国民教育研究所の森田俊男が、綴方教育を通してアイヌ民族の教育向上を訴えた向井豊昭の試みを紹介していた（「人間のとらえ方・

民族のとらえ方」）。それと並んで、表面的な「平等」で自足する戦後民主主義的教育の陥穽を鋭く突く、佐野の提言が載ったのである。『ピカピカのぎろちょん』は、「平等」が確立された裏で流される、おびただしい血について、あくまでも子どもの視点から描き直す試みだったと言えるだろう。

中村宏を介したトライアングル

『ピカピカのぎろちょん』のイラストレーションを担当した中村宏は、生前の山野浩一と交流があった。実際、一九三二年生まれの中村宏は、『図画蜂起1955―2000』（美術出版社、二〇〇〇）および『絵画者1957―2002』（美術出版社、二〇〇三）と二冊の作品集成を山野浩一に献本していたし、中村が主宰していた映画批評誌「悪魔運動」の二号に小堀靖生（大久保そりや）の「S・F論序」が掲載されていた。これは、ガジェットとしての「サイエンス・フィクション」からエクリチュールを主体とする「スペキュレイティヴ・フィクション」への移行を、日本でもっとも早く提唱したもので、J・G・バラードのニューウェーヴSF宣言である「内宇宙への道はどれか?」と同じ一九六二年の発表であった。山野はこの「S・F論序」を目にしており、ゆえに大久保を「NW-SF」に書かせたのである。中村も大久保そりやについては、忘れ難い存在だと感じてきたようで、「（引用者注・大久保は）そうそうにして結婚して、しばらくして行方不明になっちゃってね。ただ本はあります。言語学の。好きな奴がいてね、本を出してくれたりして」と、二〇一二年のインタビューでも証言している（「日本美術オーラルヒストリー」、二〇一五年）。

これまた一九六二年に発表された中村宏の小説「魂・千里を行く」は、あたかも山野の「X電車で移こう」（一九六四）にインスピレーションを与えたかのような作品で、謎のプロレタリア地下組織の陰謀によって電車が転覆され、カフカを彷彿させる不条理な裁判の模様や、「機関車＝宇宙→X」なる謎の公式が登場し、次元を超えて移動する機関車の模様が描かれるほどだ。絵画作品のスケッチのようにも見えるが、ここで展開された突飛なヴィジョンを、よりリーダブルにリライトしたのが「X電車で行こう」だと言うこともできよう。山野浩一は中村宏について終生、尊敬の念を隠さなかったので、山野が佐野の仕事を知ったのも、中村経由だったものと推察される。

ちなみに、佐野美津男と中村宏は、『ピカピカのぎろちょん』の翌年に国土社から刊行された『犬の学校』（一九六九）でもタッグを組んでいる。こちらはSFと銘打たれており、埼玉県飯能市を舞台に、人間の姿に変身した犬たちが、人類に復讐するといった作品で、リアルタイムで読んだ子どもを恐怖に震え上がらせて「トラウマ」を与えたが、こちらにもニューウェーヴ的な逆転の発想が窺える。実際、『佐野美津男少年詩集　宇宙の巨人』（理論社、一九七五）には、「イギリスの作家J・G・バラードの短篇には《溺れた巨人》という傑作がある」とはっきり書かれている。

それではどうして、佐野はそもそもニューウェーヴSFに惹かれたのか。山野と佐野の交点を示すために参考となるのは、子ども調査研究所の高山英男によるインタビューだろう。高山は二〇一九年に八八歳で亡くなったが……実は山野の遺品のなかには、「現代聞き書きシリーズ・2　SFの〝新しい波〟が現代に問いかけるもの」と題した原稿があった。掲載媒体の表紙や奥付が切り取られていたので詳細は不明だが（ご存知の方、お知らせ下さい）、おそらくは子ども調査研究所の関連書籍（機関誌?）に掲載されたもので、「昨年から今年にかけて、映画の分野で『宇宙戦艦ヤマト』や『未知との遭遇』の大ヒットがあり、「スター・ウォーズ」が騒然たる話題性をよび」とあることから、一九七八年の収録と思われる。ここで山野浩一は、「SFは子ども文化か」という問いについて、以下のように答えている。

いま子どもたちが生きている密室世界を取り巻いているのはテクノロジー社会だし、おとなも子どももいわゆる情報化社会に組み込まれているわけでしょ。たとえば、団地のカギっ子みたいな存在を思い浮かべた場合、大昔なら子どもは世の中のことは何も知らないで醇朴に育ったと思うんですが、いまのカギっ子っていうのは絶対的に全く正反対にしか育たないですよね。個室にいながらにして、あらゆる情報を手に入れることができるし、人間に対してもものすごくシニカルな見方というものを心得ちゃうし、いろいろ先が見えちゃうということにもなると思うんです。たとえば、空間的にいっても、杉並区に住んでいたら、千住ってとこはどういう所か知らなくても、ニューヨークの街のことは知っているとか、自分の田舎のお寺は知らなくっても、エジプトのピラミッドのことなら知っているとか、そういう傾向は一般化していると思うんです。//そういった社会で、目に見える日常的な対象だけを取り上げた小説というのは、退屈して当然だと思うんですね。逆に、宇宙空間について書かれているとか、タイムマシンで未来へ行くとか、そういう小説はそういう意味では現代人の意識に受け容れやすい、もっとも現代に即応した形式ではあると思うんです。児童文学にしても多分そうだと思うんだけど、隣のケンちゃんとのつきあいの物語よりも、宇宙からUFOに乗ってきたある少年とのつきあいの物語の方が、ずっと意識が対応しやすかったりしてね。

そういう意味では、僕が言うSFっていうのは、かならずしも大衆的な娯楽性に富んでいるということじゃなくて、物語のシチュエーションそのものがいまの子どもの意識に受け入れやすい長所をもっていることだと思う。そう考えると、SFの読者層が下がっているといっても、たとえばキャプテン・フューチャーやスターウルフをおとなが結構喜んで読んでいるし、子どもが逆にJ・G・バラードとかレイ・ブラッドベリとかを読んでいるという状況があらわれてきているような気がしますね。(「SFの〝新しい波〟が現代に問いかけるもの」)

こう答える際に、山野は佐野美津男を念頭に置いていたのかもしれない。そして、山野は、こうした子どもの例を、現代をとらえるうえで必要なSF的方法論の基礎に置いている。「現代人の意識のレベルでは、たとえば今晩のおかずを何にするかということと、成田の三里塚空港はどうなっているかということと、エジプトのピラミッドはどうなっているかということと、アメリカの大統領が今何をしているかということと、イスラエルとレバノンは今どうなっているか、というようなことが、一個の意識のなかに、パッと同時に存在しているわけです」と、同じインタビューで言うのだ。山野の仕事はSF文壇内部の守旧派との戦いであると同時に、児童文学を取り巻くリアリズムそのものを超克するという運動へ、必然的に結びつくものだったのである。山野は新世代の書き手を積極的にワークショップで育成し、雑誌を編集させ、小説や翻訳の発表の場を与えてきたが、若い書き手にリアリズムを押し付けるのではなく、あくまでも、新しい感覚を内的な表現衝動と結びつける環境の構築にこそ、力点が置かれていたのである。

といっても既成作家とは別に、もっと新しい感覚をもった人たちが若々しい戦闘性をもって登場する気配はほとんどない。それは文学を受け入れる側に、SFを既成の文学の延長線上でしかとらえないという状況が厳としてあるからであって、結局はSFを日常的に読んで育ってきた20才以下の若い人たちが、その内的な表現衝動を文学と結びつけたときに、新しい文学としてのSFが生まれてくるんじゃないかという気がするんです。

だからぼくは、さしあたってはアメリカやイギリスやフランスでSFとして出てきた新しい文学の流れをできるだけ多く紹介するということが重要な役目だと思っているんです。NW-SF誌がとりあえず翻訳に重点をおいているのはそのためです。創作の面になるといまはそういう内的衝動を誘発するような作品を提供するということだと思うんですね。(「SFの〝新しい波〟が現代に問いかけるもの」)

弦巻稲荷日記

営業自粛前日に出かけた「SAAHOサーホー」公開初日の映画館

いわためぐみ

「バーフバリ伝説の誕生」(2015)と「王の凱旋」(2017)の上陸から三年が経った。その上映は、タイトルどおり映画館で数々の伝説を生み出した。興行収入、観客動員数。ロングラン。そういう数字だけでなく、「応援上映」というムーブメントを拡大し「マサラ上映」や、地方の名画座の救済企画の旗印として上映される。それが小さな映画館だけでなく、客席の多いシネコンで「マサラ上映」が実施できるような「伝説」まで作り出した。映画をきっかけに、語学を学んだり、ロケ地に繰り出したり……。あの、香港映画ブームから中国映画のひろがりがあったように、インド映画といえば「踊るマハラジャ」だった世界が、いまでは「バーフバリ」という合言葉のようになり、役者が来日する特別上映会。テルグ語上映で字幕なしという上映会でもファンが殺到するような現象も生み出している。

応援上映の映画館では、運営するチームがコスプレやおとなりの人へのアプローチ、声掛けなどのルールを作って盛り上げたり、次の上映のためのコミュニティを維持する努力をしている。映画を、同じ映画を愛する仲間と楽しむ、そんな環境がそこにはあった。その生成プロセスに「バーフバリ」という映画が大きな効果をもたらしたことは、本当に「伝説」となったと思う。地方でマサラ上映をやるということで、全国を旅をする。映画を見に行くだけでなくその土地のインド料理屋へ足を運び、温泉にはいってくる。そんな楽しみが、Twitterなどでも紹介され、その楽しそうな様子に、次は私も行こうと、足を運ぶ人が増える。

たとえば文学フリマの地方開催でも、これをきっかけに地方に行き、同じ気持ちをもった地元の人と交流するだけでなく、また会えたねと、遠い友人たちが集結する。そして、同じ趣味をもった人たちが、大好きな作品や分野、映画なら俳優や監督のことを讃えて、心にあたたかいものを抱えて帰っていく。あれと同じ感覚だ。

そこには、ただ同好の志が集まるということだけじゃなくて、映像文化を楽しむことがもっとほかのことを楽しむことにもつながっていた。

だから、そんな「バーフバリ」をきっかけに、多くのインド映画が、単館上映や、イベント、映画祭上映じゃなくて、シネコンの大きなスクリーンで上映されるこの今を享受できることが、本当に嬉しくてたまらなかったし、バーフバリ三周年の今、公開されるバーフバリの主演男優プラバースの最新作「SAAHO サーホー」(2019)の日本公開への期待感と言ったらなかった。

プラバースの主演作「Mirchi」(2013)は、インターネットで英語字幕版と、イベント上映(字幕なしテルグ語)で観たが、彼のアクションは、バーフバリのような時代劇的な殴り合いだけでなく、現代劇での居住まいも素晴らしかった。

「SAAHO」は、近未来インドを舞台に、裏社会の組織にまつわるクライムストーリー。バイクにのって走る。まるでアベンジャーズの1シーンのような空飛ぶスーツでのシーン。ヘリコプターがビルの間を飛び交うアクション。

ああ、そもそも、私は子供のことから、歴史ものと戦争ものと香港映画のアクションシーンが大好きだったということを思い出した。

「SAAHO」もそんな映画をあたりまえのように観て育った世代が、あたりまえのように大好きなものをぶち込んで、これでもかってぐらいてんこ盛りにして観客を楽しませようという映画人の意気込みを感じた。これが楽しくないわけがない。バーフバリも伝説の王様は、超人だったが、「SAAHO」の主人公の超人ぶりは、バーフバリを超えるかもしれない。

映画館で幻の未公開ポスターが販売されるという、とても面白いものを購入したが、そのポスターのコピーには大きくこう書かれていた。

「王の帰還。」

バーフバリのプラバースが新しい映画で帰ってきたという意味と、作品のストーリーとしても「王が帰還する」物語なので、観終わったあとではしごく納得できるコピーなのだが、パンフレットや、ネット公開されている登場人物紹介で、主人公が「王」で有ることを隠している状況では、ネタバレととられることも忌避してボツになったのかもしれない。

　そうネタバレ承知で、書く。

「SAAHO」は、「バーフバリ」の現代版とも言えるのかもしれない。策略に落ちて殺され奪われかけた王位を、正当な継承者が奪還する物語なのだ。

　途中、バーフバリファンには、嬉しいぐらいに、バーフバリを思い起こすセリフや場面がもりこまれている。

　「ロイのようにかんがえなさい」というセリフを聞いて(ネットでは「ロイの息子のようにかんがえなさい」と言っているという書き込みもあった。ロイの息子の影武者が言われているシーンなので、そう言っているとしたら、より面白い仕掛けとなっている)、カッタッパが、マヘンドラバーフバリに「お父上のようにかんがえるのです」と問いかけた、あのシーンを頭によぎらせたり、鎖のついた手錠をかけられたまま殴り合いをするシーンで拳に鎖を巻き付けるところなど、鎖の大きさとスケール感はまったく異なるものの、納得のサービスシーンだ。ヒロインと二人で、敵とたたかうシーンも、弓矢でなくてガンアクションだが、その一瞬スローモーションのように互いの体を利用して、武器をかまえるシーンは、みているだけで嬉しかった。

　本当に、こんな映画にまた出会えるなんて。

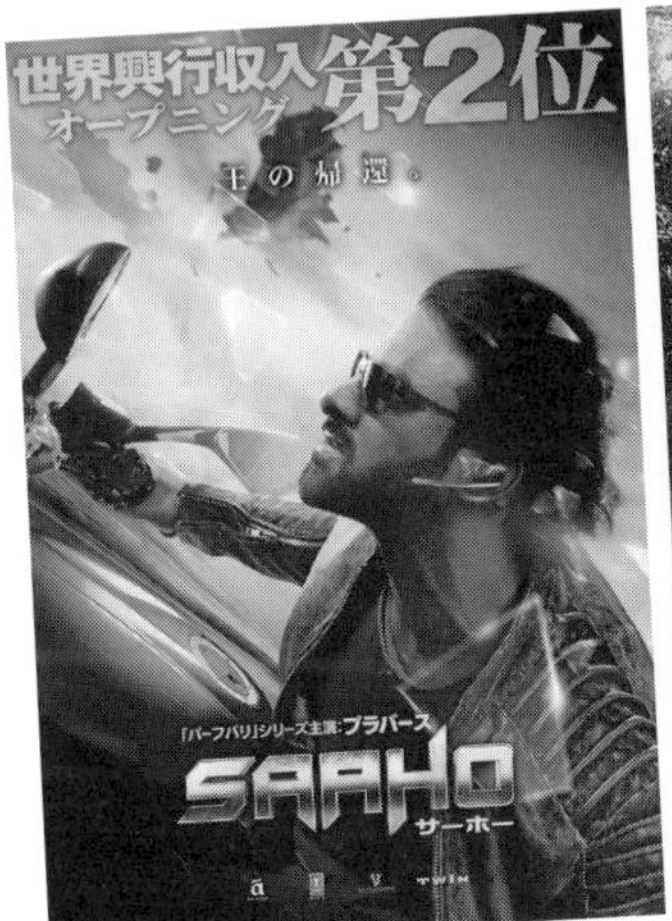

★「SAAHOサーホー」幻の未公開B2ポスター

★「SAAHOサーホー」現地版ポスター

　記憶喪失になって、また「バーフバリ」を最初から観て、もう一度、あの感動を味わいたいと、言う人がいたが、もう一度あの感動を味わわせてもらったような気がした。

　流れるテルグ語と、間に挟まるダンスシーン。あっと驚く展開。実はこの人は……みたいな、どんでん返しのドンデン返しがつづく。めくるめく2時間50分。まったく長くない。これがロングランされていたなら、何回映画館に通ってしまうだろう(そんな時間がとれるのかということはさておき)。

　ところで、COVID-19の流行による影響は映画館にも押し寄せた。人が集まるところに行かない、不要不急の外出は控える。それが、要請という形から始まり、映画館は、座席指定の前売りをやらなくなった。土日は休館になるところも増えだした。そして、この原稿を書いている今は、緊急事態宣言から、ほとんどの映画館が休館し、新作映画は封切りを延期した。かろうじて開いているシネコンでは、名画座のように「ローマの休日」や「ゴッドアーザー」が上映されていたが、それも完全に休館になるという。

　そのまさに映画館が閉められてしまう3月28日の前日、27日に、「SAAHO サーホー」が日本公開になった。

　え？ 27日に、見なかったら、もしかしてこの事態が終息するまで、スクリーンじゃ見られなくなるってこと？

　普段は、封切り初日に映画館に行くなんて、ほとんどやらない私。こんな商売をしているので、多くの広報さんが試写状も送ってくれるし、試写会にいけないとなれば、映像データを送ってくれてホームシアターで鑑賞なんてこともある。

　ここ数年で、封切り初日に観に行ったといえば、MARVEL好きの娘にねだられて、インターネットでネタバレ投稿を観る前にどうしても見ておくのだと、カウントダウン上映にでかけた「アヴェンジャーズ・エンドゲーム」ぐらいなものだ。

　そんな私でも、これだけは、見ておなければ、絶対後悔をしてしまうと思った。初日。初日に行こう。

　新宿ピカデリーはバーフバリの応援上映の聖地。そんな新ピカで、「SAAHO」を観ることに。

　チケットはネットで購入、機械で発券。飲み物は自販機で購入。売店でパンフレットと、クリアファイルやポスターを購入してと、いつもの手順。

　平日の昼間の映画館は、いつもよりもがらんとしていてちょっとだけひんやりした空気。消毒や清浄に気を使われてもいるのだろうが、売店の異様さと言ったらなかった。商品がないのだ。多くの新作映画の上映が中止され、商品がひきあげられているのだろう。がらんとした棚に、ポツンとクリアファイルが置かれていて、プログラムとポスターはカウンター販売。そしてものがない。映画館の売店に、ものがない。

　お客様が来ないことを見越して「仕入れない」ということもあるのだろうが、そのまるでスーパーのトイレットペーパーがなくなってしまった棚と変わらない売店の棚をみて、本当に寒気がするような感覚があった。

　怖い。

　チケットをもぎってもらい、上映館で配られる特典カードをもらって、入口へ。大きなポスターや上映作品を案内するパネルの存在は映画への期待をふくらませる。そして客席。

　人気映画の上映初日。閑散とした客席。

　いや、たぶん、これが、初日興行収入世界2位という記録を打ち出した作品でなかったら、平日の昼間なんてこんなものなのかもしれないが、コロナ対策なのか、間をあけて予約したのであろう客席は、ひとつ、ふたつと席をあけてまばらに人が座っていた。

　私は、席を立ちやすい通路側の席を取った。インド映画は長い。上映は2時間50分。本来ならインターミッションが入り、休憩時間をとるように編集されているが、バーフバリもそうだったが、インターミッションはとらない。だから、体調を鑑みて、途中で立ちやすい席を選んだ。

　幸い、この2時間50分は少しも長くなく、席を立ちあがることもなく鑑賞できた。

　バーフバリもそうだったが、物語に必要な時間というものはある。この2時間50分はけっして「長く」ない。このちょっと前に観に行った「ミッドサマー」も長いと感じなかったが、これもディレクターズカット版は2時間50分あった（通常版は2時間17分）。

　たまたま、企画が中止になって、できてしまったスキマ時間に上映館に駆け込んだ。この頃は、人の集まる場所へでかけることを自粛しようという問いかけも、まだイベント主催者に判断がまかされていた。１００人以上が集まる企画は主催者の自己判断で中止という感じだった。だから映画館はまだ開いていたし、見に行く人も危機感がなかった。映画館ではパンフレットが売り切れるほど人気で、Twitterなどでの「観に行った感想」も盛りあがっていた。コラボ的なメニューを上映館じゃなくて、提供しているカフェなどもあった。

　カルト宗教をおもわせるスウェーデンの小さな村の物語は、ホラー映画なんだけど怖くなかった。たくさんのキーワードやフラグメントを集めて、最後の場面にむかう中で、まるで癒やされるような気持ちにさせられる。かんがえさせられることが多かった。集団が信じる「文化」への恐怖という意味で、歴史や習慣を人との関わりを「他人に依存してしまう恐怖」そして、多くの事象で、「自分の頭で考えろ」と言われたような気がしてならなかった。

　そんな「自分の頭で考えろ」な状況がCOVID-19の対応にあらわれているようにも思う。

　2月の時点で、私は自分の3月の主催イベントを中止も念頭にかんがえながら状況をみていたが、結局中止にした。簡単に決めたわけじゃない。本当に悩みに悩んだ。美術館も文学館も博物館も閉まってしまう。そんな状況で、会場が閉まらない限りは、諦めないと思っていた時期もあった。中止にしてしまったら、参加してくださる人、予定してくださってた関係者、みなさんに申し訳ないだけでない。地元のホテルや飲食店などにも大きな影響がある。そんな簡単なことじゃないんだ。

　だから映画館が閉まることも、そんな簡単な単純なことじゃないことは、わかっていた。

　おそらく、状況が終息するまで最後の映画館での映画鑑賞になってしまった「SAAHO」。その映画がくれた勇気を力にしてこの状況でも映像や多くの作品や作家の紹介を諦めないで続けたいと思う。

　私はこの状況が終わってもう一度映画館が開いたときに、あの「伝説」をわかちあった仲間たちと再開できることを夢見て、自宅で原稿を書いて、本を作り続けて、なんとか販売できるルートを確保しつづけて——また、「封切り新作」に出会いたいと、そう思うのでした。

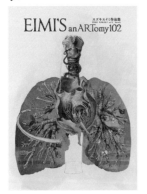

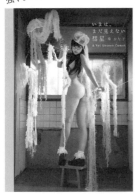

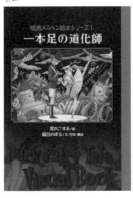

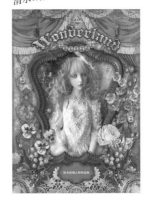

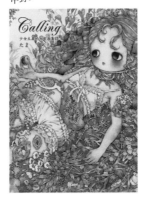

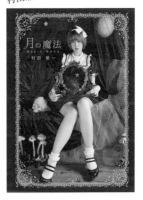

「イラストレビュー」◉絵と文＝三五千波

歌劇「400歳のカストラート」
企画原案・藤木大地　脚本・演出・平常
音楽監督・作曲・編曲・加藤昌則
東京文化会館小ホール（2月15日）

わたしは声の女神です
ダイチよ あなたに… 永遠の命を あたえましょう
ダイチを取巻く人々と見えない存在は
大和田獏&美帆の父娘が演じ分ける
初めて愛したソプラノ歌手オリヴィア
恋のアリアとしてのベートーヴェン「アデライーデ」
オリヴィアとの別れにはモーツァルト
プーランクの「美しき青春」
オペラ舞台の衣装係ナタリーと酒場のフィリップ
二人の恋人どちらも幸せにできなかった
「オルロフスキー公爵」パトロンのセバスチャンとプロデューサーのルーカス盟友との時は終わり
それは歴史上最後のカストラートがこの世を去ってから近代カウンターテナー創唱までの数十年
大戦を前にしてダイチは声を失う
男性の中にある「女性のように高い声」がオペラから失われた時代
ついに自由は彼らのものだ「木下牧子『鴎』」いくさの時は終わりダイチにもふたたび声が戻って来る
賛美歌「神ともにいまして」21世紀を迎えダイチは永遠の命を声の女神に返しひとりのカウンターテナーとして限りある人の命を生きるのだった
「絶えることなくうたう歌」加藤昌則

弦楽四重奏とピアノによるオリジナルな編曲もスペシャルなパスティッチョ
お着替えも数回あり藤木大地ワンマンショーとしても楽しめたが「歌」を主人公とするこれぞ「モノオペラ」であろう

2019年度全国共同製作オペラ
「ラ・トラヴィアータ（椿姫）」
演出・振付・矢内原美邦　衣装・田中洋介
指揮・ヘンリク・シェーファー
読売日本交響楽団　東京芸術劇場（2月22日）
羊の泣く映像でヴィオレッタの悲劇を暗示
ダンスカンパニー「ニブロール」主催による演出
ダンスやモブの動きだけでなく衣装や照明も秀逸で一回公演が残念
東京二期会「椿姫」
演出・原田諒　装置・松井るみ　衣装・前田文子
指揮・ジャコモ・サグリパンティ　東京都交響楽団
東京文化会館（Bキャスト・2月23日観劇）
対して二期会は宝塚「メサイア」「ゲバラ」などの異色歴史ロマン担当原田諒による演出
アルフレードの衣装よく見ると鎖が付いてる！
5階の席からは見えないけれども天上に鏡もあってドレスが最高に映える
前半は伊藤靖浩作曲の「一人芝居ミュージカル短編集」歌う大人向け「まんが偉人物語」を二本立てで見た感
後半はマスカーニからフォーレまで自由なパスティッチョ音楽劇「ゴロー」の脚本も書いた舘亜里沙さんは多くの室内編成でのオペラの演出を手がけているが今回はあえてオペラ歌手に近い距離でのお芝居を演じてもらおうと
夢二の女たちを男性歌手が演じそこにいない竹久夢二像を描き出す…
歌劇団kamite
「鼓動する聲～オペラ歌手が描く「生き様」の数々」
企画・演出・舘亜里沙
「ひとくちアイスクリン」「世界一美しい発明家」「ゴローと呼ばれた男～『蝶々夫人』の軌跡～」
ガルバホール（3月8日）
「蝶々夫人」から十年後…娼館を営むゴローの所に蝶々さんそっくりの少女お花がやってきた
作曲家アンタイルと発明に打ち込む元セクシースキャンダル女優ヘディ・ラマー
ゴローさんは幼い頃母に虐待され火傷を負っているナンバーワンの千早うば桜の賢木…

日本オペラ協会公演・歌劇「紅天女」
原作・脚本・監修・美内すずえ 作曲・寺嶋民哉
演出・馬場紀雄 特別演出振付・梅若実玄祥
指揮・園田隆一郎 東京フィルハーモニー交響楽団
オーチャードホール（Aキャスト・1月15日観劇）
2006年に新作能としても
舞台化されている
大長編のクライマックス（のはずだ）
「ガラスの仮面」劇中劇「紅天女」
三幕さいごの
紅天女の歌のくりかえしは
やや歌謡ショー的にくどいかも知れない
しかし阿古夜と一真役の（小林沙羅・山本康寛）
聞き取りやすい日本語歌唱を知ったからには
新しい古典になりうるような
日本語オペラの夢を見てしまう
「人でないものに
恋をすれば
いずれどちらかが
死なねばならぬ」
ここ数年
「台本さえよければ
傑作かもしれない」
という日本での
新作オペラ作品が
いくつかあったが
台本以前に
歌われる題材の
こころざしや気高さが
必要なのではないか
と少し思った
少女マンガ原作の
オペラで見たいもの
「日出処の天子」
「摩利と新吾」
長すぎる？
カウンターテナーで
「七月七日に」これ！
工藤あかね&松平敬
Voice Duo vol.2「あいうえお」
工藤あかね（ソプラノ）松平敬（バリトン・物体）
近江楽堂（1月12日）
ピチチ
母音の表現をつきつめたプログラム
「物体」とは？
下図のように鉛筆を聴診器として
物体が内包する「声」を聴くこと
最終曲の高橋悠治「ザンゲジ・ザーウミ」
ザーウミという概念を初めて知るが
亀山郁夫「甦るフレーブニコフ」
小澤裕之「理知のむこう」と
参考書をひっくり返しても
よく分からない？？？
A・ルシエ
物体を伴ったオペラ

ボーダーレス室内オペラ「サイレンス」
原作・川端康成「無言」（フランス語上演）
台本・作曲・指揮・アレクサンドル・デスプラ
台本・演出・音楽監督など・ソルレイ
衣装・ピエールパオロ・ピッチョーリ
神奈川県立音楽堂（1月25日）
カタカナ
KATAKANA
後遺症で言葉を失った大宮明房にカタカナだけでも書く気はないのかと責める友人の三田
原作短編の富子は父の秘密の恋物語の代筆を三田に勧められたりもっと含みのある役なのだ
さて神奈川県立音楽堂ではヘンデルの「シッラ」の上演も予定されていたがビオンディも歌手も来日したのに2月29日の初日数日前に自粛要請にて中止
字幕翻訳には作曲・指揮だけでなく新国立劇場プロンプターとして知られる根本卓也氏があたり文芸作品の香りを伝えていたテレビの野球中継や鎌倉逗子間のトンネル…映像も上品で効果的
同じく彌勒忠史演出の3月19日紀尾井ホールバロック・オペラ絵巻「アモーレとプシケ」も幻になってしまった
そんな中話題になったのがびわ湖ホール製作「神々の黄昏」の2日連続の無観客上演ライブストリーミング配信
字幕はなく固定カメラでの映像だったが昨年と一昨年に現地で聴いた筆者も対訳サイトを横目で見ながら鑑賞
「#びわ湖リング」の書き込みも盛り上がり両日各一万人以上が動画を視聴した
「東京・春・音楽祭」も大部分の公演が中止春祭トリスタンもブリテン「放蕩息子」も
舞踏映像つきコンサート「目で聴き、耳で視る『ベートーヴェン』」は無観客ライブ配信
このイラストレビューもこの春オペラとコンサートの上演の見通しが立たないため次回は変則的な形でお届けすることになると思います
アマビエ様

TH特選品レビュー

(市)市川純
(岡)岡和田晃
(高)高浩美
(沙)沙月樹京
(関)関根一華
(田)田島淳
(馬)馬場紀衣
(日)日原雄一
(並)並木誠
(放)放克犬
(三)三浦沙良
(M)本橋牛乳
(八)八本正幸
(吉)吉田悠樹彦

大人計画
キレイ〜神様と待ち合わせした女

シアターコクーン、19年12月4日〜29日／博多座、20年1月13日〜19日／フェスティバルホール、20年1月25日〜2月2日

★ものすごくすばらしかった。神木くんの初舞台。神木くんは村の少年で、もちろんすごくハマっててかわいかった。「子犬みたいに」って演出の松尾スズキから言われたみたいで、神木くん、ほんとに子犬みたいなかわいさ全開で、歌もダンスもとてもうまくて素敵でパワーをもらえたし、この舞台全体も、たいへんにすさまじいSFカーニバルだった。

上演が前半一時間四十五分、後半も一時間四十五分って聞いて初め長えなと思ったけど、全然そんなことなかった。神木くんの役は、ちょっと頭のネジが外れた男の子、ハリコナ。その男の子が、みなしごの「ケガレ」と出逢う。神木くんは「俺よりばかなやつがいたー！」なんてわらいながら、ケガレとだんだん仲良くなって、そのうち結婚もかんがえてくのだが、その過程でうたい踊りまくる。そして徴兵にとられる。

戦争から帰ったハリコナは、頭のネジがぴっちり締まって、なんだかクールで理知的になっている。おまけにゲイになっている。役者も小池徹平に変わってる。

変わったのはハリコナばかりでない。母親は最初、大豆の兵士の死体回収業を一家でやっているが、末は国会議員になり、大統領にまでのぼりつめる。

大豆の兵士の説明をしてなかった。大豆でできた兵士である。なんだそれは。わけのわからない物語だが、これでまだ十分の一も説明できていない。最初、なんだこれと思ってみていたら、だんだん楽しくなってきて、終わったときにはすばらしい、これは超大傑作だと気持ちがわきあがっていた。こんな超大傑作も、神木くんがでていなければ見逃していたろうから、あらためて、また舞台にでてほしいとおもう。あと今回の舞台もBDにしてほしい。これまで「キレイ」、三回も上演されてるみたいなんだけど、前回公演のDVDは既に高騰しているので。(日)

タナダユキ監督
ロマンスドール

★フリーターの主人公、哲雄(高橋一生)は先輩の紹介で性具ラブドールの製作工場で働き始める。哲雄は医療用と偽って、生身の女性の乳房の型取りを美術モデルの園子(蒼井優)に依頼するのだが、彼女に一目ぼれ。2人は結婚するも、哲雄は自分がラブドール職人であることを言い出せずにいた。やがて仕事にのめり込んでいくうちに哲雄は恋焦がれて夫婦になったはずの園子と次第にセックスレスになっていく…。

「ダメ男のラブドール職人」という型破りな設定だけど敬遠しないでほしい。どこにでもいそうな、すこし格好悪い男女が本当の幸せを見つけていくという、悲しくて、おかしくて、純度の高いラブストーリーだ。原作・脚本・監督は、これまでも男と女の性や愛を描いてきたタナダユキ。16ミリフィルムで撮影された荒い映像から、夫婦の危機を迎えた二人の不安と絶望と孤独、そして繊細な心の変化が生々しく伝わってくる映画だ。(馬)

アゴラ企画
亡霊たち

こまばアゴラ劇場、20年2月20日〜3月1日

★イプセンの「幽霊」という戯曲だけど、今回は邦題を「亡霊たち」とした。実を言うと、イプセンの戯曲を読んだことはなかったし、観たこともないので、それを前提として、クラシックな作品なので、ストーリーを書いてしまいます。

舞台は、ノルウェーの西海岸近く。アルヴィング夫人の館、召使のレギーネが

フランス語を学びながら掃除をしているシーンからスタートする。明日はアルヴィング夫人の夫の10回目の命日にあたって、夫の名前をつけた孤児院を建設し、落成式が行われる予定。パリで画家をしている息子のオスヴァルも2年ぶりに帰ってくる。孤児院の設立にあたって、尽力してくれたのが、牧師マンデルス。

ストーリーが進むにしたがって、明らかになってくることは、死んだ夫は放蕩な暮らしをしており、梅毒に感染していたこと、放蕩さがいやで、アルヴィング夫人は一度、家を出ているが、牧師マンデルスに連れ戻されていること。この2人の間にはプラトニックな愛があること。夫は召使にも手を出しており、その召使と夫との間の子がレギーネであったこと。孤児院は落成した日に火災で焼け落ちる。レギーネはオスヴァルとともにパリに行くつもりだったが、兄妹であることを知らされ、またオスヴァルが梅毒を病んでいることを知り、館を出ていく。残されたオスヴァルはアルヴィング夫人の腕の中で息を引き取る。

最近、演劇を観ているときに、空間がどのようにつくられているのかが、すごく気になっている。役者の動きはそのひとつでしかないし、ライトの当たらない部分にまで、どれだけ気を遣っているのか、とか。舞台の隅から隅かできちんと演出している舞台というのは、観ていていいなって思う。その上で、このときの舞台は、役者がずっと舞台上にいて、出番がないときは、隅の椅子に座っている、という演出。役者は気を抜くことができないだろうけど、その分だけ、全体が締まった舞台になっていた。例えば、アルヴィング夫人は、細部にまで神経を張り巡らせていたような演技だったと感じた。その意味では、レギーネを演じた役者は、レギーネが誰なのか、少しだけつかみきれていなかったような気がしたのだけど。それでも、全体的に緊張感があって楽しめた。

さて、「亡霊たち」であるが、ぼくはよくわからないのだけれども、土地に縛られて亡霊のように生きる人々の姿というのは、この時代（19世紀後半）の定番なのだろうか、何となく既視感があって。というか、幽霊というのは、舞台によく出てくる。シェイクスピアからベケットまで。１００年以上も前の戯曲を演じるときに、幽霊・亡霊はどのような意味があるのだろう。そもそも、舞台は幽霊・亡霊のものなのか。あらためて考えてしまうのであった。（M）

白髪一雄展

東京オペラシティアートギャラリー、20年1月11日～3月22日

★素足を筆代わりにする「フット・ペインティング」で知られる白髪一雄は、戦後日本の前衛芸術を牽引した画家だ。近年では２０１３年にニューヨークのグッゲンハイム美術館で開催された展示をきっかけに、世界的評価も高まっている。本展は、白髪の没後12年を経て開催された回顧展。東京初の大規模個展で、年代順の構成で資料も含めた約１３０点を紹介した。

白髪は自由な創作の機運が高まる戦後に洋画へ進んだ。その後、前衛美術集団・具体美術協会に参加。導入部では、それ以前に描かれた難破船や静物画を描いた具象画、パレットや指で塗り広げた絵の具の抽象画を見ることができる。続く展示室では足で描いた作品や材木を用いた実験的な立体作品が並ぶ。短期間での大転換を知ることのできる興味深い展示構成だ。白髪は60年代以降、密教にひかれて71年に出家している。板で絵の具を引き伸ばす手法は流動性が際立つ表現で、装飾的でありながら精神性も見てとれる。これまであまり見る機会のなかった作品も紹介されており、白髪作品の鮮やかな変化に驚くはずだ。（馬）

あなたの顔

ツァイ・ミンリャン監督

★この作品は〝大文字の歴史〟に対する台湾人の歴史観が解る作品だ。登場人物たちが言葉で語る・語らない、表情で述べる戦後の風景の背景には生き抜いてきたものの強さが宿る。演劇・パフォーマンスにしても良いかもしれないが、現代美術の表現技法と文学性が歴史を立ち上げる。

日本が撤退するときの調印式が行われた台北中正堂と坂本龍一の音楽、戦後に日本人の下で働いた事を語る何人かの登場人物たちの背景にあるのは、いつも強く自分たちのコミュニティを願う台湾人そのものの世界と一人一人の顔である。首都のみならず中部や南部の労働者、移民も登場し移民国家の現在形を示す。

顔というモチーフが昨今のセルフ・ドキュメンタリーのブームを彷彿とさせる

のも見逃せない。ダイレクト・シネマ的に革命の裏を世界へ発信してみせたワン・ビンの作品と比べると対象的だ。

ノスタルジーや単なる歴史語りでなく、社会の深層をみつめる事が求められる作品だ。試行錯誤を経ながら、この監督は手応えのある一作を送り出してきた。(吉)

キタハラ
熊本くんの本棚

KADOKAWA、19年12月、1200円

★熊本くんの本棚には、カミュだの三島由紀夫だのナボコフがあり、隅のほうにジュネ、ワイルド、テネシー・ウィリアムズや森茉莉が並んでいた。

いいセンスの本棚だと思う。私ならそこに、江國滋、北杜夫、澁澤龍彦や筒井康隆も並べたいが、それじゃあ日原さんの本棚になっちゃうから自重する。

熊本くんは大学の同級生である。前記のような本好きで、自分で小説も書いてサイトに投稿してる。ゲイでアダルトビデオにも出てる、という噂を大学で聞いた。

噂から現物にたどりつくのはすごい。主人公の女子は、熊本くんがゲイビに出てると聞いて、通販サイトを漁るうちそのものを発見する。つきあっている彼氏に頼み、店でそれを買ってきてもらう。見ればまさしく熊本くんで、タカハシタクミと名乗り、屈強な男に撫でられてる。

そのDVDをパソコンで再生途中、家から出てコンビニで立ち読みして、出会った熊本くんと家に帰る。あすのゼミ飲み会の幹事だから、店探しにパソコン貸してと言われ、言われるままに熊本くんに貸す。

どんなうっかりさんなんだ。

開くなり自分の裸体がうつった画面をみて、熊本くんは。「誰に見られたところでなんとも思わないと思ってたけど」と少しうなだれて。「あんなの買う金あるなら、本買えよ」と言い残して去る。そして飲み会に、彼は来なかった。

そんな気になる導入部なら、読み続けてしまうわけだけど。このあと、熊本くんが「タカハシタクミ」であった理由、ゲイビデオに出た理由が明かされていく。

それは、金に困ってとか、欲望のままにとか、そんなありふれた理由でない。ここから不可思議な、呪いと因縁の物語が織りなされていく。そして感動的なラストに。熊本くんの本棚には、とてもなじむべき別の本があった。そして、タカハシタクミのDVDも、きっと合うだろうと思っている。(日)

音楽朗読劇
レ・ミゼラブル 嵐が丘

レ・ミゼラブル＝サンシャイン劇場、19年12月11日〜15日／嵐が丘＝TOKYO FMホール、20年2月17日〜24日

★音楽朗読劇と銘打ったこのシリーズは、海外の名作を選りすぐって上演している。今までに「ジキルvsハイド」や「シラノ・ド・ベルジュラック」など、そして昨年暮れにはミュージカルがあまりにも有名な「レ・ミゼラブル」、今年に入って「嵐が丘」が上演された。アニメなどで活躍する若手声優を起用したシンプルなスタイルで、観客は主にアニメから声優のファンになったと思われ、年齢層はかなり若い。開演前、終演後にはパンフレットのみではなく上演台本も買い求めているファンが多い。海外の名作をこのような形で知ることができるのは、その観客にとっては良いことではないかと思われる。演出は全て田尾下哲。オペラ、ストレートプレイ、ミュージカルなど幅広く手掛けており、流行りの2・5次元舞台演出も行っている。

「レ・ミゼラブル」は再演。初演では舞台に上がる声優陣は3人、そしてジャン・バルジャンに多大な影響を与える司祭は声のみだったが、アニメ「アンパンマン」のバイキンマンで知られる声優界の重鎮、中尾隆聖が出演。再演では登場する声優陣を増やし、7人に。原作から台本を起こしているので、ミュージカルでは描かれていないくだりもあり、ミュージカルしか知らない観客にとっては新しいかもしれない。

観劇したのはジャン・ヴァルジャン：武内駿輔、ジャヴェール警部：石毛翔弥、テナルディエ：岸尾だいすけ、マリウス：濱野大輝、アンジョルラス：安田陸矢、コゼット：高野麻里佳、フォンティーヌ：中村繪里子、声の出演：中尾隆聖。

冒頭、ジャン・バルジャンが登場し、自分の境遇やなぜ投獄されたかを語る。飢えた子どもたちに食べさせるものがなく、発作的にパンを盗んで投獄される。もうすぐ刑期が終わるというところでジャヴェールに言葉尻を捉えられて刑期

が長引いてしまった。これ以上失うものは何もない、しかもどこに行っても『前科者』とわかってしまう。しかし、神は彼を見捨てなかった。司祭のおかげで生まれ変わったジャン・バルジャンはマドレーヌ市長として市民から慕われるようになる。ところが、彼はあることを知ってしまう。自身が経営する工場で一人の女性が解雇された。名前はフォンテーヌ。彼女は堕ちるところまで堕ちてしまった。そのきっかけが『解雇』であり、いたたまれない気持ちになるジャン・バルジャン。真面目なジャヴェール警部は娼婦となったファンテーヌを捕らえようとするが、彼もまた信念の人、法律を重んじることが社会の秩序を守ることと信じている。

映画にもミュージカルにもなったこの作品、ジャン・バルジャンとジャヴェールを中心にして様々な人物が絡み合い、展開する。このジャン・バルジャンを演じる武内駿輔は若手声優であるが、研鑽を積んで声だけでジャンバル・ジャンの深い悲しみや苦悩を表現する。対するジャヴェールの石毛翔弥は劇団四季出身で滑舌もよく、前半は真面目で固いジャヴェールを、ラスト近くは心が引き裂かれていく様を好演。岸尾だいすけ演じるテナルディエ、いかにも俗ぽく、そして生き抜くためにはなんでもする図太さを表現。薄幸なフォンティーヌ、可愛らしいコゼット、革命に燃えるアンジョルラス、コゼットと恋に落ちるマリウス。重厚な楽曲がテーマを際立たせる。人は人を裁くことはできない。

タイトルになっている「レ・ミゼラブル」は直訳すると「悲惨な人々」とか「哀れな人々」。ジャヴェールはポジション的にはヒール役であるが、彼もまた、恵まれない境遇の人物だ。根底に流れているのは『愛』。ラストは限りない慈しみと無償の愛。自由、そして生きることは決して綺麗事ではないこと。テナルディエは悪どい人物として描かれており、共感できる部分はないように見えるが、彼もまた生き抜くためにそうしている「悲惨な人々」。どんな形式にしても感動を呼ぶ作品だ。

★音楽朗読劇「嵐が丘」
撮影：阿部章仁
©MAパブリッシング／東京音協

そして今年上演された「嵐が丘」は、「世界の三大悲劇」「世界の十大小説のひとつ」と言われているエミリー・ブロンテの唯一の長編小説。ブロンテ姉妹が暮らしていたイングランド・ヨークシャーのハワースを舞台に侘しく厳しい荒野（ヒース・ムーア）の自然を背景にした物語である。

物語の出だしは1801年。都会での暮らしに疲れた青年・ロックウッドは、人里離れた田舎にある「スラッシュクロス」と呼ばれる屋敷を借りて移り住むことにした。挨拶のため唯一の近隣であり大家の住む「嵐が丘」を訪れる。そこには館の主人・ヒースクリフ、一緒に暮らす若い婦人キャサリン・リントンや粗野な男ヘアトンがいた。ここから物語が始まる。

観劇したのはヒースクリフ：駒田航、ヒンドリー／ヘアトン：新田杏樹、エドガー／ロックウッド：安田陸矢、キャサリン／キャシー：村中知。演じる声優は4名だが、椅子は5脚、そのうちの一つは欧米の古い屋敷にありそうな肘掛け椅子。原作はロックウッドが女中のネリーから古い話を聞くのだが、ここではネリーの日記をロックウッドが見つけて読む。つまりネリーは登場しない。

時間軸が戻り、1771年、登場人物たちは皆、子供。ちなみにヒースクリフ役は7歳から38歳までを演じる。ロックウッドとエドガーは同じ声優が演じるが、ロックウッドの時は肘掛け椅子に座って、ビジュアル的にロックウッドがそこにいて日記を読んでいるようにする。それ以外は他のキャストと同じように立って役を演じる。

ストーリーは原作通りに進行する。ヒースクリフは助けてくれた家の主人がなくなるとヒンドリーからひどくいじめられるようになるが、彼の拠り所はキャシーであった。単なる友達を超え、男女の愛も超えて魂が結びつく、しかし、ふとしたきっかけでキャシーが離れてしまった。二人は「スラッシュクロス」の住人である主人のリントン、リントン夫人、その子供達、エドガーとイザベラに出会う。上流階級で上品で優雅な一家、キャサリンは上流階級に憧れを抱き、自分にはヒースクリフが必要と自覚しながらも、もはや自分を下げることができなくなったキャサリンはエドガーの求婚を受けてしまう。ヒースクリフは大きなショックを受け、キャシーが自分を捨てたと思い激しい怒りに燃え、壮絶な復讐を計画する。駒田航は、ヒースクリフの冷徹な性格を凍りつくような声で演じるが、キャシーとのつかの間の安らぎのシーンとの落差をつけてヒースクリフの心の動きをみせる。

　そして最後の叫び、そしてキャシーの声、幻覚を見たのか、心からの叫びなのか、ここが一番の見せ場だ。この瞬間のために今までのヒースクリフの人生があったと言っても過言ではない。そして他の男性キャラクターを演じる二人、新田杏樹はヒンドリーとヘアトンを演じるが、ヒンドリーを演じる時は狂気とも思えるぐらいにエキセントリックにヒースクリフを罵り、いじめる。そしてヒンドリーの息子・ヘアトンになると弱々しいが素直さをにじませたキャラクター作り。親子だが、性格は正反対とも思えるところがあり、雰囲気が似ているようで真逆の難しい2役を演じ分ける。安田陸矢はロックウッドが日記を読む場面では淡々と、そしてエドガーを演じるときはいかにも品の良いおぼっちゃま風情だが、ややヘタレな感じが好感が持てる。唯一の女性声優である村中知は、キャサリンとキャシー、母と娘を演じ、特にキャサリンは裕福な家に憧れエドガーと結婚するが、ヒースクリフを愛している。そんな女性の複雑な心理状況をナチュラルにみせる。

　このシリーズの朗読劇、共通する点は舞台上には基本的には何もないこと。「レ・ミゼラブル」ではフランス国旗のみ。「嵐が丘」では照明で雲や上流階級の家の窓などを映し出すのみ。また、演じている俳優（声優）陣はストレートプレイのような演技もしない。本当に朗読しているだけで、自分の番がきた時だけ立ち上がり、そこにスポットライトが当たる。音楽は過剰にならずに、キャラクターの心情や状況をスケッチするのみで、もちろんミュージカルのように歌うこともない。また登場人物を整理することによってスッキリとした構成にし、その分、ストーリーやテーマがはっきりと見えてくる。シンプルなスタイルでリピーターも多い。

　今後は6月に好評につき「レ・ミゼラブル」を再演、7月に「オペラ座の怪人」を上演予定（予告なしに変更もあり）。（高）

Noism1＋Noism0 森優貴／金森穣

Double Bill

りゅーとぴあ 新潟市民芸文化会館、19年12月13日～15日／彩の国さいたま芸術劇場大ホール、20年1月17日～19日

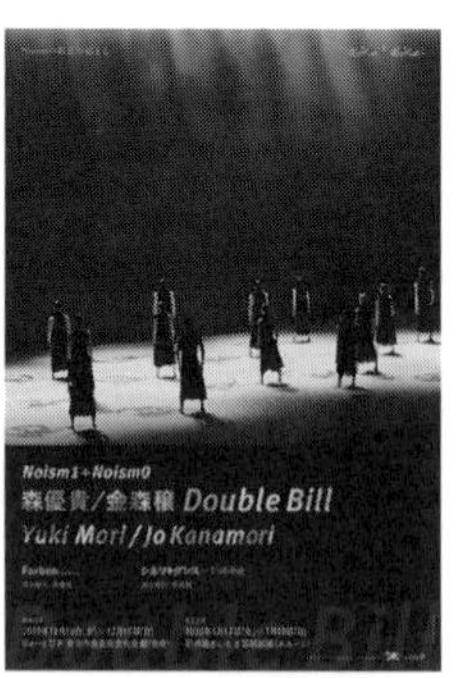

★ドイツで舞踊団を率いた振付家・森優貴の『Farben（ファルベン）』と芸術監督・金森穣による新作「シネマトダンス—3つの小品」の2本立ての『ダブルビル』。小品のひとつでは、次々と現れたダンサーたちが舞台中央に設置してあるスクリーンに映し出される自身の姿と戯れながら踊るというもの。特筆すべきは副芸術監督・井関佐和子の存在感と、研ぎ澄まされた身体感覚だ。幕に大写しとなる井関がガウンを脱ぎ捨て、赤いドレスを着て、花が一面に散らばる舞台に姿を現す。その背中をビデオカメラが追いかける。カメラワークですら踊りに取り込まれてしまっている。生身の井関と影、またその影と三人の井関が並ぶ瞬間もあって、まるで催眠術にかけられているような心地。小品の最後は、たくましい身体を見せつけながら金森氏が一人で踊る。目まぐるしく、ゆったりと移り変わるダンサーたちによる舞台構成と彼らの鍛え上げられたしなやかな身体を堪能できる作品だ。（馬）

桂笹丸

藤子不二雄物語

19年12月24日、ノマディックライフ

★クリスマスイブである。定期的に落語会をやっている三軒茶屋のカフェで、イブの日は桂笹丸さんの独演会。ちょうど予定も空いていて、行ったらやっぱり楽しかった。「つぼ算」、「明烏」といった古典の演目も笹丸さんのニンに合って面白かったが、なんといっても「藤子不二雄物語」はよかった。師匠の桂竹丸は「西郷隆盛伝」などをやったりするが、笹丸さんは藤子不二雄だ。F先生もA先生も好きな私にとっては、笹丸さんが新作のテーマとしてこの二人を選んだってことも嬉しかった。
　若き日のA先生とF先生が出会い成長し、数々の名作を生みながらおたがいの道を進んでいく過程を、桂米丸一門の落語家さんたちのエピソードをからめながら語っていく。米丸一門の落語家さんはとくに人間味のある師匠がたが多くて、聴くたびに好きになる。前座時代の作品で、久しぶりにやったら脱線が多くなり、「藤子不二雄物語と、だいぶ桂笹丸物語」ということであった。

　終わりにはクリスマスプレゼントもあって、私は笹丸さんの手ぬぐいをもらっ

てしまった。緑の生地で、メガネでかわいい笹丸さんみたいなキャラが染めぬかれてる。その絵柄はA先生でもF先生でもなく、どちらかというと大川ぶくぶ寄りな気がしたけど。(日)

今石洋之監督

プロメア

アニプレックス、20年2月、完全生産限定版 Blu-ray=9800円ほか

★2019年5月に公開、ロングランを続けて興収15億(＊1)に達した作品がBD／DVD化。

　3Dと手描きがシームレスに繋がる画面の躍動感、△□○の抽象を突き詰めたデザイン、ビビッドなカラーリング、縦横無尽のアクションと劇団☆新感線の舞台そのもののセリフの応酬が生む熱に(＊2)、澤野弘之のスケール大きい劇伴が油を注ぐ、リピーターを続出させたドラッキーな魅力は健在。加えて、映像(特に細部の色彩)はブラッシュアップされ、その分演出の意味が深まった場面も。

　ポップさ斬新さが「スパイダーマン：スパイダーバース」と並べて語られることもあるが、ヒーロー(この場合、男性主人公の意味)同士の共闘、のみならず恋を描いているとも解釈できる、クィア・リーディング可能な仕掛けがほどこされているのも本作の新しさだろう。あらゆる側面に見える、アニメ表現の最前線への挑戦と野心が何より"熱い"映画だ。(三)

(＊1)2020年3月6日現在(東宝映像発表 https://www.bunkatsushin.com/news/article.aspx?id=173310)。
(＊2)脚本は中島かずき。

身体思考 presents ダンス・演劇・映像

アトリエ第Q藝術、20年1月25日

★及川廣信の晩年に活動を共にしていたアーティストに万城目純と相良ゆみがいる。二人による公演が第Q芸術で行われた。

　第1部・ライブ&ダンスでは舞踏の相良ゆみが荒木真のサックス演奏をバックにカオスの生成ともいうべき即興を舞踏を通じて展開する。これは後半の前ふりでもある。

　続く本編の第2部《THE HORBS AUDITIO賢人たちの声》シリーズ「THE AUDITION 2020」(原作・演出、万城目純)は及川が最晩年に関心を示していたベケットに着想を得ながら生まれた不条理劇だ。オーディションに駆けつけた女(清水琴)が客席の中から登場。その試行錯誤や懸命に生きる姿が舞台上に展開する。音楽・映像は織田理史でナラティブな要素が生成してくるが、それはあたかもメタフィクションのようにもみえる。清水はコンテンポラリーダンスの中村容とも活動するが日本人女性のポップなダンス演劇は得意としているのだろう。舞踏やマイムといった過去の表現スタイルではなく、ダンス演劇とその演者の生き様から身体思考を抽出しようとしている。

　この会場の空間は映像の映写室としても使える。その機構を上手に使い映像がスペースに広がりシネ・ダンスやクラブパフォーマンスともいえそうなインターメディアな空気が流れる。万城目は映像アートの祭典「イメージフォーラム・フェスティバル」などでも活躍しており、このような演出は上手い。爽快感のあるメディア演出と共に終演。いわゆるコンテンポラリーダンスにとりこまれていない、現代の20代の自由なパフォーマンスや身体演劇に通じる演出である。

　及川の世界を型やスタイルで継承するのでなく、理論や発想から発展させていこうとするのが彼らだ。ビッグなビジネスに化けた商業主義・舞踏がバブリーに儲ける継承者・ピラミッドの頂点を巡り跡取り騒動の様相を迎え、表現そのものがなおざりになり、技の継承もただコピーするだけとずるずると上滑りをしていく。万城目は欲に囚われた愚者たちを尻目に映像・身体・社会学的思考から及川思想の近未来を解釈してみせる。その姿は「眼球譚」を記したバタイユを彷彿させもする。

　宇野邦一・勅使川原三郎らの映像身体論と異なる新時代の思考と表現の探求は続く。(吉)

アンナ・カヴァン

草地は緑に輝いて

安野玲訳、文遊社、20年2月、2500円

★カヴァンの中期の作品集ということになるのかな。『アサイラム・ピース』と比べると、作品の幅がひろがったように感じるけれど、その後の十数年間の暮らし、経験がその背後にあるのかな。本質的なこと、見ている未来の姿こそ変わらないのだけれども。

　表題作、草地の緑が印象に残るけれど

も、それは、『あなたは誰？』の熱帯や『氷』の寒冷化した世界とともに、終末の姿につながっている。「子ネズミ、靴」のような、孤独な娘の姿もそこにあるし、中編「未来は輝く」は、まるでカフカの『アメリカ』（あるいは『失踪者』）みたいな作品だ。カヴァンとカフカのつながりが示される。「氷の嵐」は言うまでもなく『氷』につながるだろうし。

　というふうに読んでいくと、あらためて、この短編集が、他のカヴァンの作品とのさまざまなつながりの、結節点なのではないか、と思えてくる。というか、カヴァンの作品について、ストーリーよりも、与えられるイメージで読んでいるというところがある。だとすれば、ここには、他の作品で展開されていく、あるいは展開されてきたイメージが、短編という形で収納されたものということにもなる。そしてそれ以上かもしれない。それは、カヴァンとしての最初の作品『アサイラム・ピース』の閉ざされた孤独から、『氷』における世界の終わりに向かって、作家としても実生活においても旅をつづけたカヴァンの、その旅の途中の、皮肉なまでの豊かさがここにある。輝く草地は、けれども輝く未来という偽りの、本当は終末に向かう過程の途中にある、そのきらめきであるように。（M）

ミュージカル回想録 HUNDRED DAYS

シアターモリエール、20年2月20日～24日

★“ミュージカル回想録”と銘打っているが、ミュージカルのようなコンサートのような、不思議な形式だ。キャストは作詞・作曲のアビゲイル＆ショーン・ベンソンの二人のみ。

　まずは、いわゆる前説、「携帯の電源」などの諸注意、ゲネプロでは藤岡正明が、ゆるい服装、足はスリッパで登場する。一切、話さず、画用紙に書いたものを客に見せる。これがなかなかに面白く、客席が温まる。舞台には電飾が飾られており、スタンド式のランプ、手作りな雰囲気が温かい。

　前説が終わり、アビゲイル（木村花代）が登場、客席に向かって話しかける、飴ちゃんを配ったり。これがアビゲイルとして話しかけているのか、木村花代として話しかけているのか、境界線が曖昧な印象だが、そこが面白い。ちょっと路上ライブのような即興性も感じられる（これも前説の一種なのか）。いかにも『始めます』的な雰囲気ではなく、そこからふんわりと、相方のショーン（藤岡正明）も登場。ユーズドなジーンズが似合い、アビゲイルの服装、ジャケットがかっこいい。

★撮影：岩田えり
©conSept .LLC

　台本通りに進行しているのだが、ライブ感もこの作品の重要な要素。実生活でも夫婦でありミュージシャンでもあるベンソンズのアビゲイルとショーン。この二人の出会いから100日の物語。自らの出会いを音楽に乗せているのだが、楽曲はちょっとサイケデリックなものあって、印象的。最初はアビゲイルとショーンはそれぞれモノローグなのだが、お互いに言っていることを聞いてうなずくなど阿吽の呼吸で進行していく。また最初と最後でバンドの紹介をするが、ここは実名。虚と実が絢交ぜになり、リアルなのかフィクションなのか、これもまた面白いポイント。テーマ曲とも言える「100日の奇跡/100days」はノリがよく、アビゲイル演じる木村花代は思わずジャンプし、シャウト、ところどころでクラップも。ミュージカルとは言っているものの、こじんまりとしたライブハウス的なアットホームな空気感が心地よい。

　生き辛さを抱えて生きてきた二人が出会い、魂がふれあい、呼応する。悲しみや喜び、そういった感情が濃縮された100日間。二人は出会って3週間で結婚し、「3週間で決めちゃうの？」と驚く観客もいるかもしれないが、彼らの心がそうさせている。そして愛、いわゆる男女の愛、そして博愛、さらにアガペーと言われる愛。キリスト教における神学概念で、神は無限の愛（アガペー）において人間を愛しており、神は人間を愛することで何かの利益を得る訳ではないので、「無償の愛」と言われる。

　キャスティングの妙ともいうべき、“だからこの二人”という空気。藤岡正明は俳優活動のみならず、ミュージシャンとしても活動し、ライブツアーも弾き語りツアーも多数行っており、ショーン・ベンソン役は彼しかいない！と思わせるほど。対する木村花代は劇団四季在籍中は「マ

ンマ・ミーア!」や「コーラスライン」などの主要キャストとして多数出演、退団後は「ミス・サイゴン」などのミュージカル出演の傍ら、年に数回ソロライブを実施、アビゲイル役がぴったりだ。

濃密な空間で創造される100日の物語、別れは必ずやってくる。遅いか早いかだけの違いで生きとし生きるもの全てに平等に。わかりきっているはずなのに……最後の最後、人は何を想うのか。

なお、アンコール曲は事前に募集したリクエストから選ばれ、何が飛び出すかはお楽しみ。音楽と芝居、ミュージカルには違いないのだが、一般的にイメージされているミュージカルと思うとその意外性に驚かされる。上演時間はアンコールも入れておよそ100分。(高)

NBAバレエ団公演
ホラーナイト
新国立劇場 中劇場、20年2月15日・16日

★アメリカで大旋風を巻き起こしたブラム・ストーカーの怪奇小説をもとにマイケル・ピンクが振りつけた「ドラキュラ」。物語は、人の生き血を吸って命を永らえるドラキュラ伯爵の宿命を女性たちとの関係を通じて描いている。「ドラキュラ」はNBAバレエ団が2014年に日本初演を果たしたことで話題を呼んだ。芸術監督の久保紘一は第69回文化庁芸術祭舞踊部門新人賞を本作品で受賞している。ドラキュラ役を踊るのは英ロイヤル・バレエのプリンシパルの平野亮一。期待が高まらないわけがない。

貴族の優雅さを保ちながらも不気味で、どこか悲しみを湛えたドラキュラ。恐怖の極みで描かれる独特の演出はバレエならではだ。公演は『ホラーナイト』と銘打って宝満直也の新作「狼男」との2本立て。今回は予告風に1幕のみが披露され、8月に全幕上演が予定されている。次の公演時は夏だけれど、血も凍るような美の世界が堪能できそうだ。(馬)

テッド・チャン
息吹
大森望訳、早川書房、19年12月、1900円

★テッド・チャンの第二短編集の登場である。デビュー二十九年間で発表されたのは十八篇という寡作ながら、発表された作品はいずれも高い評価を受け、現代SFの分野で確固たる、しかもユニークな地位を築き上げている。千夜一夜物語の舞台にタイムトラベルを融合させた「商人と錬金術師の門」、ある生命体が自らの構造を探究しやがて宇宙の起源の秘密までいたる独創的な世界像を提示した表題作、AIの教育という今日的な問題を提示した「ソフトウェア・オブジェクトのライフサイクル」と傑作が並ぶ。

なかでも、自由意志と運命の狭間で揺れる人間をしばしばモチーフにしてきた作者らしい作品が「不安は自由のめまい」だ。人生の節目における選択によって分岐した世界同士を繋ぐ、プリズムと呼ばれる装置の力で、限定的ながら相互の情報交換が可能となった未来社会。自らの選択が運命をどう変えたか知りたいという願望が達成されるものの、知ることは後悔につながることもあり、そのための自助グループが存在している。そんなグループの一つのファシリテーターであるデイナを中心に、プリズムの引き起こす様々な人間模様が描かれる。うまくいった別の自分を羨み劣等感に苛まれる者、もう一つの運命を知っても結局自己肯定にしか利用しない者、余命いくばくもない自分の遺産を家族ではなくもう一人の自分に送ろうとする者。そして後半、グループの参加者を装っていたナットの策略が明かされ、意外なラストを迎えるところがハイライトとなる。

人類全体を俯瞰するようなマクロな視点と、一個人の心の動きというミクロな視点の両者が融け合い、未来への不安という〈慢性の病〉に悩まされる人間たちがほろ苦くも温かく描かれている。(放)

アリ・アスター監督
ミッドサマー

★現代スウェーデンの文明と隔絶し、原始共同体的なコロニー生活を営むホルガ村。そのホルガ村で90年に一度の夏至祭があり、文化人類学の博士課程に在学する院生クリスチャンとその仲間のジョシュ、マーク等は、ジョシュの博士論文執筆の為のフィールドワークに付き合う形で、ホルガ村の住人の一族の末裔でもあるペレの招待もあって、ホルガ村を訪れる。

クリスチャンの彼女であるダニーは、繊細な感じのメンヘラーで、やはり精神疾患を持つダニーの妹が、両親を巻き込んで自殺を図る。クリスチャンはショックを受けたダニーの極度の落胆を不憫に想い、ダニーの気分晴らしのつもりで同行させる。しかし、ダニーとクリスチャンも

倦怠期を通り越して惰性で付き合っており、ダニーの家族の悲劇的な死やクリスチャンもまた複雑な事情を抱えており、特にダニーは、そのせめてもの拠り所として離別を躊躇しているだけであった。こうした袋小路がカルトのクラスターであるホルガ村のコロニーの秘教的な儀式への参加から終盤のダニーのカタルシスへの伏線となっている。

最初若者達は、ヒッピー張りにドラッグをサイケに決めて、トリップしながらホルガ村の豊かな自然と素朴な村人達との交流などの開放感に浸り、その自由を満喫する。だが次第にその独特な世界観に立脚した、因習や奇習、蛮習に戸惑い始める。またその若者たちは、ホルガ村の聖木に小便を引っ掛けたり、門外不出の聖なる教典を強行的に撮影するなどデリカシーの欠如した行為をやらかす。最後にはホルガ村の流儀で処置され、夏至祭での生贄の儀式に取り込まれて排除されていくのであった。

一見、衣装や美術がとてもお洒落な雰囲気で、『ひなぎく』のようなポップな感じに見えなくもないのだが、全編を通してグロ耐性が求められる。画家のフェルナンド・ボドラーの絵画のような世界観やストラヴィスキー『春の祭典』の生贄の儀式に通底するようなものがある。しかし、蛮行に思える儀式も古代の原始共同体のそれであり、紛れもなく、我々人類が通過して来た道程だ。カルトには違いないのだが、早急に単なる狂気と片付けるには躊躇される。才気溢れた30代半ばの若いアリ・アスター監督は、文化人類学や民族学的なペイカニズム（異教主義）の秘儀を我々に挑発的に投げかけ、劇中では熊との合体とか?生理の血液入り（とびきりのラブ注入）ミックスジュースだとか、陰毛入りの妙薬パイとか、変態のオンパレードである。サイコホラーよりも、そちらの方が怖いかも。また生贄のダン役にはルキノ・ヴィスコンティ『ベニスに死す』の伝説の美少年、ビョルン・アンドレセンが扮しており、その現在にも刮目せよ！ アリ・アスター監督の『ミッドサマー』に、Skål!（スコール・乾杯）。（並）

飛龍伝2020

新国立劇場・中劇場、20年1月30日～2月12日（1月29日プレビュー公演）／COOL JAPAN PARK OSAKA TTホール、20年2月22日～24日

★つかこうへい没後10年の今年、彼の傑作の一つ「飛龍伝」が「飛龍伝2020」と銘打って上演された。これは1973年に発表され翌年上演、ファンの間で名作と愛されてきた作品。90年に富田靖子主演で銀座セゾン劇場で上演、ショーアップされ、劇場に長蛇の列ができたほどに大ヒットした。そしてつかこうへいと縁があり、彼の作品を知り尽くしている岡村俊一が演出を手がけたのが今回の作品である。

開演前は昭和の歌謡曲が流れている。この「飛龍伝」の時代に近い曲、あるいはこの時代を描いている曲、あの時代の空気感が劇場に充満する。そして幕開き、機動隊らが突然どどーっと乱入。大音量、そしてヒロイン登場。バックには「飛龍伝2020」の文字が。

基本的には銀座セゾン劇場で上演されたものと変化はないが、照明の使い方や、バックにタイトルロールを出したり振付が変わるあたりは、演劇が時代とともに変わっていく部分、そして変わらないところに作品の普遍性を感じる。セリフに「新宿御苑」「サクラの会」が飛び出し、こういうところはきっとご本人が生きていたらきっとこうしただろう、というのが感じられる。当時、初日から千秋楽まで、変化していく様子を見るために何度も通うファンもいたと言う。

ヒロイン神林美智子（菅井友香）は岩手から上京し、全共闘作戦参謀の桂木順一郎（味方良介）に出会う。そして機動隊員、四機の狂犬病の山崎こと、山崎一平（石田明）の3人を軸に物語は進行する。

怒涛のような予測がつかない展開の面白さ、荒唐無稽さ、絡み合う人間関係と感情、しかしつか作品の面白さはそれだけではない。次から次へと役者が発する言葉、セリフである。「俺が欲しいのは青春だ！」「革命は綺麗事」「無益な血を流す必要があるのか」など、全てのセリフが観客に刺さってくる。桂木は美智子を山崎の部屋に潜入させる作戦をとる。ところが山崎は美智子に好意があり、美智子もまた山崎に心が傾いていく。しかし、美智子と山崎は敵同士、全共闘と機動隊、そしていよいよ最終決戦に……。

脇のキャラクターも個性的で、しかもバックボーンがあり、悲しい過去がある者もいる。人間の弱さや強さ、情に流されてしまう気持ち、そして志を遂げたいと思う気持ち、そういった人間の感情をクローズアップしてみせる。負の感情や闇の部分も包み隠さない。だから時代を超えて共感できる。また、セリフにはところどころ自虐的なものもあり、それをダイレクトに、ストレートに観客に投げかける。「日大6万、バカばっかですが数が多い……」など。また山崎も学歴がないことをはっきり言う。そういった差別を語ることは現在では考えられないが、

つかこうへいの作品にタブーはない。70年に安保改定が行われるのに対してそれに反対する学生運動「全共闘」を描いているので、これは言わない方がと忖度するところがあっても不思議ではないし、むしろそれが一般的な考え方だ。しかし、「飛龍伝」はそういったタブーなども平気でセリフにする。そこが清々しいところであり、つかファンはそこに愛やカタルシスも感じることができる。

　基本的に舞台には何もない、つか作品の特徴であるが、文字通り、自分の体だけが頼り。ヒロインを演じる菅井友香、そして石田明や味方良介、そして全ての出演者の熱演、全身汗！ きっとこれからも上演され続けるのだろうという気にさせてくれるパワーがみなぎっていた。（高）

ファティ・アキン監督

屋根裏の殺人鬼フリッツ・ホンカ

★ドイツのファティ・アキン監督が特殊な性癖を持つシリアルキラーを映画化した。フリッツ・ホンカは1970年代の旧西ドイツ・ハンブルクで4人の娼婦を殺害した連続殺人鬼。実在した人物だ。貧しさと孤独の中で大人になった男、ホンカは行きつけのバーで知り合った年老いた娼婦を自宅に連れ込み突発的な凶行をくり返していく。醜悪な風貌、酒が原因で失職し、離婚がきっかけで目覚めた狂気の矛先は娼婦へと向かう。ノコギリで遺体をバラバラにするも重量は変わらず、結局ホンカは死体を屋根裏部屋に隠すのだ。死体の後始末に七転八倒する姿はなんともおぞましい。

　序盤から不快感をまきちらす、生身の人間としてのむき出しの殺人鬼の姿は迫力的だ。ポルノ写真と人形で埋め尽くされたホンカの屋根裏部屋の描写も圧巻。最初から最後までスクリーンに充満する腐臭に頭が痛くなってくる。音楽通のファティ・アキン監督らしい1960～70年代を代表する大衆曲の数々が狂気に満ちた映画世界を際立たせている。（馬）

笠木拓

はるかカーテンコールまで

港の人、19年10月、2000円

★笠木拓は一九八七年生まれ。京大短歌会に所属後、ネットプリント（ネットに登録した文書ファイルなどを、全国のコンビニのマルチコピー機で印刷できる機能）を利用した同人活動で話題を呼び、二〇一八年に現代短歌社賞次席を受賞して第一歌集『はるかカーテンコールまで』を出版した。彼の所属同人「金魚ファー」は短歌作品のほかにイラストや書簡形式の連載小説、二次創作など多彩な企画で人気を博した。

　「はるかカーテンコールまで」は手にとってまず、粉砂糖のようなパラフィン紙に包まれたレモンイエローの装丁が目に眩しい。なんとも「かわいい」歌集だ（括弧内は収録されている連作タイトル）。

　秋の日のこんな大きな吹き抜けに誰ひとりひざまずいていなくて　「木馬と水鳥」

片膝を立てた姿勢に見比べるアンデルセンの訳のいくつか　「フェイクファー」

あずさゆみうわくちびるで牛乳の膜をひそりと引きよせている
　「もう痛くない、まだ帰れない」

　とくに静謐であたたかな印象のある歌を引いた。三首目は、温めた牛乳の表面にできた薄膜を食べる描写が丁寧に詠まれている。ひそりと、とあるのは、舌のやけどを避けようとしているのだろうか。これだけでも牛乳の匂いやカップの熱を感じられそうな美しい一首だが、初句に「引く」にかかる枕詞「あずさゆみ」を置くことで、「梓弓引けど引かねど昔より心は君によりにしものを（伊勢物語）」が連想され、生活のささいな動作の中でも相手を想わずにいられない恋の歌と読むこともできる。一見平易でも技巧のこらされた歌が大半を占める歌集で、ぽつぽつと入れられているストレートな言葉遣いの歌が目に止まる。

ふくらんだ胸と喉とを取りかえる魔法を日記に書いて交わした　「For You」

解熱剤噛み砕いては落ちてゆく夢に何度も性器を失くす　「嘘と夏の手」

祈りつつ切手を貼るよ　性と心が癒着するしかない身を生きて　「嘘と夏の手」

　これらは自身の肉体や社会的ジェンダーバイアスへの違和感を詠んだ歌と言える。複数の連作にたびたび共通したテーマの歌があるが、その違和感や苦しみをことさら強く訴えるようなことはせず、さらに魔法や夢といった単語でワンクッション置くことで先述したかわいい装丁とも不思議とマッチしている。笠木が次席を獲得した現代短歌社賞は歌集未出版の歌人を対象に初稿三百首を構成して応募するもので、選考でもこのようなテーマの歌の挿入は議題にあがり、全体とのギャップにリアリティがあるとして高評価だった。

　近年、人はみな性別や属性によって行動や活動を制限されるべきではなく、「男らしさ・女らしさ」のような固定観念は払拭されることが是との考え方が広がっている。しかしその通念の浸透は難しく、時代錯誤で悪意なきステレオタイプの押し付け、さらにもっと過激なヘイトスピーチは未だ巷に溢れている。このような転換と揺り戻しのさなかにあって、人々は己の在り方をどのように見出すか。選択肢は増加し、複雑になってしまっている。そんな時世を生きる人々の静かな悩みやとまどいが、笠木の歌が評価される土壌を作り上げたのかもしれない。（関）

池田美佳
After in life ——彩られた記憶

新国立劇場、19年12月25日

★「人生でたった一つの記憶を選ぶとしたら」というコンセプトに基づく作品を、池田美佳は、30代の代表的なスターダンサーである坂田守や木原浩太や新人、ベテランたち8人のダンサーと上演した。ダンサーたちそれぞれが自分の人生の中の象徴的なシーンやトラウマ、記憶の深層を肉体を通じて描く。非常に密に凝縮した動きが展開するが、ソロが続くのではなく、お互いに響きあうように相互にインタラクションをみせる場面もある。そんな世界から震災後の情景や社会への哀悼の念も込められている。

　AI時代の機械的なムーヴメント、リズムが多用されたホップダンスが前面に展開する2020年前後の現代社会に対して、個々の記憶や芸術家として歩んできた道筋が示す質感や世界からダンス芸術を通じて切り込んでいく優れた作品である。

　その才能は2011年にデヴィッド・ビントレー（当時、新国立劇場芸術監督）の目に高瀬譜希子や山口華子と共にとまり「Dance to the Future」で自作を上演することになる。新しいジャンルを模索しながら既存のジャンルと距離を取りながらダンス、演劇に出演を重ねている。一方で、エンターテイメントでやっていく実力があることもあり、そのジャンルも含めて30代でトップクラスといえるような実績を重ねている。（吉）

演劇集団・Prayers Studio
アンドラ

演劇フリースペース板橋サブテレニアン、20年1月15日〜19日

★フリッシュはスイス出身のドイツ語圏の劇作家。「アンドラ」は1961年に発表された戯曲。

　舞台はアンドラという国。実際に、フランスとスペインの間に、アンドラという小さな国はあるが、あくまでフィクション。時代は第二次世界大戦中。主人公のアンドリは、教師のカンに引き取られ、カンの娘のバルフリン、カンの妻と家族として村で暮らしていた。アンドリは、ユダヤ人であり、ドイツ占領下のフランスからカンが救い出した、ということになっている。といっても、アンドラにおいてもユダヤ人は差別されており、アンドリの出生を知る人は村にはいない。それゆえ、神父をはじめとする村人がユダヤ人を蔑視することを耳にすることになる。

　アンドリとバルフリンは愛し合っており、二人は自分たちが本当の兄妹ではないことも知っている。一方、「最後の一兵まで戦う」と口にする兵士は、バルフリンをつけねらう。

　アンドリとバルフリンは両親の前で、結婚したいということを告げる。しかしカンは強く反対する。だが、カンはその理由を言わない。カンはユダヤ人と結婚させるわけにはいかない、という理由ではなさそうだ。それでも、アンドリとバルフリンは一緒にいることを願うが、そうした中、バルフリンは兵士に強姦されてしまう。

　やがて戦局が悪化し、ドイツ軍がアンドラにも侵攻してくる。そこで、ユダヤ人狩りも行われるようになる。

　戯曲そのものは、人種差別の根強さと戦争を通じて示される人間の差別を助長する本音、それゆえの悲劇が描かれる。

　けれども、本公演は、日本語と韓国語のバイリンガルで上演された。日本人の役者は日本語で、韓国人の役者はハングル語でセリフをしゃべる。したがって、ぼ

くのようにバイリンガルではない観客は、セリフの半分しか理解できないということになる。

そこには、日本と韓国のわかりあえなさが、映しだされているといっていい。実際に、現在の日本において、朝鮮・韓国人蔑視は存在するし、それゆえヘイトスピーチも行われてきた。

その意味においては、この公演は意味があったし、昨年秋には韓国でも公演している。

そうは思うのだが、演劇としての完成度ということになると、正直、疑問でもある。二か国語による上演というのが、そもそも役者にとってやりにくかったのではないか。相手の言葉が直接つたわってこない分だけ、どうしても言葉を返しにくくなってしまう。

李の演出は、あまり工夫がなく、60年代に初演したままなのではないか、ということも感じた。古書店にある古い戯曲の本そのままで、上演当時の写真が口絵としてあるような、そんな舞台になっていたと思う。また、それぞれの役者も、役との適切な距離をとることができなかったとも感じている。特に主演のアンドリを演じた日本人の役者は、感情移入しすぎではなかったか。60年後の舞台としては、もっとやりようがあったと思う。(M)

舞台
花火の陰

三越劇場、20年2月5日～10日

★2017年初演で、好評につき再演が決まった作品。
ピアノの調べが流れ、春子(大鳥れい)が登場、喪服を着ている。「あの人のもとへ」「二度と帰れない」とゆっくりと歌いながら歩き、静かに腰を下ろす。優しい旋律がこれから語られるストーリーを予感させてくれる。

蝉の声、「春子さん!」「須崎さん(野村宏伸)!」、五月雨式に次々と登場する人たち。「春子さんは有名人だから」と言われる春子。春子は売れっ子女優。春子にとっては懐かしい人たち、そこへ元気よく若者が「お待たせいたしました!」といいスマホでパシャパシャと写真を撮り始める。どこでも見かける行動、それから「インスタ、あげていいっすか?」。それに対して春子は思わず「やめて!」という。この場所は春子にとって特別なところ。思い出話に花がさく。そこへ、ある女性が……彼女の名前は星野文子(築田行子)、「私、死んだんですか?」「ずっとここにいますけど」、驚愕する面々、みんなスマホで撮影するが、文子は「私、写ってないじゃないですか!」と叫ぶ。

ここからストーリーが動き出す。

場面は現在と過去を行きつ戻りつ。ここで映画の撮影が行われていた当時、春子は駆け出しのスタッフ、演出助手だ。もの作り、映画作り、全くのゼロからの創造、皆、生き生きとしており、春子もその中の1人だ。しかし、観客は知っている、この人々がどうなるかを。子供が生まれそうな小松幸子(きよこ)に淡い想いを寄せる橋本のぶゆき(阿紋太郎)、最高の作品を作りたいと意気込むサクマ俊介(岡田達也)ら、忙しくも楽しそうに働き、生活している。なんということのない光景、会話、そしてそれぞれの人間関係。お互いにお互いを思いやる。

★撮影：渡辺慎一
©舞台「花火の陰」製作委員会

撮影している映画のタイトルは「湖底の郷」。ダム建設のために村が湖底に消えた。日本の河川は治水と利水の歴史、日本は国土が狭いため他国と比較すると川の勾配が激しく、水害、水不足、昨年の台風でも水害が話題になったが、そのためにダムを建設する。そのために立ち退きを余儀なくされることもある。そんな背景を押さえておくとストーリーに俄然興味が湧いてくる。このダム建設の物語はサクマが長年温めてきた企画で、ようやくロケにこぎ着けた、というわけだ。

『その日』が来るまでは微笑ましく、そして楽しげだ。春子もまだ20代、これからという希望に満ちていた、いや春子だけではなく、サクマ、須崎はじめ、皆胸踊らせ、儚くも美しく、キラキラとしたこれからに向かって生きる。恋もちょっと慎ましやかで微笑ましく、歌(懐かしい!)で懸命にアピールしたり、もぞもぞしたり、思い切って告白するも花火の音で聞こえなかったり(いや、聞こえないふり?)、その想いは時を超えていく。

地球上の人々全て、生まれた時からこれからに向かって生きていく。その先にあるものは皆、違う。このロケ地に集まった人々とて、それは同じこと、花火のような一瞬のきらめき。観客はだんだん気付いていく。タイトルの「花火の陰」の意味を。単純なハッピーエンドとかバッドエンドとかいう結末ではなく、春子にとっても観客にとっても、結末は結末ではない。じんわりと心に染み入る物語。主演の大鳥れいをはじめ、丁寧にストーリーを紡ぐ。また、たまごちゃん（藤田奈那）というキャラクターが登場するが、ちょっと不思議な存在。

人生は短く儚げ、しかし儚いながらにも永遠に続く想いと愛。それを過去と現在を交錯させて見せていく。ファンタジックで、淡く、そして花火のようなきらめきと、そこに隠された陰。ラストシーンの景色は美しく、花火が上がり舞台上の登場人物たちはそれを見ているが、その目線は遠くの何かを見つめているようにも見える。繰り返し上演して欲しい内容の作品だ。冒頭のテーマ曲も綺麗な楽曲であった。（高）

諏訪綾子展

記憶の珍味

資生堂ギャラリー、20年1月18日～3月22日

★世界で高い注目を集めるフードアーティスト諏訪綾子が扱うのは「食」。これまでも諏訪は食を用いて五感に訴えかけるインスタレーションを発表してきた。そんな彼女が今回、私たちに提供してくれるのは「記憶の珍味」。誰もが所有している記憶をテーマにした作品だ。

展示は大きく分けて2つある。まずは、できたての「記憶の珍味」を味わうリチュアル（儀式）・ルームで、円卓が置かれ8種類の記憶の「におい」が置かれている。もうひとつは、できあいの「記憶の珍味」を味わうスペースだ。諏訪は記憶とは私たちの意識であると同時に無意識でもあると語る。私という自己そのものである記憶を、かけがえのない珍味として「あじわう」ことで「わたし」自身を味わう。自らの感覚を研ぎ澄ませることが求められる本展は、他ではぜったいに出来ない珍妙な経験の場となっている。ちなみに気になる記憶の味はと言うと…それは、その人が重ねてきた体験次第で変わるのかもしれない。（馬）

ネオ・ダダの痕跡

ギャラリー58、20年3月18日～4月4日

★ネオ・ダダイズム・オルガナイザーズも歴史になった。かつて土方巽が家屋の屋上で踊り騒動になったが、2020年はまたどうだろうか。この不景気もあるが舞踊から再び社会へ入っていく必要があるかもしれない。

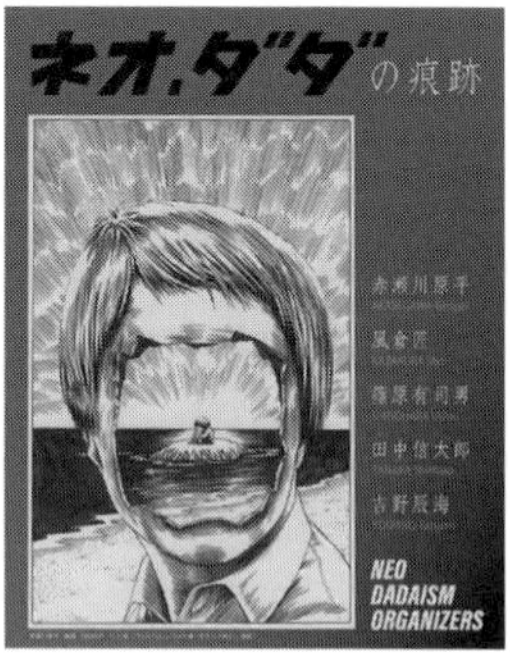

ニューヨーク在住の〝ギューちゃん〟（篠原有司男）はボクシング・ペインティングから現代のプロレス・ペインティングになった。〝赤ちゃん〟（赤瀬川原平）は未発表の初期作品、ウィルヘルム・ライヒ著「きけ 小人物よ！」挿画（1960年代）をみることができる。洞察にユーモアを重ね千円札を描けた器用なタッチで仕上げられている。詩作もしパフォーマンスで知られた風倉匠のオーラを伴った黒点だけの作品は、知覚の揺れや原風景を問うようでポエティックだ。今回の展示メンバーでは篠原有司男と吉野辰海が存命である。田中信太郎はこのギャラリーのオープニングで良く話したが、もう作品と会話するのみになってしまった。60年代の彼らのイベントに来た市川雅との交流を語ってくれたことが懐かしい。今回はラインや点、記号のアートが展示された。

彼らは新しい表現を提示したが、土方の「舞踏」の様に新ジャンルを世界へヒットさせるには、もう一歩だったかもしれない。反芸術とその変遷は時の流れを語る。（吉）

名取事務所

帽子と預言者 鳥が鳴き止む時

下北沢「劇」小劇場、20年2月20日～3月1日

★カナファーニーは、日本でも短編集が出ていて、特に「太陽の男たち」はしばしばポストコロニアル文学の傑作として言及されている、というパレスチナの作家。1972年に36歳で暗殺されている。その作家が戯曲も書いている、ということは知らなかった。ということで、観に行きました。

テーブルを間にはさんで、取り調べ、あるいは裁判の場面からスタート。身に覚えのない殺人で取り調べられる主人公。といっても、そもそも誰が殺されたのかも、何が殺されたのかもわからない。殺されたものは、机の上に、何もないけれ

ど、そこにある。

時間は少し戻る。主人公は、貧しく、恋人と結婚することはできない。恋人は妊娠しているが、だからといってお金のない主人公のことは見限っている。そこに落ちてきたのが、謎の物体。恋人はその物体を売ればお金になるというが、主人公は売ろうとしない。物体はどうやら生物らしく、ポリフォニックな声で語る。この物体は、恋人の母親の帽子という姿をとる。

そして、殺されたのがこの物体。結局、何も殺されていないために、主人公は無罪。けれども、そのことによって自分自身の居所を失った主人公は罰を求める。

って、不条理な劇のストーリーを書いても、なんだかよくわからないですね。けれども、パレスチナとかユダヤ人とか、すべて忘れても、不条理というのは、どこにでも共通するもの、そんな仕様が見えてくる。どこからともなくやってくるポリフォニックな声に翻弄され、自分自身を失っていく。自分で運命を決められない、そんな世界が、一般的なものとして、舞台に置いてある。

小さな劇場ですが、舞台はちょっとこっていて、何よりも目をひくのが、2つの大きなディスプレイ。舞台上で役者によってカメラが操作されていて、その画面がディスプレイに大きく映しだされる。舞台とは別の、ディスプレイ上で進む、切り取られた物語として、舞台上に置いてある。現実感を一度、取り除く、その距離感が、ぼくたちとパレスチナの距離感なのかもしれない、とも思う。

「鳥が鳴き止む時」は、作者自身を主人公とした一人芝居。舞台は、2002年のヨルダン川西岸地区、パレスチナ自治政府のあるラマッラー。パレスチナ自治区の領土とはいえ、実際にはイスラエルが入植を繰り返しており、軍隊に侵攻されている土地。しばしば外出禁止令が出される。この芝居においても、外出禁止令が出されている数日間のようすを、舞台にしたもの。外出した妻がなかなか帰ることができない。しばしば、攻撃の音がする。イスラエル軍は「人道的に」攻撃目標を事前に通知し、被害者が最小限になるようにしている。言うまでもなく、人道的なのではなく、生かさず殺さずということのためだけど。

パレスチナの暮らしがどういうものなのか、ただひたすら語る芝居ではあるが、そこにはとりたてて意外な展開などはなく、淡々と語られる。むしろ、そうした状態が何十年も続いているということの異常さに対し、何も入る余地がない、ということなのだろう。

そんな状況を、前向きに演じられている。2つの芝居の間には、30年以上の時間があるはずなのに、それを感じさせないところに、世界の異常さがある。(M)

劇団俳優座
雉はじめて鳴く
俳優座劇場、20年1月10日～19日

★一昨年2018年上演の「首のないカマキリ」に続き、劇作家・横山拓也と俳優座の新鋭・眞鍋卓嗣がタッグを組んだ第2弾は、教育現場を舞台に「愛の本質」を描いた『雉はじめて鳴く』。劇作家の横山は鋭い観察眼と取材力で人間を多面的にとらえる戯曲で数々の賞に輝いた実力派だ。

物語は家庭に悩みを抱える男子生徒と相談に乗っている担任の女性教諭を軸に展開する。生徒と教師、生徒同士、教師同士、教師と親の間を交錯する思惑をじわじわとあぶりだしていく緻密な作劇は横山の真骨頂だ。空間の使いかたも巧みで、人物像をナチュラルに表現してみせる役者陣と相まって説得力のある舞台になっている。

入試改革やいじめ問題など、現在の教育現場はかつてないほど大きく揺れている。学校だけではない、社会も生きづらい場面が多くなってきたと実感する。こんな時代にこそ上演されるにふさわしい舞台ではないだろうか。舞台上と実社会は空間を超えてつながっている、そんな印象を与えてくれる作品だった。(馬)

舞踏―天空揺籃 舞踏公演
いくたびかちみもうりょう
BUoYHP、19年11月4日

★三浦一壮は舞踏の通行人・分離派である。暗黒舞踏界きっての男性トップダンサーの吉本大輔とポーランドの舞姫・ヴェロニカと新時代の萌芽を生み出そうとしている。この作品は昨今稀にみるコア路線のパフォーマンスである。白鳥湖の小さな4羽の白鳥をがっちりと踊った後に、美貌の乙女が、文字どおり生死を掻い潜るようなダイ・ハードな人生を駆け抜けてきた二人の漢を連れてパ・ド・トロワを繰り広げる。形式を破壊する衝動が肉体たちを加速させる。

三浦の動きはジェストが多く象徴的だ。吉本は荒々しさと既存の形式への破壊衝動でリードするが夢幻能に通じる抽象美を備えている。ヴェロニカのムーヴマンは皮膚感覚から空間に魂の鼓動を伝える。屋外でも上演可能な大作が地下室の密室の行為となる。

過去の黄金時代へのノスタルジーが舞

踏の世界でも定着しつつありすっかり保守化している。歴史も形式も破壊するようなパワフルな新作を楽しむことができた。

屈指の歓楽街と東京芸大のそれぞれの美意識がチャンポンになっている妖しげな街の地下室はアンダーグランドの住民たちが集っていた。（吉）

柳家喬太郎

ザ・きょんスズ30

ザ・スズナリ、19年11月1日〜30日

★芸歴三十周年だそうだ。今年、きょん師の同期、林家彦いちは渋谷文化センター大和田で、入船亭扇辰はなかの芸能小劇場で記念の会をひらいた。そして柳家喬太郎は、下北沢はザ・スズナリで三十日間の連続興業。しかも、三十日で六十九演目、ついにひとつもかぶりなし。

スゴイな柳家喬太郎。

と、あらためてかみしめる。「今回の三十公演は、祝三十周年！という会ではありません。別にめでたいことではありませんから。喬太郎が三十一年目を踏み出すための落語会です」と、会のパンフレットにあった。この文章は「つーかさ、いいきっかけだから、大好きなスズナリで、大好きな落語を喋りたかっただけなんだよ！」と続く。三十公演、一席ずつネタだししてあったその演目は、「古典、新作のこだわりなく、『この噺をやらなくちゃ』ということで選んだ」とインタビューで答えてた。

チケットはもちろん瞬殺で、僕は抽選で一日だけ当たった。十九日火曜、「熱海温泉土産利書」の日。ここ何年も演じられていない、圓朝作品の長篇だ。上下あわせて二時間近く。運命に、恋にふりまわされる女性の、かなしい結末。凄みのある作品で、またいつか観れたらと感じた。

当日券も抽選で二十人ぶんあって、何度かチャレンジこころみたが、けっきょく観れたのは十五日の金曜。きょん師はまず「拾い犬」を演じた。すこしホッとするような噺のラストをきいたあとに、ネタ出しされた「棄て犬」。物凄かった。ずっと聴きたかった噺で、聴けて良かった。恋人に捨てられた男が事故で死に、犬に生まれ変わる。それを知った女は、その犬を最初はかわいがる。しかし、というシカシのあとが。どうしようもなく、まったく救いがないラスト。極上のあとあじのわるさだった。喬太郎師匠のCD、DVDは数あるが、こんな大傑作がどうして未だにソフト化されてないんだと思う。

自分は二日だけの鑑賞だったが、満足感たっぷりに帰った。

でも。ツイッターで様子を追っていると、日々、行きたかったなあと羨んだ。最終日は喬太郎師匠の誕生日でもあって、ラストにケーキのサプライズもあったらしい。

二十四日にネタ出しされていた「八月下旬」も聴きたかったなあと指くわえていたが、翌月の「SWAリターンズ」で聴けた。春風亭昇太・三遊亭白鳥・林家彦いちとキョン師の新作ユニット「SWA」の八年ぶりの復活興業。八年前、二〇一一年、「SWA Final」を観に行ったときのことを思い出す。いつまでも何回もアンコールが続いてた。あのころ私はまだ大学生で、今後どうなるものかまったくわかってなかった。そして今でもわかってない。人間としては今年、私も三十周年を迎えたが、別にめでたくもありません。（日）

星野哲也監督

ジャズ喫茶ベイシー Swiftyの譚詩(Ballad)

★村上春樹のラジオDJが街中に流れるこの頃、日本のジャズを取り上げた本作をみた。岩手県・一関に伝説のジャズ喫茶が存在する。オーナーの菅原正二と喫茶店に関するドキュメンタリーが生まれた。コアなファンは日本特有の〝ジャズ喫茶〟というカルチャーや記録文化を掘り下げて知ることができる映像作品だ。阿部薫や坂田明、渡辺貞夫らの演奏を交えながら戦後ジャズ史を担った面々が証言を語る。時折、叙情的なシーンの切り替えが展開にアクセントを与えるのは監督の感性か。東北のジャズ喫茶、震災と現地のジャズ喫茶たちという視点ではポピュラーカルチャーの大切な記録といえる。（吉）

タテヨコ企画

亡者の時代

下北沢小劇場B1、20年3月4日〜8日

★豊田商事事件を憶えているだろうか。1980年代前半の、組織的詐欺事件だ。金の地金取引を高齢者に持ちかけ、お金をだまし取るという手口。金は豊田商事が預かり、証書だけが顧客の手元に残る。会社設立からわずか5年で破たんし、会長はマスコミの目の前で右翼男性に殺されるという事件にまで及んでいる。

以降も、大規模な詐欺事件はしばしば起きており、最近ではケフィアグループの事件がある。

豊田商事事件のインパクトが強いのは、2000億円規模というスケールの大きさと、わずか32歳の主犯格である永野会長がテレビカメラのあるところで殺されたというセンセーショナルさによるだろう。小説の題材になり、あるいは、内田裕也主演「コミック雑誌なんかいらない」では、殺人犯をビートたけしが演じていた。

さて、「亡者の時代」は、この豊田商事事件をモデルにした作品。舞台では、社名を豊田商会、主人公の名前を島崎一男と変えているけれども、競輪場でのスリの容疑での逮捕など、わりとエピソードとしての事実を取り入れている。少年〜青年にいたる島崎と、スリで逮捕後に、金の取引詐欺を思いつき、豊田商会を成長させ、破たんさせていく場面が、交互に描かれ、二人の役者によって島崎が演じられる。

内容そのものは、変化球はほとんどないが、多くのエピソードがめまぐるしく演じられ、そのスピード感だけはちょっとしたものだ。少年〜青年のパートの役者が退場する前に豊田商会パートが始まっており、なんか走馬燈みたいな舞台になっている。

主演を含めた役者陣の熱演が舞台の緊張感を出していて、スピード感も含めて良かったし、35年前の事件が、ある部分では笑いすら誘ってしまう、そんなものにもなっている。

とは思うのだけれど、作者を含めたメンバーにとって、豊田商事事件はどれだけリアルなんだろう、とも考えた。年齢を考えると、だいたいみんな小学生くらいなんじゃないかな。実は、だからこそ、事件そのものをアレンジすることなく、ストレートに演じてみる、そのことで何か発見するものがあるのかもしれない、ということなのかもしれないな。

あいかわらず、こうした詐欺事件は、安愚楽牧場の和牛投資や、ケフィアグループの干し柿投資みたいに続いているし、あるいはオレオレ詐欺は巧妙になる一方だ。

実は、ケフィアグループの人とは、15年くらい前に話す機会があった。長野県で、放し飼いの鶏を育てる、ということをはじめていた。まだクリーン自動車に含まれていたプリウスに乗って、養鶏場まで連れていってもらった。彼は、ケフィアグループの会長の息子であった。最初は、新しい農業をやろうとしていたのに、ギャッシュフローを一度コントロールできなくなると、簡単に破たんしていくものだとも思う。

一般的な話として、演劇界の人はお金にあまり縁がないと思われるし、そこから狂気を描いていく、というのは、ものすごく冷静な作業になったのだろうと思う。そのことが、お金は破綻しても、舞台は破綻しない、そこに落ち着いていったのだと思う。(M)

大野慶人 告別式

上星川教会、20年1月13日

★生と死、それを結びつける「祈り」の舞踏——新人の牧師は大野慶人の舞踏について語った。大野慶人は父・一雄や仲間たちが生み出した舞踏を世界へ広めるべく力を尽くした。

彼は父同様にクリスチャンで、父がかつて教えた関東学院で少年時代に学んだ。会場の上星川教会はクリスマスに大野一雄・慶人がサンタに扮した幼稚園に隣接し、設立者は同じ。スタジオ関係のみならず舞踏やコンテンポラリーダンスの関係者が集まった。

岡の上の教会からはスタジオ方面を遠望できる。皆で集い待っていると、それぞれがスタジオに通った話や懐かしい再開の輪が広がった。鳥たちのさえずりが響きわたる晴れた冬の午後だった。

出棺に続き手に薔薇の花を持った喪服の女性たちが現れた。舞踊界らしく拍手で車を送り出した。(吉)

さようなら、長谷川さん

★舞台関係や現代美術界隈で伝説的な愛好家と知られていた〝長谷川さん〟が数年前に亡くなっていた。ある舞踏家が「パートナーはゼロ次元のYさん」と彼にツッコミをいれると照れてしまいニヤニヤしていた——実はその筋の関係でもあった。舞踏からパフォーマンス、バレエ、なんでもみて、その上いろいろな打ち上げにどこからともなくひょっこり現れた。呑んだ相手の数も伝説だが、ただの一文字も充実した毎日の記録を残してくれなかった。芸術観賞の為には勤め人だの世間体だの気にしなかった。文字通り「予定は未定」で生き、会うと空を見上げながら煙草をふかしてアートを語った。20年弱は現場ですれ違っていたと思う。

なんでも楽しんでみて、楽しんで語る、そしてどこにでもリュックサックを背負って登場する長谷川博秀さんは関係者から愛されていた。冥福を祈る。(吉)

トーキングヘッズ叢書（TH series） No.82

もの病みのヴィジョン

編　者　アトリエサード
編集長　鈴木孝（沙月樹 京）
編　集　岩田恵／望月学英・徳岡正肇
協　力　岡和田晃

発行日　2020 年 5 月 6 日

発行人　鈴木孝
発　行　有限会社アトリエサード
東京都豊島区南大塚 1-33-1 〒 170-0005
TEL.03-6304-1638 FAX.03-3946-3778
http://www.a-third.com/
th@a-third.com
振替口座／ 00160-8-728019
発　売　株式会社書苑新社
印　刷　株式会社平河工業社
定　価　本体 1389 円＋税
ISBN978-4-88375-402-1 C0370 ¥1389E

出版物一覧

http://www.a-third.com/

ご意見・ご感想をお寄せ下さい。
Web で受け付けています。
新刊案内などのメール配信申込も
Web で受付中!!

●Facebook　http://www.facebook.com/ateliertird

●編集長 twitter　https://twitter.com/st_th

アトリエサード HP

AMAZON（書苑新社発売の本）

A F T E R W O R D

■今回の企画を考えていた時には、世界がこんなことになるとは思ってもみなかった。終末の小説とかは好きなのだが、実際に健康面や経済面で脅かされてくると…しかも出口がまったく見えないときた。こんな時期にこの特集はどうなん?と思わないでもなかったが、でも、過去のパンデミックやさまざまな病に触れてみると、それでも人類は滅びずに続いてきたんだという…そう、「もの病みのヴィジョン」は、この時代を生き抜く勇気を得る眼力なのです！ 次はExtrARTが6月下旬、THが7月末、無事発行できることを祈ってくれ！（S）

★弦巻稲荷日記―COVID-19の影響で、3月、4月のイベントはほぼ中止に。申し訳ない気持ちでいっぱいだ。文学フリマ東京も中止。いつまでこの状況が続くのか。それでも、猫も擬態美術協会も観察し続け、アンダーグラウンドでもカルチャーの火をともし続けるですよ。以下次号（め）

■展覧会・個展や上映・上演等の情報は、編集部あてにお送りください（なるべく発売の1カ月半前までに。本誌は1・4・7・10の各月末発売です）。

■絵画等の持ち込みは、郵送（コピーをお送りください）またはメール（HPがある場合）で受け付けています。興味を持たせて頂いた方は、特集や個展など、合うタイミングでご紹介させて頂きます。

■巻末の「TH特選品レビュー」では、ここ数ヶ月の文学・アート・映画・舞台等のレビューを募集中。1本400字以内で、数本お送り下さい。採用の方には掲載誌を進呈します（原稿料はありません）。THの色にあったものかどうかも採否の基準になります。投稿はメール（th@a-third.com）でOK。

■詳しくはホームページもご覧ください。

※応募の際には、本名・筆名・住所・TEL・E-mail・年齢・職業・趣味の傾向等簡単な自己紹介・本書のご感想を必ずお書き添え下さい。

※恐れ入りますが、原則的に採用の方にのみご連絡を差し上げています。ご了承ください。